Zarya et la malédiction de la dague d'Azazel

Les Éditions des Intouchables bénéficient du soutien financier de la SODEC et du Programme de crédits d'impôt du gouvernement du Québec.

 Nous remercions le Conseil des Arts du Canada de l'aide accordée à notre programme de publication.

Nous reconnaissons l'aide financière du gouvernement du Canada par l'entremise du Programme d'aide au développement de l'industrie de l'édition (PADIÉ) pour nos activités d'édition.

 Membre de l'Association nationale des éditeurs de livres.

LES ÉDITIONS DES INTOUCHABLES
512, boulevard Saint-Joseph Est, app. 1
Montréal, Québec
H2J 1J9
Téléphone : 514-526-0770
Télécopieur : 514-529-7780

DISTRIBUTION : PROLOGUE
1650, boulevard Lionel-Bertrand
Boisbriand, Québec
J7H 1N7
Téléphone : 450-434-0306
Télécopieur : 450-434-2627

Impression : Transcontinental
Illustration : Polygone Studio
Conception Graphique : Marie Leviel
Correction : Sylvie Martin, Annie-Christine Roberge
Dépôt légal : 2009
Bibliothèque et Archives nationales du Québec
Bibliothèque nationale du Canada

ISBN : 978-2-89549-383-9

JP Goyette

Zarya

2 Et la malédiction
de la dague d'Azazel

Merci à toi, Sophie Ginoux, pour avoir livré à deux reprises un combat pour l'acceptation de la série Zarya. Sans toi, cette série n'existerait pas.

À toi, Patricia Juste Amédée, pour tes merveilleux conseils, et au travail exceptionnel de l'équipe de la maison d'édition Les Intouchables.

À toi, Josiane Hamel, merci pour tout. En te souhaitant bonne chance pour ton roman à venir.

JP Goyette

Prologue

Un bruit assourdissant se fit entendre. L'archéologue Hubert K. Bibolet et son équipe de huit hommes se tournèrent en direction de l'inquiétant vacarme et aperçurent, avec stupéfaction, un gros bloc de glace se dissocier de la falaise escarpée. Ils s'avancèrent prudemment sur l'étroite corniche située à flanc de falaise du mont d'Hésiode, à cinq cent soixante-seize kilomètres au nord du pays de Dagmar. Ils devaient tous être très attentifs dans cette région éloignée du Grand Nord, car le danger pouvait survenir en tout temps et il était présent sous toutes sortes de formes dans cette zone sauvage. Le groupe d'archéologues était à la recherche d'un objet légendaire, une fabrication datant de bien avant la disparition de l'Atlantide. Ils avaient tous franchi la corniche sains et saufs, lorsqu'un des hommes interpella le professeur :

— Si je me fie au parchemin, nous y sommes presque... à environ cent mètres devant nous, professeur Bibolet !

Avec une visibilité de plus en plus faible à cause de la poudrerie qui prenait de l'ampleur, l'archéologue en chef survola du regard la paroi couverte d'une épaisse couche de glace en face de lui.

— Mais le parchemin fait mention d'un temple, si ma mémoire ne me joue pas de tours, fit remarquer le professeur Bibolet. Je n'aperçois aucun temple !

— Malgré le fait que la carte date d'environ trois mille cinq cents ans, patron, il est bien indiqué, noir sur blanc, qu'un temple se trouve juste devant nous, dit le mage en la regardant sous tous ses angles.

Hubert K., escorté de ses hommes, s'approcha alors tout près de la paroi, comme s'il voulait voir au travers.

— Qu'en penses-tu, Francis ? demanda-t-il à son fils de dix-neuf ans qui l'accompagnait.

— Si l'on se fie au plan, père, répondit le jeune homme en scrutant la cloison de glace, alors, ça vaut la peine d'y jeter un coup d'œil.

— Je suis d'accord avec toi, approuva le père en examinant la paroi de haut en bas tout en caressant sa moustache blanche démesurée qu'il portait avec fierté.

Il fit signe à deux de ses hommes de le rejoindre et leur dit :

— C'est à vous de jouer, messieurs...

Les deux hommes prirent quelque chose dans leur sac à dos, alors que le reste du groupe s'éloignait. Ils se mirent côte à côte, face à la paroi, une pierre de citrine dans leur main gauche, tandis qu'ils levaient la droite et *PPSSHH!*... Un jet de feu orangé sortit de leur main tendue et fit fondre, peu à peu, le mur de glace sur lequel tous les yeux étaient rivés. La glace fit bientôt place à un mur de pierre. Des sculptures représentant des démons effroyables firent leur apparition après avoir été recouvertes de glace pendant des milliers d'années. Hubert K. fixait, fasciné, le temple de Méphistophélès qui se révélait à lui ; un temple maudit, selon les écritures attiliennes. Il portait le nom du démon Méphistophélès, le plus redoutable meneur des enfers... après Satan, naturellement !

Après avoir fait fondre une partie de la surface de glace, les deux mages arrêtèrent leur besogne sur l'ordre de leur patron. Toutes les personnes présentes regardaient le temple avec effroi. Le professeur Bibolet, quant à lui, avide de faire de nouvelles découvertes, se dirigeait déjà vers l'entrée principale, encadrée par deux sculptures démoniaques, afin d'y pénétrer. Le reste de l'équipe le talonna de près. Ils entrèrent dans un endroit sombre et humide où il faisait un froid qui vous saisissait au plus profond des os. Étant trop dans l'obscurité pour faire un pas de plus, le professeur ne tarda pas à sortir une petite pierre de sa poche, un petit cristal transparent qu'il frotta avec sa main et qui, aussitôt, se mit à éclairer. Ils s'avancèrent d'un pas prudent dans le long couloir qui menait à des pièces inexplorées depuis des milliers d'années. Le professeur Bibolet regardait autour de lui et admirait l'immense temple construit à même une grotte géante. Ce lieu de culte avait été abandonné depuis deux mille huit cents ans, et sa construction, encore aujourd'hui, demeurait un mystère.

Le groupe déboucha dans une pièce ronde d'une dizaine de mètres de diamètre. Six piliers soutenaient le plafond cathédrale, et une table liturgique trônait au centre de la pièce. Dans les murs de pierres, une multitude de tablettes étaient encastrées, et, sur ces tablettes, des crânes humains par centaines étaient déposés.

— Cette salle devait sûrement être la Chambre des Sacrifices, dit le professeur en regardant son fils. C'est ici qu'ils offraient des sacrifices à Méphistophélès, expliqua-t-il en observant les crânes sur les murs.

— Mais c'est horrible ! s'exclama Francis en regardant avec effroi la table liturgique.

— Oui, en effet, acquiesça le professeur, mais c'est également fascinant… Cela fait partie de l'Histoire.

— Oui, heureusement, c'est du passé ! dit le jeune homme. Mais où se trouve l'objet de nos recherches, père ?

— Il se situe dans la Chambre des Arcanes.

— Et où se trouve cette chambre ? demanda le fils à son père.

— Nous n'en savons rien, malheureusement, répondit ce dernier. Et ce temple semble être un vrai labyrinthe.

Le groupe se dispersa afin de localiser la fameuse Chambre des Arcanes, tout en gardant un contact télépathique. Après de longues recherches, le professeur reçut un message provenant de l'un de ses hommes qui pensait avoir trouvé la chambre en question. Le professeur se rendit donc sur les lieux, sans toutefois franchir le seuil de la pièce.

— Je crois bien que vous avez raison, dit-il en donnant une tape sur l'épaule du jeune homme. Messieurs, dit le professeur Bibolet en regardant son équipe qui s'était réunie autour de lui, nous avons maintenant atteint notre but... Voici la Chambre des Arcanes !

— Et qu'est-ce qui vous dit que c'est bel et bien elle ? demanda le fils à son père.

— Observe bien, lui dit alors le père en indiquant une direction précise... Elle est là !

Francis n'avait pas remarqué le socle au fond de la pièce sombre et profonde. À cet endroit, une étrange lueur verte brillait avec une scintillation phosphorescente. Le professeur entra le premier, suivi de son fils et de deux de ses hommes qui leur emboîtèrent le pas ; ils se dirigèrent prudemment vers la base auréolée de lumière. Dans l'obscurité qui régnait, les deux hommes prirent l'initiative de se diriger vers les murs de côté afin d'allumer les torches qui y étaient fixées et qui, miraculeusement, étaient toujours intactes. Les flambeaux, maintenant allumés, révélèrent une chambre rectangulaire pourvue d'un haut plafond où les autres membres de l'équipe s'empressèrent d'entrer à leur tour. Les flammes dévoilèrent également six statues de démons qui semblaient regarder le socle et son trésor. Francis s'approcha, accompagné de son père, et ce qu'il vit le surprit :

— Regardez, père, il y a un champ magnétique tout autour !

— Surprenant qu'il soit encore opérationnel après toutes ces années !

L'un des hommes s'avança près du socle et, après un court moment, il se tourna vers le professeur. L'homme s'appelait Simon D'hanens et il était un spécialiste en champs magnétiques de toutes sortes.

— C'est un vieux champ magnétique qui a pour but de protéger cette salle d'éventuels pillards et de la préserver contre l'emprise du temps. De cette façon, en aucune manière, elle ne peut s'altérer, révéla Simon au professeur.

— Mais un objet en or ne se dégrade pas…, se dit-il à voix basse.

Il s'approcha alors davantage du socle et remarqua un détail qui, jusque-là, lui avait échappé et qui le fit reculer de deux pas…

— Que Dieu nous protège tous, dit le professeur dans un souffle, les yeux emplis de frayeur. Il y a du sang !…

Tous les gens rassemblés autour de la base examinaient l'objet qui flottait dans les airs entouré d'un champ magnétique vert émeraude, et n'en croyaient pas leurs yeux. L'archéologue regarda les membres de son équipe et leur dit :

— La dague d'Azazel est couverte de sang… le sang de Méphistophélès !

Le Sortilège de Pêle-Mêle

Aussitôt qu'elle entra dans sa chambre, Zarya referma la porte derrière elle pour ne pas être dérangée, et ce, sous aucun prétexte ; c'était l'heure de son apprentissage. Elle se dirigea vers une curieuse sphère vitreuse opaque qui ressemblait étrangement à une boule de quille. Depuis son retour au Canada, qui remontait déjà à près de quatre mois, Zarya accordait une attention particulière ainsi que beaucoup de temps à cette technologie attilienne ; elle pouvait passer des heures devant cette sphère pour parfaire ses connaissances, sans toutefois nuire à ses études scolaires. Elle apprenait tout sur leurs coutumes, leur alimentation et même sur certains métiers exclusifs à cette dimension qu'elle adorait. Cela pouvait sembler bizarre pour une personne ordinaire de vouer une partie de son temps à une boule posée sur son bureau de travail, mais, pour une mage comme Zarya Adams, cela faisait partie intégrante de son quotidien. Cet instrument d'apprentissage était une boule du Savoir. C'était un cadeau très précieux aux yeux de la jeune fille, un cadeau que son grand-père, Gabriel Adams, lui avait donné à la fin de ses vacances d'été. Un grand-père pas comme les autres ! Tout comme sa petite-fille, c'était un mage, et un très grand mage, selon elle. Il était à la fois ministre des Relations interdimensionnelles et directeur du Temple des Maîtres Drakar dans une dimension inconnue du commun des mortels.

Zarya s'ennuyait énormément de cette dimension, de toute sa magie et des mystères qui y régnaient. Malgré le fait qu'elle avait affronté plusieurs dangers à Attilia durant les premières semaines passées là-bas, elle avait vécu les plus belles vacances de toute sa vie. À son départ, son grand-père lui avait fait un autre cadeau, un présent encore plus inestimable que la boule du Savoir, c'était un billet d'avion pour revenir le voir à Noël. Zarya devait retourner à Attilia accompagnée de sa meilleure amie, Abbie Steven. Elle avait hâte de revoir son grand-père, sans oublier madame Mitiva Phidias, leur «mère de remplacement» à Attilia.

Elle tira sa chaise pour s'asseoir confortablement en se replaçant une mèche de cheveux indocile et se tourna vers la fenêtre. Elle scruta l'obscurité dans l'espoir d'apercevoir son petit compagnon ailé. Peut-être allait-il apparaître pour l'avertir d'un danger imminent. Elle ne souhaitait pas cela, bien sûr, mais elle espérait tout de même voir son ami. Elle voulait seulement essayer de communiquer avec ce petit être étrange venu d'une autre dimension. Perdue dans ses pensées, Zarya regardait sans les voir les cheminées des maisons avoisinantes ; elle tentait d'imaginer son avenir dans la ville d'Attilia avec ses nouveaux amis. Depuis que son grand-père lui avait fait découvrir cette dimension, elle rêvait d'y résider et de suivre les traces de celui-ci. Elle voulait devenir Maître Drakar et vivre des aventures trépidantes. Elle ne savait pas trop en quoi consistaient les tâches de ministre des Relations interdimensionnelles, mais connaissant son grand-père, elles ne devaient pas être ennuyantes. Et il y avait une chose qui ne faisait aucun doute pour elle, c'était qu'elle aimerait bien devenir directrice du Temple des Maîtres Drakar, tout comme lui.

Retrouvant sa conscience, elle s'installa devant la boule du Savoir et déposa ses deux mains au-dessus de celle-ci en fermant les yeux. Elle se concentra en pensant à une chose qu'elle désirait voir et sur laquelle elle voulait approfondir ses connaissances. Quelques secondes passèrent, et Zarya sentit son esprit se dédoubler et… se retrouver dans un endroit sombre, éclairé seulement par un chandelier à neuf branches noir. C'était une salle emplie de choses vraiment bizarres ; il y avait des crânes humains disposés sur une table et des statues de démons qui la fixaient. Soudain, une vieille dame apparut ! Elle était vêtue d'une robe noire et arborait une chevelure grisâtre qui lui descendait jusqu'au milieu du dos. Elle faisait face à Zarya, derrière la table, et se présenta :

— Bonjour ! Je me nomme Anita Morrison… Je suis votre hôte pour votre apprentissage personnel. Je vais maintenant vous énumérer les différents thèmes que nous avons sur la magie noire. À tout moment, vous pouvez mentionner quelle option vous intéresse : description, historique…

— *Description !* pensa aussitôt Zarya.

— La magie noire était autrefois appelée *goétie*, commença la vieille dame. On utilisait cette magie à des fins de vengeance, pour infliger un châtiment, pour apporter la malédiction et même pour semer la destruction… Tout cela visait l'échec d'une victime humaine dans un domaine particulier de sa vie. Les fidèles de la magie noire sont considérés comme des êtres néfastes pour la société, puisqu'ils mettent tout en œuvre pour en troubler l'équilibre…

Zarya enleva ses mains de la boule du Savoir pour mettre un terme à cette recherche. La description de la magie noire qu'elle venait d'entendre lui faisait encore trop mal, un mal qui lui transperçait le cœur. En effet, ce sujet lui rappelait de douloureux souvenirs d'un proche passé, le souvenir de Malphas et de ses mages noirs[1]. Elle avait appris, de la bouche de son grand-père, que le terrible Malphas n'était nul autre que son père John Adams. Cette terrible révélation lui avait déchiré les entrailles. L'adolescente regarda alors la lettre posée sur sa table de chevet. Elle se leva, releva ses oreillers contre la tête de son lit et s'installa confortablement en s'y adossant. Étendue, elle prit la lettre pour la lire de nouveau. C'était une lettre que son père lui avait fait parvenir de la prison parisienne où il était incarcéré depuis son arrestation. Elle sortit délicatement la lettre de son enveloppe pour ne pas la froisser et se mit à lire.

Ma chère Zarya,

Je t'écris cette lettre pour te dire que je t'aime de toute mon âme et que je regrette amèrement toutes les choses que je t'ai fait subir depuis quelques années.

Il est vrai que j'étais sous l'emprise du démon Malphas, mais ce n'est pas une excuse valable, c'est tout de même moi qui, de prime abord, l'ai invoqué dans notre monde. Je peux t'avouer que c'est un geste que je déplore de tout mon cœur. Si j'avais le pouvoir de revenir dans le passé et de réparer le mal que j'ai pu faire, et même de mettre un terme à cette messe d'incantations maudites, rien de cela ne serait arrivé, et nous vivrions en harmonie dans la ville d'Attilia, toi, moi et ta mère, que j'aime toujours. Mais je crains de ne pas détenir ce pouvoir et, malheureusement, d'être banni à vie de cette merveilleuse ville.

Je rêvais de tout posséder et, finalement, j'ai tout perdu. Mais là n'est pas ma plus grande inquiétude... Ma plus grande

---

1. Voir *Zarya et le Crâne maudit.*

peur est de te perdre, toi, l'Amour de ma vie, l'Être que j'aime le plus au monde. J'espère de toutes mes forces que, un jour, tu me pardonneras tous mes péchés.

Ton père qui t'adore XX

— Je te pardonne, papa, souffla-t-elle, la gorge serrée, en déposant un tendre baiser sur la lettre, qu'elle replaça avec soin dans son enveloppe.

Zarya avait reçu cette lettre le mois dernier et l'avait lue tous les soirs avant de se coucher. Elle reposa la lettre sur sa table de chevet, détacha son regard de l'enveloppe, regarda l'heure indiquée sur son réveille-matin et décida de se coucher. En examinant le plafond, elle eut une dernière pensée pour une personne qu'elle avait connue à Attilia et qui lui avait sauvé la vie à quelques reprises. Cette pensée fut pour Jonathan. À la seule évocation de ce prénom, le cœur de Zarya voulait sortir de sa poitrine. À la seconde où elle avait croisé ses yeux, la jeune fille avait su qu'ils étaient faits l'un pour l'autre. Elle adorait s'endormir sur ce souvenir; elle s'assurait ainsi de faire de beaux rêves.

◊ ◊ ◊

Le lendemain matin, quand sa mère vint la réveiller en lui secouant délicatement l'épaule, Zarya eut l'impression qu'elle venait tout juste de se coucher. Elle repoussa ses couvertures, s'assit sur le rebord de son lit et s'étira en regardant sa mère souriante.

— Il est déjà l'heure ? demanda Zarya en lui rendant son sourire.

— Eh oui, ma chérie, dit Kate en ouvrant les rideaux pour faire entrer la clarté du jour.

— Quel jour sommes-nous ? dit-elle encore à moitié endormie.

— Nous sommes mardi, et tu dois aller à l'école.

— C'est vrai, tu as raison, dit Zarya en retrouvant tranquillement ses esprits.

— Hier, j'ai appelé la tante d'Abbie et je les ai toutes deux invitées pour fêter Noël avec nous ce vendredi.

— Et elles vont venir, j'espère ?

— Oui, et avec joie.

— Ça va être spécial de fêter Noël le 20 décembre cette année.

— On n'a pas vraiment le choix, fit remarquer Kate en sortant des vêtements pour sa fille. Vous prenez l'avion le lendemain matin pour Paris... ou plutôt pour Attilia, dit-elle en lui faisant un petit clin d'œil complice.

Zarya, toujours assise sur son lit, fit léviter sa brosse à cheveux jusqu'à sa main et entreprit de démêler sa coiffure sous le regard ébahi de sa mère.

— N'oublie jamais que tu ne dois pas faire ce genre de choses à l'extérieur de la maison, recommanda Kate une fois de plus à sa fille.

— Bien sûr que non, répondit celle-ci en roulant des yeux tout en lui adressant un petit sourire.

Après avoir pris un bon déjeuner en compagnie de sa fille, Kate quitta le nid familial la première pour aller travailler. Zarya prit son sac à dos et sortit à son tour de la maison. Le soleil s'était levé, et la brume se dissipait peu à peu pour faire place à une magnifique journée de décembre. Zarya marcha en direction de son école en passant à travers le parc. C'était dans ce parc que tout avait commencé, là qu'elle avait découvert qu'elle possédait des pouvoirs magiques. Elle jeta un regard furtif dans le buisson au fond du parc et se rappela le soir où la bête noire, ou plutôt le balnarek, avait bondi de ce buisson pour foncer sur elle. C'est à ce moment-là qu'elle avait créé un mur invisible sans vraiment le vouloir ; le réflexe de mage qui sommeillait en elle s'était réveillé devant le danger.

Il était encore trop tôt pour arriver à l'école, et Zarya marchait donc lentement pour s'y rendre. Perdue dans ses pensées, elle entendit un sifflement venant du ciel et devina que c'était son petit ami ailé en forme de bâton. Les gens d'Attilia les nommaient les Rodz. C'étaient des sentinelles, des êtres qui montaient la garde contre de possibles envahisseurs. Seuls les mages pouvaient les entendre, mais quelques autres personnes dépourvues de pouvoirs les avaient déjà vus. Zarya pressentit que le Rodz était tout près et décida d'essayer une fois de plus de communiquer avec son petit protecteur.

— *Bonjour !* dit-elle par télépathie en fermant les yeux.

Quelques secondes passèrent et soudain…

— *Bonjour !*

Surprise, l'adolescente ouvrit les yeux pour s'apercevoir que le Rodz lui tournait autour à une vitesse folle. Elle était très excitée d'avoir enfin réussi à prendre contact avec son petit compagnon ailé.

— *Quel est ton nom ?* demanda-t-elle en tentant de l'apercevoir, mais en vain : il était trop rapide.

— *Mitoïd.*

— *C'est un joli nom, Mitoïd ! Est-ce que tu peux t'arrêter une seconde ? J'aimerais bien te voir…*

Sur cette demande, Mitoïd s'arrêta instantanément. Abasourdie, Zarya regarda le petit être de trente centimètres qui volait sur place comme un colibri et qui lui faisait face. La première chose qu'elle remarqua, ce furent ses deux petites ailes transparentes qui longeaient son corps en forme de bâton. Elles lui faisaient penser à des nageoires de poissons. Zarya dirigea ensuite son regard vers le petit visage doté de deux minuscules yeux jaune serin et d'une petite bouche vermeille ;

elle trouva très mignon son nouvel ami argenté. Elle entendit des élèves qui marchaient dans sa direction, et, au même instant, Mitoïd prit son envol à une vélocité ahurissante. Zarya se tourna vers les adolescents qui passaient au côté d'elle et, à son grand soulagement, elle constata qu'ils n'avaient pas vu Mitoïd. Zarya regarda vers le ciel, fit un petit sourire en guise d'au revoir et poursuivit son chemin.

◊ ◊ ◊

Zarya rangeait son manteau basilien noir dans son casier lorsqu'elle reçut un message télépathique :

— *Allô, Zarya !*

Elle se tourna sur sa droite et aperçut une jeune fille aux cheveux bouclés châtain clair, affichant un magnifique sourire ; c'était sa meilleure amie, Abbie Steven.

— Salut ! répondit Zarya avec un sourire épanoui.

— Tu m'as l'air particulièrement heureuse ce matin, remarqua Abbie.

— J'ai fait connaissance avec quelqu'un aujourd'hui, confia-t-elle les yeux brillants.

— Mais… mais que fais-tu de Jonathan ? balbutia Abbie.

— Ce n'est pas un garçon… enfin, je crois, dit-elle malicieusement.

— Tu ne sais pas si c'est un garçon ?

— Il s'appelle Mitoïd, et c'est mon petit ami ailé.

— Un Rodz ! comprit-elle.

— Oui, exactement.

— Et tu as réussi à communiquer avec lui ?

— Tout juste ! répondit-elle, très fière.

Pendant qu'elles se dirigeaient à leur premier cours de la journée, Zarya expliqua à son amie son insolite rencontre avec Mitoïd.

Dans la grande cafétéria, à l'heure du dîner Abbie souriait en dégustant son sandwich au porc. En effet, elle paraissait plus joyeuse que jamais. Curieuse, Zarya lui demanda :

— À quoi penses-tu pour avoir l'air aussi enchantée ?

— Je pense à Olivier.

— Est-ce qu'il t'écrit encore ?

— Oui, il m'écrit toutes les semaines, répondit Abbie. Mais, ce n'est pas nécessairement pour ça que je suis de bonne humeur.

— Ah non, pourquoi alors ?

— Il m'a promis qu'il m'enverrait quelque chose par la poste.

— Ah oui, et quelle est la chose ? demanda Zarya, avide de tout savoir.

— À la suite de notre séjour à Attilia, je me suis découvert une nouvelle passion… une activité pour un sujet que j'adore, révéla Abbie le regard lumineux.

— Et c'est quoi ?

— Les pierres magiques, chuchota-t-elle en regardant autour.

— Et que vient faire Olivier dans tout ça ?

— La semaine dernière, je lui ai mentionné ma nouvelle passion pour les pierres, et il m'a alors dit qu'il me ferait parvenir des livres sur ce sujet par la poste.

— Mais tu as la boule du Savoir !

— Oui, je sais, répondit-elle, mais les livres qu'il veut m'envoyer se spécialisent sur cette question.

— Il est attentionné envers toi, tu en as de la chance !

— Il a parlé avec le professeur Razny et il veut me rencontrer la semaine prochaine pour me donner quelques conseils sur mon éventuel avenir dans ce domaine.

Zarya lui fit un magnifique sourire, signifiant ainsi qu'elle était très heureuse pour elle. Son sourire disparut subitement, et Zarya fit signe à Abbie de regarder vers sa gauche tout en lui disant en pensée :

— *C'est Tommy Raymond et son ami, ils viennent s'asseoir près de nous !*

Effectivement, deux garçons s'assirent à la table voisine de la leur. L'un des garçons s'appelait Tommy Raymond et l'autre, Francis Lavoie. Abbie affectionnait tout particulièrement Tommy et avait le béguin pour ce jeune homme depuis le primaire. Ce dernier la regarda et lui fit un sourire engageant, à la grande surprise d'Abbie : il l'avait toujours ignorée et là, aujourd'hui, il se décidait à lui sourire ! Il est vrai qu'Abbie rayonnait de tout son être, sûrement qu'elle n'avait jamais été aussi heureuse de toute sa vie. Par pure politesse, Abbie lui rendit son sourire, puis elle se leva en prenant son sac à dos et quitta la cafétéria, accompagnée de Zarya.

— Mais… tu avais la chance de lui parler, pour une fois, lui fit remarquer Zarya.

— Oui, c'est vrai, dit-elle sans se retourner, mais il est trop artificiel à mon goût.

— Tu as raison, approuva Zarya, qui se mit à rire.

Zarya savait parfaitement qu'Abbie était follement amoureuse d'Olivier, et à juste titre. Olivier était d'une gentillesse à toute épreuve et portait une attention particulière à Abbie. Depuis que celle-ci avait quitté la ville d'Attilia, Olivier lui avait écrit chaque semaine et, selon Abbie, il s'ennuyait beaucoup, mais pas autant qu'elle.

Zarya et sa copine déambulaient à présent à travers les couloirs de l'école et cherchaient un coin discret pour parler de leur futur voyage à Attilia. Ce n'était pas facile de trouver un endroit tranquille, car il y avait des étudiants assis partout. Elles décidèrent donc d'emprunter l'escalier pour monter à l'étage supérieur et avoir enfin le loisir de discuter tranquilles.

Les deux jeunes filles, qui avaient toujours été d'excellentes amies, avaient vu leur lien d'amitié se fortifier davantage tout au long de l'été. En fait, depuis qu'elles avaient découvert le point qu'elles avaient en commun, c'est-à-dire qu'elles étaient des mages, plus rien ne pouvait les séparer.

Depuis qu'elles avaient pris connaissance de leurs nouvelles facultés, Zarya et Abbie s'exerçaient tous les jours. Une fois par semaine, Kate les amenait à la campagne, loin des regards indiscrets, où elles avaient la possibilité de s'entraîner au maximum. Elles pratiquaient la psychiforce, la télékatapelte et d'autres dons extraordinaires. La première fois que Kate avait vu Zarya utiliser son incroyable pouvoir de Torden, une peur bleue l'avait envahie. Elle craignait de voir sa fille posséder une telle puissance, une faculté qui pouvait attiser la convoitise de gens mal intentionnés. Elle se souvenait encore de cette belle journée d'automne dans une forêt près d'un lac. Kate avait observé sa fille qui faisait face à un arbre mort et qui, étrangement, avait refermé ses bras en croix sur elle-même et pris une grande respiration… Elle avait déployé ses bras vers l'arbre, des éclairs bleus étaient sortis de ses dix doigts et, avec un bruit torrentiel, ils étaient allés frapper l'arbre mort qui, instantanément, avait pris feu. Avec le sourire, Kate se rappela également que, heureusement, Abbie avait eu le bon réflexe d'éteindre le feu en lançant une bruine glacée avant que celui-ci ne se propage.

Après les classes, Zarya et Abbie se rendirent chez cette dernière afin d'y faire leurs devoirs ensemble. Mais, dès qu'Abbie entra chez elle, elle remarqua un paquet sur la table, lequel ne s'y trouvait pas lorsqu'elle avait quitté la maison le matin même. Elle déposa son sac à dos sur l'une des chaises, s'approcha et lut la provenance du colis.

— Ça vient de Paris et c'est pour moi ! s'exclama-t-elle, tout excitée.

Elle s'empara promptement du paquet et fila dans sa chambre. Zarya la suivit…

— C'est sûrement le livre qu'Olivier t'avait promis, devina Zarya.

— Oui, sûrement… J'espère que c'est ça !

— Alors, dépêche-toi, dit-elle aussi fébrile que son amie.

Abbie ouvrit la boîte et découvrit que, en effet, un livre d'une épaisseur impressionnante s'y trouvait ainsi qu'une lettre qui était posée sur le dessus. Elle prit tout d'abord le livre, qui semblait très vieux, et le déposa sur son bureau de travail pour ensuite prendre la lettre. Zarya jeta un coup d'œil sur le titre du livre tandis qu'Abbie s'affairait à ouvrir son courrier.

— Regarde le titre du livre… c'est vraiment étrange ! fit remarquer Zarya.

SETEESTISS LMEUPELV EILLNERERUR ETRU

Abbie délaissa l'enveloppe pour ouvrir le livre et regarder à l'intérieur…

— On dirait une langue étrangère, souligna-t-elle.

— Olivier doit avoir écrit une explication dans sa lettre, hasarda Zarya.

— Attends, je vais lire son message, dit Abbie en s'emparant de nouveau de la lettre.

Elle la sortit de son enveloppe et lut…

Bonjour Abbie,
Comme je te l'ai promis, je te fais parvenir un livre sur ta nouvelle passion. Mais, pour le déchiffrer, tu dois d'abord prononcer ces mots

et ajouter le nom de ton nouvel ami qui a une tache en forme de cœur sur son oreille droite : Tohu-bohu Alphabet Virevoltum.

J'espère que tu vas apprécier ton livre. J'ai hâte de te revoir…

— Le reste n'est pas intéressant… en tout cas, pas pour toi, dit Abbie en rougissant.

— Oui, je comprends, dit Zarya en lui adressant un petit sourire complice.

— Je dois donc ajouter le nom de « Loïk » à la fin de cette formule, comprit Abbie.

— Alors, vas-y… prononce la formule, dit Zarya, qui avait hâte de voir le résultat.

— D'accord…, dit-elle en se concentrant. *Tohu-bohu Alphabet Virevoltum Loïk.*

Sous les yeux abasourdis des deux jeunes mages, les lettres désordonnées du titre se placèrent de façon ordonnée et logique. À présent, Zarya et Abbie pouvaient lire le titre du livre…

LES MILLE ET UNE PIERRES ET LEURS VERTUS

Abbie ouvrit de nouveau le livre et, sous le regard impressionné de Zarya, elle lut quelques lignes.

Vous pouvez fabriquer un élixir vous-même en faisant bouillir de l'eau avec une pierre ou un cristal. L'important est de canaliser la vibration de la pierre, et vous allez remarquer que l'élixir sera aussi puissant que la pierre elle-même…

— Et il y a d'autres façons de fabriquer des élixirs et des potions à partir de pierres, constata Abbie en feuilletant les autres pages.

— Tu vas bien t'amuser avec ce livre, dit Zarya. J'aimerais bien te l'emprunter quand tu en auras terminé la lecture.

— Mais bien sûr.

Zarya et Abbie comprirent pourquoi Olivier avait jeté un Sortilège de Pêle-Mêle sur ce livre qui renfermait des trésors de renseignements sur les pierres et les cristaux. C'était une astuce fréquemment utilisée sur les colis postaux envoyés de la dimension où vivait Olivier. Personne ne pouvait savoir la formule en entier pour mettre fin au Sortilège de Pêle-Mêle. Seul le destinataire, qui dans ce cas-ci s'avérait être Abbie, connaissait le dernier mot pour compléter la formule.

2

Hamas Sarek

Attilia, au bureau du ministre Sarek

Hamas Sarek était confortablement assis dans son gros fauteuil de cuir devant un feu de foyer en train de siroter un bon verre de whisky provenant d'Écosse. C'était l'une des bouteilles qui avaient été saisies par l'un de ses agents le mois passé, lors d'une importante saisie de boissons prohibées. Pour une raison inconnue, le ministre Sarek était en possession de l'une d'entre elles. Hamas Sarek, un mage de cinquante et un ans aux cheveux gris en bataille, était le ministre de la Sécurité publique.

Il porta son regard vers la toile au-dessus du magnifique foyer en marbre de son bureau et scruta le visage souriant du ministre Barry, son prédécesseur au poste de ministre de la Sécurité publique. C'était une toile pour souligner son vingt-cinquième anniversaire à ce poste. Effectivement, il y avait une petite plaque en or sur le cadre sur laquelle on pouvait lire :

Louis Barry, ministre de la Sécurité publique,
pour ses loyaux services au sein du cabinet ministériel
15 avril 1974 – 15 avril 1999

Étrangement, le ministre Barry, qui adorait son travail par-dessus tout, avait abandonné son poste sans raison apparente. Au même moment, il avait quitté le pays avec sa femme et ses enfants sans donner de nouvelles à qui que ce soit. Des rumeurs circulaient selon lesquelles il aurait reçu des menaces de mort afin qu'il abandonne son poste de ministre sur-le-champ. Par un curieux hasard, Hamas Sarek avait proposé sa candidature à ce poste avant même qu'il soit officiellement disponible, seulement quelques heures après la démission de Louis Barry.

Quoi qu'il en soit, une dure semaine s'annonçait pour le ministre Sarek avec la fête de Noël qui arrivait à grands pas. Pour les gens d'Attilia, cette fête revêtait une importance particulière avec toutes ses festivités, ses divertissements, et la sécurité des Attiliens était primordiale.

— Il vous faut préserver l'ordre et la paix en cette journée emplie de sérénité et de partage, et ce, même s'il vous faut y affecter tous vos effectifs.

À tout le moins, c'étaient les instructions qu'avait reçues Hamas Sarek par le premier ministre en personne. Pour le premier ministre d'Attilia, la fête de Noël était l'une des journées les plus importantes de l'année : des gens des quatre coins du pays de Dagmar se déplaçaient pour participer aux réjouissances attiliennes. Ils venaient en grand nombre à Attilia afin de festoyer pendant vingt-quatre heures consécutives et prendre part à cette belle tradition qui datait de plus d'un millier d'années. Par contre, Hamas Sarek considérait cette journée de fête comme une pure perte de temps...

Toc! Toc! On frappa à la porte...

Sans se lever, les pieds toujours posés sur son repose-pied, Hamas Sarek dit d'une voix impassible :

— Oui, qui est là ?

— C'est Jacinthe Roy, la réceptionniste, monsieur le ministre.

— Entrez !

Une jeune femme aux cheveux blond platine et de belle apparence pénétra dans la pièce et s'approcha timidement du ministre.

— Il y a un certain monsieur Christian Bernot qui voudrait parler au ministre Adams…

— Et puis ? Ça ne me concerne en rien ! l'interrompit Sarek d'un ton tranchant.

— Monsieur Adams n'est pas là et il m'a demandé de prendre ses appels durant son absence, tenta-t-elle d'expliquer d'une voix éteinte.

— Et alors, qu'est-ce que tu attends ? Prends son message ! aboya-t-il sans même la regarder.

La jeune femme, de plus en plus nerveuse, ajouta d'une voix hésitante :

— Il refuse de me laisser un message, il veut absolument parler à un ministre…

— Et ça concerne quoi ?

— Je n'en sais rien, monsieur le ministre, il refuse de me dire quoi que ce soit…

À contrecœur, Hamas Sarek déposa son verre de scotch sur la petite table et se leva à la vitesse d'un escargot.

— D'accord, j'y vais, concéda-t-il en dévisageant la jeune femme avec mépris, mais c'est mieux d'être important !

Il s'approcha du bureau de la réceptionniste et posa ses deux mains sur une boule bleue opaque marbrée d'un bleu plus pâle qui reposait sur un trépied en argent. Cette boule, qui avait la grosseur d'une boule de cristal classique, se nommait un T.C.L.D., c'est-à-dire une télépathie communication longue distance, plus communément appelée un télépat.

— Oui, ici Hamas Sarek, ministre de la Sécurité publique, dit-il à voix haute en fermant les yeux pour mieux se concentrer.

La réceptionniste reprit sa place derrière son bureau et continua à faire son travail comme si le ministre n'était pas là.

— Qui ?... Le professeur Bibolet ? dit-il, toujours les yeux fermés, sans se préoccuper de la présence de la réceptionniste.

Celle-ci leva la tête au moment où le ministre Sarek prononça le nom du professeur Bibolet. En effet, Jacinthe le connaissait très bien, car il était l'un des meilleurs amis de son patron immédiat, Gabriel Adams. Elle l'avait vu à plusieurs occasions : un homme avec une si grosse moustache blanche ne passait pas inaperçu !

— Il a trouvé la dague d'Azazel ! s'exclama Sarek à voix basse.

Pendant quelques minutes, le ministre Sarek ne prononça plus une parole et écouta attentivement son interlocuteur. C'est alors qu'il reprit la conversation...

— Vous devez impérativement communiquer avec Edgar Kruta. C'est le chef des autorités de Vonthruff.

Il y eut un moment de silence de la part de Sarek... puis :

— Tout ce que vous m'avez mentionné, dit le ministre Sarek d'une voix impérieuse, est de la plus haute importance et tout cela se doit de rester ultra-secret !

Hamas Sarek lâcha le télépat, regarda la réceptionniste d'un œil mauvais et lui dit d'une voix intimidante :

— Pas un mot de cet appel, sinon vous êtes congédiée sur-le-champ.

Sur ces menaces, Jacinthe déglutit et perdit ses couleurs : son teint vira au blanc. Le cœur battant, elle vit Hamas Sarek se diriger vers son bureau. Il affichait un air exalté, et même Jacinthe trouva qu'il semblait jubiler au plus haut point…

Le message
de l'au-delà

Québec, 15 h 56

Deux jours s'étaient écoulés depuis qu'Abbie avait reçu le livre sur les pierres magiques qu'Olivier lui avait gentiment envoyé. Pendant le cours de physique, elle avait discrètement invité Zarya à venir passer la soirée chez elle. Son amie avait accepté avec joie, d'autant plus qu'Abbie lui avait fait savoir qu'elle voulait essayer un envoûtement qu'elle avait étudié dans son livre. Elle était curieuse et avait très hâte de voir le résultat de cette magie attilienne. Théoriquement, Abbie connaissait l'effet et l'enchantement de ce sortilège sans toutefois l'avoir expérimenté. La seule chose qu'Abbie avait daigné mentionner à Zarya au sujet de ce charme, c'était son nom : le Sortilège de l'Œil Furtif. Abbie n'avait rien dit d'autre à sa copine : elle lui réservait la surprise.

De retour de l'école, Zarya entra dans sa maison et huma une agréable odeur de tourtière. Kate avait pris congé pour la journée afin de préparer, sans se presser, le réveillon de Noël qu'elles fêteraient le lendemain. Étant donné qu'elle recevait Abbie et sa tante pour cette soirée, elle voulait que tout soit parfait. Zarya déposa son sac à dos et demanda :

— As-tu besoin d'aide, maman ?

Non merci, j'avais justement terminé, dit Kate en ramassant l'ensemble des récipients et des ustensiles sales qu'elle plaça ensuite dans le lave-vaisselle. Tu avais des examens aujourd'hui, je crois ?

— Oui.

— Et puis, ça s'est bien passé ? demanda Kate.

— Oui, très bien.

— Tu n'as pas utilisé la télépathie, j'espère ? l'interrogea-t-elle avec un sourire en coin.

— Non, bien sûr que non, répondit Zarya en lui faisant de gros yeux. Abbie m'a invitée pour la soirée, poursuivit-elle.

— Très bien. Allez-vous faire vos leçons et devoirs ensemble ?

— Oui… si on veut, répondit Zarya en lui dissimulant un peu la vérité ; elle préférait rester vague, elle ne voulait pas l'inquiéter avec ses histoires de sortilèges.

— J'espère que tu vas souper avec moi ? demanda gentiment Kate.

— Oui, bien sûr… si tu nous as préparé du rôti de bigarre du Nord à la sauce aux annibergines, naturellement, dit Zarya avec humour.

— Je dois admettre que je m'ennuie parfois de cette bonne nourriture attilienne, confessa Kate à sa fille.

— Pourquoi ne viens-tu pas avec nous alors ? suggéra Zarya, surprise par cette révélation.

— Je ne sais pas… je n'en sais rien, hésita Kate en s'assoyant près de sa fille. J'avoue que, de temps à autre, j'y pense. Nous avions une belle petite maison et un magnifique jardin. Mais, évidemment, tu as déjà vu tout ça, dit Kate en posant sa main sur celle de sa fille. Et ça me fait chaud au cœur de savoir que ce sera ta future demeure.

— Maintenant que je connais la vérité sur papa, enchaîna Zarya, peux-tu me dire la vérité sur toi ?

— La vérité sur moi ?

— As-tu déjà eu des pouvoirs ?

Il y eut un moment de silence…

— Non, jamais, admit-elle. J'aurais pu, ton grand-père me l'avait offert…

— Mais pourquoi as-tu refusé ? demanda Zarya, qui ne comprenait pas son refus.

— J'avais peur de devenir accro comme…

Kate s'arrêta aussitôt, réalisant qu'elle avait probablement dit une phrase de trop.

— Comme qui ?

— Comme ton père ! reprit Kate, décidant de tout dire à sa fille. Je vais t'expliquer, dit-elle en prenant une grande respiration, car tout cela lui rappelait de pénibles souvenirs. Quand j'ai connu ton père, il était en mission ici, au Canada. Il y avait une maison hantée à Saint-Sébastien, près de Venise-en-Québec, et il devait en faire sortir le démon qui hantait les lieux…

— Est-ce qu'il a réussi ?

— Oh oui ! les deux pieds devant, m'avait-il raconté un peu fanfaron, lança-t-elle avec un petit sourire. Et il devait prendre l'avion le lendemain. Aussitôt sa mission terminée, il monta dans sa magnifique voiture sport pour se rendre à son hôtel, qui était sur l'île de Montréal. Mais, sur sa route, il décida d'arrêter dans un restaurant, car l'énergie qu'il venait de fournir contre le démon lui avait ouvert l'appétit. Par hasard, il fit une halte à Saint-Jean-sur-Richelieu et dénicha un petit casse-croûte où j'étais justement serveuse à ce moment-là.

— C'est là que tu l'as rencontré pour la première fois ? demanda Zarya, avide de tout savoir.

— Oui… et je m'en souviens comme si c'était hier. Il était très beau dans son uniforme noir.

— Il avait son uniforme de Maître Drakar ?

— Oui, il adorait revêtir cet uniforme.

— Mais c'est une magnifique histoire ! s'exclama Zarya, les yeux brillants.

— Jusque-là, oui, approuva Kate. Comme tu peux le deviner, il n'a pas pris l'avion le lendemain, mais plutôt deux semaines plus tard.

— Avec toi ?

— Eh oui, avec moi !

— Quel âge avais-tu ? l'interrompit encore Zarya.

— Vingt ans, tout juste. Il m'a amenée dans son monde et me l'a fait découvrir. Cependant, j'étais totalement dépendante de lui, car la loi d'Attilia est sévère concernant les nouveaux arrivants, surtout avec les personnes qui ne possèdent aucun pouvoir. Il y a une probation de trois ans à respecter avant d'inculquer des pouvoirs magiques, mais, naturellement, il y a toujours des exceptions. Huit mois plus tard, ton grand-père me les a offerts, mais, à ce moment-là, je n'étais pas prête pour ce gros changement. Alors, je lui ai dit que je préférais attendre quelques mois de plus…

— Et grand-père, qu'est-ce qu'il t'a dit ?

— Il m'a fait un sourire et il m'a dit de prendre le temps qu'il me faudrait.

— C'est bien grand-père, ça, commenta Zarya.

— Quelques semaines passèrent encore, et ton père commença à devenir vraiment accro à ses pouvoirs : il répétait sans cesse qu'il en voulait plus. Il devenait impatient et était beaucoup moins attentionné pour notre couple qui, jusque-là, allait pour le mieux, dit Kate avec un air de désolation. Un événement lui remit cependant les pieds sur terre : ta naissance. En fait, ton arrivée dans notre vie a été une bénédiction pour notre ménage. Hélas, ce fut de courte durée. Trois ans plus tard, ton père retomba de plus belle dans son ambition maladive. Il passait ses soirées avec ses amis… Des amis douteux, si tu veux mon avis. Jusqu'au jour où il commit une erreur de trop. Il essaya de voler des pierres sacrées, des pierres qui étaient très précieuses pour les gens d'Attilia.

Zarya sut immédiatement de quelles pierres sa mère parlait : c'étaient les sept pierres sacrées de Prana. Son grand-père lui avait expliqué toute l'histoire lors de son récent voyage à Attilia :

Il n'a pas réussi à les voler. Par contre, je crois que, malgré le fait qu'on l'ait trouvé dans la pyramide, allongé sur le sol, à demi conscient, à côté des pierres, il est tout de même parvenu à canaliser un peu de leur énergie. À ce jour, personne ne sait comment il a déjoué le champ de forces qui entourait les pierres, ce fut un exploit ! Par la suite, sa puissance avait quadruplé…

— C'est alors, poursuivit Kate, que ton grand-père nous fit sortir d'Attilia, toi et moi, pour notre sécurité, m'avait-il alors expliqué. À ce moment-là, je ne comprenais pas : John avait essayé de voler des pierres, certes des pierres inestimables, mais ça ne faisait pas de lui un dangereux criminel ! Mais ton grand-père nous avait dissimulé la vérité sur ton père. J'ignorais que, en fait, il était le redoutable Malphas, dit-elle, attristée. Aujourd'hui, je sais qu'il nous a caché la vérité pour notre bien et je lui en suis reconnaissante.

— Et, durant tout ce temps, tu n'as jamais eu aucun pouvoir ?

— Non, j'avais trop peur de changer.

— Je comprends à présent, dit Zarya, qui lui sourit avec admiration. Tu as eu une mauvaise expérience.

— Bon, et si on mangeait maintenant ? suggéra Kate, qui voulait remettre un peu de gaieté dans la maison.

— Bonne idée.

◊ ◊ ◊

Pendant le souper, la mère et la fille discutèrent du futur voyage de cette dernière. Kate promit à sa fille que, l'été prochain, elle les accompagnerait à Attilia. Après le bon repas qu'elle avait partagé avec sa mère, contente d'avoir parlé avec elle et de l'avoir aidée à nettoyer la table, Zarya prit son sac à dos et sortit de la maison pour se rendre chez Abbie.

En marchant en direction de la demeure de son amie, Zarya pensait à tout ce que sa mère lui avait confié au sujet de son père. Elle espérait de tout cœur qu'il revienne à la maison, qu'il soit guéri de son désir immodéré de tout posséder et qu'il puisse vivre normalement comme toute personne qui n'envie pas son prochain. La convoitise et l'avidité peuvent conduire un individu sain d'esprit jusqu'à la démence. Cela avait été le cas de son père, malheureusement.

Zarya arriva en face de la maison d'Abbie et leva le doigt pour sonner, mais la porte s'ouvrit avant même qu'elle n'appuie sur la sonnette :

— Salut Zarya, viens… Entre et suis-moi ! dit Abbie, tout excitée.

Zarya la suivit d'un pas rapide jusqu'à sa chambre. Aussitôt entrée, elle remarqua une nouvelle table dans un coin de la chambre. Plusieurs objets hétéroclites se trouvaient dessus : il y avait un chaudron, des bijoux, une dizaine de petits pots contenant des fines herbes, des accessoires qu'elle ne connaissait pas et, naturellement, le livre sur les pierres magiques offert par Olivier. Mais le plus curieux, c'était cette cage avec une petite souris blanche à l'intérieur.

— Mais que fais-tu avec une souris ? demanda Zarya, surprise.

— Je l'ai empruntée à monsieur Santos, répondit Abbie.

— Ton voisin ?

— Oui, je lui ai dit que j'avais besoin d'une souris pour un travail scolaire. Je lui ai également précisé qu'il ne devait pas s'inquiéter, que ce n'était pas pour une dissection, dit-elle avec humour.

— Et que veux-tu en faire ? demanda Zarya en s'approchant de la cage.

— Comme je te l'ai mentionné ce matin, je veux tenter d'effectuer le Sortilège de l'Œil Furtif.

— Et tu as réellement besoin d'une souris pour ça ?

— Oui, c'est primordial.

Zarya jeta un coup d'œil au livre de pierres magiques…

— Ton livre… Les lettres sont encore toutes mêlées, dit-elle, étonnée.

— Oui, chaque fois que je le referme, le Sortilège de Pêle-Mêle s'enclenche, dit Abbie, toujours aussi émerveillée par la magie.

— Et que fais-tu avec ces vieux bijoux ?

— Ce sont des bijoux qui appartiennent à ma tante.

— Et que veux-tu en faire ?

— Si tu remarques, dit Abbie en les montrant du doigt, ils ont tous au moins une pierre précieuse.

Zarya prit un collier en or dans sa main et constata que, effectivement, il était orné d'un petit diamant de la grosseur d'une mine de crayon.

— Mais le diamant est si petit, est-ce suffisant pour qu'il soit efficace ? la questionna Zarya.

— Ce n'est pas la grosseur qui compte, mais l'énergie qui se dégage de la pierre. En tout cas, c'est l'explication que donne mon livre.

— Par quoi commence-t-on ? demanda Zarya, impatiente de se mettre au travail.

— Premièrement, on va fabriquer un élixir avec de l'eau chaude et des fines herbes en les mettant dans ce chaudron.

— J'adore ce chaudron, dit spontanément Zarya, on dirait réellement un chaudron de sorcière.

— Exactement, je l'ai acheté à la boutique *Voodoo et Sorcellerie* dans le Vieux-Montréal. Il y a vraiment tout ce que l'on veut pour effectuer des sortilèges. C'est également à cet endroit que je me suis procuré ces fines herbes soi-disant magiques, dit-elle avec un sourire entendu. Bon, si on attaquait, suggéra Abbie, qui avait hâte de voir si c'était pour fonctionner.

— L'as-tu déjà essayé ?

— Non, je t'attendais.

— C'est gentil ! lança Zarya.

Abbie s'approcha du livre, et Zarya lui demanda :

— Je peux tenter de l'ouvrir ?

— Mais bien sûr. Te souviens-tu de la formule ?

— Oui, je crois.

Zarya s'avança vers l'ouvrage et dit :

— *Tohu-bohu Alphabet Virevoltum Loïk.*

Les lettres désordonnées du livre se placèrent de façon ordonnée et logique, comme la première fois.

— Bravo !… Bon, c'est à la page 47.

Zarya ouvrit avec précaution le précieux livre d'Abbie, tourna les pages une à une et s'arrêta à la page que son amie lui avait mentionnée.

— Ah, voilà ! dit Abbie d'un ton surexcité en regardant le titre indiqué en haut de la page : Le Sortilège de l'Œil Furtif.

— As-tu tous les ingrédients requis pour la recette ? demanda Zarya.

— Oui, c'est d'ailleurs l'une des raisons qui a fait en sorte que mon choix s'est arrêté sur ce sortilège : tous les ingrédients dont on a besoin se trouvent facilement dans notre monde. Bon, maintenant, si tu es prête, nous allons procéder, dit Abbie en prenant un air sérieux.

Les deux jeunes apprenties magiciennes s'installèrent pour préparer la mixture. Abbie alla chercher l'eau qu'elle avait fait bouillir quelques instants plus tôt dans la cuisine. Par la suite, elle la versa avec précaution dans le chaudron. Zarya prit les graines d'aneth et les broya avec un pilon, comme indiqué dans les instructions. C'est d'une main tremblante d'excitation qu'elle laissa tomber les graines finement pilées dans le chaudron, sous le regard attentif d'Abbie. Zarya répéta l'opération avec les fleurs de magnolia, les mandragores officinarum et trois autres herbes qu'Abbie avait achetées à la boutique *Voodoo et Sorcellerie*. Abbie prit la louche blanche et touilla la potion treize fois dans le sens contraire des aiguilles d'une montre, comme la recette l'exigeait. La mélange ressemblait à présent à une immense tisane et dégageait une odeur plutôt désagréable de mélange de fenugrec et de graines de cardamome.

— Maintenant que la potion est terminée, dit Abbie, il faut y tremper un grenat tout en disant la formule magique à voix haute.

— As-tu cette pierre ? demanda Zarya en regardant sur la table à la recherche de la petite pierre rouge sombre.

— Bien sûr, répondit Abbie en retirant son pendentif en forme de loup. Regarde l'œil de mon loup, c'est un grenat, c'est ma pierre de naissance.

— Incroyable !

— Ça n'a rien d'incroyable, dit Abbie en riant. J'ai regardé dans la table des matières et, lorsque j'ai remarqué qu'il y avait une potion avec ma pierre de naissance, je l'ai choisie, tout simplement ! Heureusement, c'était avec des ingrédients d'ici, comme je te l'ai mentionné tantôt.

Abbie prit sa chaîne et la trempa dans le chaudron en prenant soin d'immerger complètement la tête de loup.

— Maintenant, tu dois prononcer la formule magique, dit Zarya en lisant les instructions.

Abbie regarda dans le livre et la formula d'une voix monocorde :

— *Mirgannia sitass fluditarium.*

Le fluide dans le chaudron se mit à éclairer d'une lueur mauve si étincelante que ses reflets formèrent des halos sur une partie du plafond. Une épaisse mousse verdâtre se créa à la surface et déborda un peu. Les jeunes filles reculèrent d'un pas et observèrent la mixture, qui devenait plus dense. La préparation, qui avait encore l'apparence d'une tisane quelques secondes avant, faisait penser à présent à du savon à vaisselle, mais en plus consistant. Trente secondes passèrent encore, et le liquide se stabilisa.

— Et maintenant, demanda Zarya, que doit-on faire ?

— On doit faire boire la souris.

— C'est tout ?

— Non, après, on doit en boire aussi.

— Quoi ! Je dois en boire ? Et que va-t-il se passer ? s'enquit Zarya, qui commençait à regretter d'avoir participé à l'élaboration de cette mixture.

— Je te réserve la surprise ! répondit son amie d'un ton motivé.

Abbie prit une poire en caoutchouc, aspira un peu de liquide du chaudron et remplit le bol qui se trouvait dans la cage de la souris. Aussitôt, celle-ci s'approcha et plongea le museau dans le liquide verdâtre. Après avoir pris deux gorgées, elle s'arrêta et leva la tête en direction des filles.

— Que se passe-t-il avec la souris ? demanda Zarya en l'observant avidement.

— Je crois que c'est à notre tour, conseilla Abbie sans se préoccuper de la question de Zarya.

Abbie prit un verre et le plongea dans la marmite. Zarya l'imita avec réticence.

— Prête ?

— … Prête, hésita Zarya, qui lui faisait tout de même confiance.

Zarya se pinça le nez et prit une longue lampée. « En plus de ressembler à du savon à vaisselle, probablement que cet élixir a le même goût », pensa-t-elle en faisant une grimace lorsque la décoction lui descendit dans la gorge.

Les deux copines déposèrent leur verre sur la table en même temps et se regardèrent.

— Comment te sens-tu, Abbie ?

— Un peu étourdie, mais ça va.

— Assez dégueulasse merci !… Mais ça va. C'est tout, il ne se passe rien de spécial ? demanda Zarya, déçue.

— Attends, je vais te montrer, dit Abbie en ouvrant la cage de la souris.

— Mais que fais-tu ?

Abbie avait pris la souris dans sa main et elle la déposa sur le sol. Elle ferma ensuite les yeux et se mit à rire…

— Pourquoi ris-tu ? l'interrogea Zarya.

— Ferme tes paupières, tu vas voir…

Zarya ferma donc ses yeux, comme son amie le lui suggérait, et une chose incroyable se produisit. Malgré ses yeux clos, elle voyait les pieds d'Abbie et le dessous de la table. Stupéfaite, Zarya devina qu'elle voyait à travers les yeux de la souris.

— Waouh ! s'exclama Zarya, qui n'en croyait pas ses yeux, ou plutôt les yeux de la souris.

— Attends, ce n'est pas tout, dit Abbie, excitée.

Sur ces paroles, la souris sortit de la chambre à toute allure et se dirigea dans le couloir. Les jeunes filles, toujours les paupières fermées, observèrent le parquet de bois défiler devant leurs yeux.

— Tu vois, Zarya, j'ai pris le contrôle de la souris. Maintenant, je relâche l'emprise que j'ai sur elle, et c'est à toi de jouer.

— D'accord.

Toujours les yeux fermés, Zarya ordonna à la souris de faire demi-tour et de revenir dans la chambre, ce qu'elle fit illico. Dès que la souris franchit le seuil de la chambre, Abbie déposa la cage sur le sol, et Zarya y fit entrer la petite bête sans difficulté.

Maintenant, Zarya comprenait le sens du nom de ce sortilège : le Sortilège de l'Œil Furtif. En effet, il était indiqué dans le livre que les Maîtres Drakar utilisaient ce sortilège pour épier leurs ennemis. « Une façon très efficace », pensa Zarya. Il était noté au bas de la page que « ce sortilège perd son efficacité au bout de quinze minutes ».

Pour le reste de la soirée, les jeunes filles feuilletèrent les pages du livre afin de découvrir d'autres sortilèges intéressants. Il va sans dire que chaque sortilège devait être accompli avec l'aide d'une pierre précieuse. Les deux amies avaient l'intention de les essayer tous en revenant de leur voyage, mais, pour l'instant, elles se contentaient de dresser une liste des ingrédients manquants. Il y avait une bonne vingtaine de sortilèges qu'elles pourraient exécuter avec des ingrédients de ce monde, et, pour les autres, Abbie voulait rapporter des fines herbes d'Attilia ; elles auraient ainsi le loisir d'en expérimenter davantage.

Le réveille-matin d'Abbie indiquait 21 h 07, et il était temps pour Zarya de partir ; elle avait promis à sa mère de rentrer à une heure raisonnable, mais le temps avait passé si vite.

Zarya prit la direction de sa maison. Un vent glacial du nord s'était levé, et un frisson parcourut tout le corps de la jeune fille ; elle décida de hâter le pas. Malgré l'obscurité qui était tombée, elle pouvait distinguer d'épais nuages d'un gris d'étain défiler au-dessus de sa tête. Il y avait quelque chose de plutôt inquiétant dans l'air ce soir-là. La pesante obscurité, le froid humide et l'absence de gens dans les rues augmentaient le sentiment d'insécurité de Zarya. Celle-ci marchait d'un pas non rassuré en jetant de furtifs coups d'œil autour d'elle.

Elle était rendue à mi-chemin lorsqu'elle pressentit quelque chose d'anormal. Elle s'arrêta, scruta les alentours pour être sûre de ne pas être suivie, mais il n'y avait personne. Elle était épuisée par cette harassante journée qu'elle avait conclue par une soirée peu ordinaire et elle se dit à voix haute :

— Voilà que je paranoïe, maintenant !

Elle décida de poursuivre son chemin, mais, cette fois, en accélérant davantage son pas. Elle était à cinq cents mètres du parc lorsqu'elle sentit un frôlement. Elle s'arrêta de nouveau et, plutôt que de scruter autour d'elle, elle fouilla du regard vers le ciel. Elle avait senti quelque chose lui effleurer l'épaule, et, en même temps, une forte odeur de soufre l'avait assaillie. « Rien de rassurant », pensa-t-elle. La chose qui l'avait touchée n'était pas physique, c'était plus comme du vent. Tout à coup, les lampadaires s'éteignirent l'un après l'autre. Zarya sentit une crainte monter en elle et elle prit de grandes inspirations pour ne pas céder à la panique. Elle savait qu'elle était en danger et décida de passer au pas de course, tout en restant aux aguets. Elle savait qu'une chose invisible dégageant une odeur de soufre ne pouvait que lui vouloir du mal. Elle ignorait totalement de quelle nature étaient son ou ses agresseurs, mais elle devait se mettre à l'abri au plus vite. Soudain, elle s'immobilisa… « Je ne peux pas retourner à la maison, je ne veux pas mettre ma mère en danger », réfléchit-elle en changeant de direction. Zarya se rappela alors les paroles de Jonathan concernant les démons et les lieux saints : *un démon ne peut pas entrer dans un lieu béni, il ne supporte pas les endroits emplis d'ondes positives.* Elle prit donc le chemin de l'église qui était située à deux rues de sa position. Elle courut de toutes ses forces malgré ses poumons qui la brûlaient. À ce moment, elle aurait donné n'importe quoi pour que Jonathan soit à ses côtés. Elle était à trois cents mètres de l'église lorsqu'elle fut sauvagement frappée dans le dos et elle alla durement cogner le sol. L'odeur de soufre était plus forte que jamais. Elle se retourna et entrevit trois silhouettes noires qui survolaient les lampadaires. Elle avait déjà vu ces êtres répugnants venus tout droit des ténèbres. C'étaient des gardiens et des messagers des enfers ; on les nommait les Erliks. Jonathan lui avait parlé de ces créatures dépourvues de morale et de conscience. Selon ses dires, elles servaient normalement de messagers des enfers et n'attaquaient jamais. « Pourquoi ces Erliks m'assaillent-ils ? Et que me veulent-ils ? » se demanda-t-elle en se relevant. Il restait encore quelques mètres avant d'atteindre le lieu saint, et elle décida de tenter sa chance de nouveau. Elle reprit sa course. Mais les Erliks n'avaient pas dit leur dernier mot et ils chargèrent une fois de plus vers Zarya. Pressentant cette nouvelle attaque, elle se retourna d'un mouvement sec et forma un mur télékinésique. Les Erliks, qui fonçaient à une vitesse folle sur leur proie, butèrent violemment contre le bouclier invisible. À présent, Zarya marchait à reculons en conservant son bouclier et en se dirigeant vers l'église. Les Erliks heurtaient sans cesse sur le mur translucide ; ils étaient fous de rage. Zarya regarda par-dessus son épaule et aperçut le perron de l'église à dix mètres derrière elle. Elle lâcha prise et se mit à courir en souhaitant que Jonathan eût raison à propos des lieux saints. Elle enjamba les marches, atterrit en lieu sûr et se tourna vers les Erliks. En dépit du froid saisissant, Zarya était tout en sueur et essoufflée par l'effort qu'elle venait de fournir. Les Erliks étaient maintenant immobiles devant le bâtiment centenaire, et Zarya remarqua que, malgré le fait qu'ils ne possédaient ni bouche ni yeux, ils semblaient regarder la statue de la Vierge Marie et de son fils Jésus. Zarya comprit qu'ils ne pouvaient plus avancer. Elle était parvenue à se mettre en sécurité certes, mais elle ne pouvait pas rester indéfiniment en ce lieu. Elle devait faire quelque chose, mais quoi ? Elle observa autour d'elle et ne vit personne dans les environs. « Et si je me servais de mon pouvoir de Torden », pensa-t-elle. Au même moment, l'un des Erliks projeta une fumée orangée de ses mains sur la toile de fond qu'était le ciel. Zarya déchiffra les mots qui se formaient dans une langue étrangère :

CORVUSIUM CORAXIX DIM RETAM-ARNTUM

Après avoir livré leur message, les Erliks disparurent aussi vite qu'ils étaient apparus…

Le sang
méphistophélique

Mont d'Hésiode, 13 h 54

Simon D'hanens était un spécialiste de haut calibre en champs magnétiques de tous genres, et c'est la raison pour laquelle le professeur Bibolet l'avait pris dans son équipe. Cependant, il devait reconnaître que l'écran protecteur qui se dressait devant lui aujourd'hui était le plus difficile à désactiver de toute sa carrière. Près de quarante-cinq minutes s'étaient déjà écoulées depuis le début de son travail. Malgré le fait que ce champ magnétique datait de plus de trois mille cinq cents ans, le sortilège de protection était toujours intact, ce qui était vraiment incroyable après toutes ces années ; c'était grâce à une ancienne forme de magie noire très puissante.

Simon prit quatre nouvelles pierres de la grosseur d'un dé à coudre et les déposa sur le sol autour du socle contenant la dague magique. Le principe de démagnétisation était fort simple, pour un mage de son expérience, naturellement. Le plus compliqué, c'était de trouver la bonne combinaison de pierres. Simon entreprit d'étaler les pierres qu'il avait en main selon un schéma bien précis. Il déposa la chrysoprase à la gauche du socle, l'hématite à la droite, la tourmaline en avant et, finalement, il fit léviter le spinelle au-dessus du champ de protection. Maintenant que les pierres étaient disposées de façon à former une pyramide, Simon recula de quelques pas. Il avait essayé plusieurs combinaisons de pierres, mais en vain. Il espérait que celle-ci serait la bonne. C'est alors que Simon, sous le regard de ses collègues et du professeur Bibolet, prononça la formule magique pour activer les quatre pierres :

— *Ativas steen protectum !*

Sur ces mots, les quatre pierres s'activèrent : un faisceau de lumière bleue céleste les relia, formant ainsi une immense pyramide lumineuse de deux mètres de haut. Le tétraèdre brillant enveloppait entièrement le champ protecteur millénaire du socle maléfique de la dague d'Azazel. À plusieurs reprises, Simon avait réussi à se rendre à cette étape, mais, cette fois, il se passa quelque chose de différent : la lueur verte de l'écran du socle se mit à changer de couleur. Elle passa du vert émeraude à un rouge flamboyant. Simon observait le phénomène avec attention lorsque son ouïe affinée détecta un léger crépitement : manifestement, il avait enfin trouvé la bonne combinaison. Soulagé, il regarda l'énergie des pierres entrer en conflit avec le champ magnétique de la dague. Et sous le regard du professeur Bibolet, de son fils et du reste du groupe qui croisait leurs doigts, le champ de protection du socle disparut.

— Bravo ! Bravo, mon cher ami ! lança le professeur, enthousiaste, en serrant l'épaule de Simon.

— Cela n'a pas été chose facile, professeur, fit humblement remarquer Simon en reprenant ses quatre pierres pour les replacer dans un coffret conçu à cet effet.

— Peut-être, mais vous aviez mon entière confiance.

Le professeur s'approcha de la dague qui flottait toujours à quelques centimètres du socle. Contrairement au champ magnétique, le champ antigravitationnel était toujours en action.

— Elle est magnifique, dit le professeur en s'adressant à son fils Francis.

C'était une dague de trente-trois centimètres dont la lame en acier indestructible était finement ciselée de petites flammes et dotée d'un manche en or pur représentant une tête de démon.

— Est-ce vraiment la dague d'Azazel ?

— Oui, mon fils… C'était l'arme de Joshua Drakar. La dague magique qu'il a utilisée pour mettre un terme au règne de Méphistophélès en le poignardant, il y a près de trois mille cinq cents ans.

— Pourquoi la nomme-t-on « la dague d'Azazel » si c'était l'arme de Joshua Drakar ?

— C'est une très bonne question, mon fils, dit le professeur en ne quittant pas des yeux le spendide trésor artisanal. Le démon Azazel était le maître des anges déchus et il vint sur Terre pour enseigner aux êtres humains l'art de fabriquer des armes, et ce, dans le seul but qu'ils s'entretuent.

— Mais quel était l'intérêt pour Azazel que les êtres humains s'entretuent ?

— C'était une façon efficace d'emplir les enfers, expliqua le professeur en regardant son fils. Mais, naturellement, tout cela fait partie de la légende !

— La légende ?

— Oui, la dague a été confectionnée par Azazel lui-même.

— C'est pour cette raison qu'elle est magique ?

— Si on en croit la légende… oui !

Christian Bernot, un mage replet vêtu de blanc s'approcha alors du professeur et lui glissa à l'oreille :

— Professeur… je n'ai pas réussi à joindre le ministre Adams comme vous me l'aviez demandé : il n'était pas disponible, il est actuellement occupé par une urgence. Mais ils ont tout de même transféré ma communication à un autre ministre avec qui j'ai pu m'entretenir.

— Ah ! C'est dommage, dit le professeur, très déçu, le ministre Gabriel Adams a mon entière confiance. Mais quel est le nom du ministre avec lequel vous avez parlé ?

— Hamas Sarek.

— Lui avez-vous expliqué l'importance de la situation, que la dague était souillée du sang de Méphistophélès ?

— Oui, et je crois qu'il était au comble du bonheur à l'annonce de ce petit détail. Il m'a aussitôt suggéré de parler avec Edgar Kruta.

— Qui est-ce ? Je ne le connais pas, répondit le professeur, méfiant.

— Il m'a dit que c'était le chef des autorités de Vonthruff.

— D'accord, acquiesça Bibolet. Nous allons faire confiance au bon jugement du ministre Sarek.

Sur ces paroles, Bernot retourna à son télépat portatif et communiqua avec Edgar Kruta au sujet de l'importante découverte du professeur Bibolet.

— Pourquoi communiquer avec le chef des autorités de Vonthruff ? demanda tout bas Francis.

— La dague d'Azazel est une découverte majeure certes, mais le sang qui s'y trouve est sûrement la découverte du siècle.

— Mais ce n'est que du sang séché, dit Francis, qui n'en voyait pas l'importance.

— Tu ne dois pas oublier que c'est le sang de Méphistophélès, expliqua le professeur à son fils. Par cette découverte, nos savants vont apprendre beaucoup de choses sur le deuxième plus important démon des enfers. Il est primordial que les autorités de Vonthruff nous escortent jusqu'à un endroit sûr…

— Un endroit sûr ! répéta Francis.

— Oui, j'ai bien peur que oui ! dit le professeur en regardant autour de lui avec inquiétude. Si cela s'ébruite, des gens malfaisants voudront s'emparer de la dague, car le sang qui s'y trouve les intéressera vivement.

— Et que pourraient-ils en faire ?

— Francis… dit le professeur, un peu exaspéré. Rappelle-toi tes cours sur l'acide désoxyribonucléique.

— Mes cours sur l'ADN ! Je m'en souviens très bien ! répondit Francis, piqué au vif.

— À Attilia, les cours sur la molécule d'ADN sont très importants. Depuis des siècles, les Attiliens maîtrisent les techniques de biologie moléculaire consistant à isoler une molécule d'ADN et à la multiplier. De cette science est né le clonage d'animaux et de plantes, ce qui leur permet de reproduire de la nourriture à volonté. En conséquence, ils mettent ainsi un terme à la famine et à la malnutrition.

Si, par malheur, les mages noirs découvrent l'existence de cette dague, poursuivit le professeur Bibolet, et que, en plus, ils apprennent qu'elle est souillée par le sang de leur dieu démoniaque, ils voudront mettre la main sur ce trésor…

— Et vous croyez qu'ils voudront essayer de cloner Méphistophélès ? demanda Francis, qui commençait à comprendre l'importance de la découverte de son père.

— J'ai bien peur que oui !

Cryptozoolingus

Québec, 21 h 49

En proie à l'inquiétude, Zarya entra chez elle en regardant par-dessus son épaule afin de s'assurer qu'elle n'était pas suivie. Elle verrouilla la porte derrière elle et aperçut sa mère au téléphone. Leurs regards se croisèrent, et Zarya, mine de rien, lui adressa un sourire obligé. Kate, confortablement installée dans son fauteuil de cuir, concentrée sur sa conversation avec son amie, ne remarqua pas le teint blême de sa fille et se contenta de lui faire un signe de main en retour. Zarya en profita pour se diriger en douce dans sa chambre. Dès qu'elle en eut franchi le seuil, elle referma la porte et alla s'asseoir sur le bord de son lit. Toujours en sueur, elle pensait à cette expérience désagréable et traumatisante qu'elle venait de vivre, le cœur battant anormalement vite. Que de questions lui trottaient dans la tête à cet instant crucial ! Devait-elle en parler à quelqu'un ? Que signifiait le message des Erliks ? Que lui voulaient-ils ? Pourquoi l'avaient-ils attaquée ?

Une longue journée l'attendait le lendemain : c'était sa dernière journée d'école avant les vacances de Noël, elle fêterait le réveillon en soirée et elle devait finir de préparer ses valises pour son voyage tant attendu. Pour le moment, elle préférait ne plus penser aux événements qui s'étaient déroulés ce soir. Elle décida d'aller prendre une douche et de se coucher. Elle se dit que la nuit lui porterait sûrement conseil.

◊ ◊ ◊

Le lendemain matin, Zarya ouvrit tout doucement les yeux, jeta un coup d'œil à son réveille-matin et resta surprise en voyant l'heure indiquée : 4 h 47. La nuit ne lui avait été d'aucun secours, contrairement à ce qu'elle avait espéré ; elle avait plutôt été parsemée de rêves agités et d'interrogations toujours sans réponses. Le questionnement de la jeune fille recommença : « Devrais-je avertir mon grand-père au sujet des Erliks et de leur message ? Si oui, il me répliquera à coup sûr de ne pas venir à Attilia pour des raisons de sécurité, et ça, c'est hors de question ! » pensa-t-elle. Elle tenait trop à y aller. Il était trop tôt pour demander conseil à Abbie, elle qui avait explication à tous les problèmes.

Tout à coup, Zarya se redressa vivement :

— Pourquoi pas ! s'exclama-t-elle à voix haute.

Elle venait enfin de trouver la solution à son problème. Elle s'arracha à ses couvertures, toute fébrile, enfila sa robe de chambre en toute hâte et se dirigea vers sa commode. Par pur réflexe, attribuable à la mauvaise expérience de la nuit dernière, elle leva les yeux en direction de sa fenêtre et regarda à l'extérieur. Elle vit que le soleil n'était pas encore levé et que l'obscurité prédominait toujours. Elle reporta son attention sur le contenu du tiroir de son bureau et prit, avec précaution, une petite boîte en acajou bien dissimulée tout au fond. Elle l'ouvrit avec respect et s'empara de l'objet circulaire qui s'y trouvait, emmitouflé dans un amas de ouate.

« C'est une très bonne occasion de l'utiliser », pensa-t-elle en examinant le disque argileux de 4,5 centimètres qui reposait dans sa main. C'était l'amulette égyptienne magique représentant la tête du dieu Bès que sa grand-mère Martha lui avait donnée lors de sa visite à la montagne sacrée de Mocktar. Une grand-mère qui s'était révélée être une puissante sorcière.

Devant affronter la situation dans laquelle elle se trouvait, Zarya se dit avec conviction qu'il ne pouvait y avoir de meilleures raisons pour appeler sa grand-mère à la rescousse. Celle-ci était sûrement l'une des personnes-ressources toutes désignées pour régler ce genre de problème énigmatique, et c'était aussi une très bonne occasion de la revoir.

L'amulette bien en main, Zarya recula de deux pas et se concentra en pensant aux conseils que son aïeule lui avait prodigués : *Lorsque tu désireras me voir, et peu importe le motif, tu n'auras qu'à prendre l'amulette dans tes mains et à le souhaiter de tout cœur.* Zarya ferma donc ses yeux et se concentra : chaque fibre de son corps appelait sa grand-mère. Quelques secondes passèrent, et une chaleur sembla émaner de l'amulette. Zarya ouvrit les paupières et vit, avec stupéfaction, des centaines de petits éclats lumineux violets se dégager de l'objet. Maintenant, elle le tenait fermement à bout de bras et observait les petits cristaux ondoyer au-dessus de sa tête. C'est alors que, dans un sifflement aigu, les cristaux filèrent à travers la fenêtre à une vitesse ahurissante. Zarya remarqua alors que le talisman perdait de sa chaleur. Elle devina que le message était bel et bien parti vers sa destination ; à tout le moins, c'est ce qu'elle espérait…

◊ ◊ ◊

Après un long avant-midi au cours duquel Zarya et Abbie avaient eu à passer deux examens particulièrement difficiles, l'après-midi était enfin arrivé. Elles décidèrent de sortir à l'extérieur de l'école afin de s'oxygéner la matière grise. À pas feutrés à cause de la mince couche de neige recouvrant le pavé, elles progressèrent vers un banc à l'abri du vent. Pour l'instant, blotties l'une contre l'autre, elles se contentaient d'observer des garçons qui participaient à une bataille de boules de neige. Le vent créa de la poudrerie, mais cela ne sembla pas déranger les adolescents outre mesure : ils s'amusaient comme des petits fous !

Elles avaient une heure devant elles avant leur dernier examen de la journée et également de l'année. Le matin même, Zarya avait glissé un mot à Abbie concernant l'attaque des Erliks de la nuit précédente, et le message plutôt étrange qu'ils avaient livré. Abbie se tourna vers Zarya :

— Pour ce qui est du message que tu as écrit, dit-elle en sortant un papier de sa poche, j'ai fait des recherches sur Internet à la fin de mon examen de français et je n'ai rien trouvé. Tu es vraiment sûre que tu n'as pas fait de fautes ?

Zarya tendit le bras pour prendre la feuille et regarda de nouveau le message qu'elle avait écrit juste avant de s'endormir la veille :

CORVUSIUM CORAXIX DIM RETAM-ARNTUM

— Non, aucune faute, j'en suis certaine... J'ai une très bonne mémoire. Au fait, j'ai demandé à ma grand-mère de venir me voir, j'ai pensé qu'elle pourrait probablement nous aider à résoudre cette énigme...

— Quoi ! Tu as appelé ta grand-mère ! dit Abbie, surprise, mais quand as-tu fait ça ?

— Très tôt ce matin.

— Avec ton amulette magique ?

— Oui.

— Et cela a fonctionné ?

— Oui, enfin… je crois, répondit Zarya, incertaine. L'amulette est devenue toute chaude dans ma main, puis il y a eu des petites étincelles violettes qui s'en sont détachées et qui ont pris leur envol à travers ma fenêtre.

— Waouh ! J'aurais bien aimé voir ça, dit Abbie, ébahie, comme toujours.

— Je suis désolée, je vais t'attendre la prochaine fois, dit Zarya avec sincérité, pourvu que ça ne se passe pas à cinq heures du matin ! Mais je vais quand même te la présenter si tu veux ?

— J'espère, j'ai hâte de la voir ! dit-elle, fébrile à l'idée de rencontrer une vraie sorcière. Mais… de quelle façon va-t-elle se rendre ici ? Et va-t-elle arriver avant qu'on parte ?

Réalisant qu'elle avait sans aucun doute commis une erreur, Zarya regarda Abbie avec de gros yeux.

— Je n'avais pas pensé à ce détail !

— Petit détail, en passant, dit Abbie avec le sourire.

— La Montagne sacrée de Mocktar… c'est très loin !

— En effet, approuva Abbie, le temps que ta grand-mère quitte sa demeure, franchisse la porte interdimensionnelle, se rende à l'aéroport et qu'elle prenne l'avion à Paris pour Québec, nous serons sûrement en route vers Attilia. Si ça se trouve, nos avions vont se croiser !

Zarya prit une grande respiration pour se calmer : il était trop tard pour revenir en arrière, elle ne pouvait plus rien y changer. Elle leva les yeux au ciel et vit, avec une certaine allégresse, les flocons qui tombaient et qui se posaient tout doucement sur la belle chevelure bouclée d'Abbie. Les yeux brillants, Zarya lui dit :

— Je m'ennuie énormément de l'autre dimension et de ses habitants…

— Sans oublier Jonathan, l'interrompit Abbie avec un sourire complice. Oui, je comprends, je m'ennuie également…

et beaucoup, je dois l'avouer ! Mais ce n'est plus qu'une question d'heures !

— En effet, tu as raison. Mais quand je pense que j'ai envoyé un message à ma grand-mère… et… et…

— N'y pense pas ! suggéra Abbie en mettant sa main sur l'épaule de son amie. N'oublie pas que c'est une sorcière très puissante, au dire d'Olivier !

— Tu as raison ! dit Zarya en lui lançant un petit sourire incertain.

$$\Diamond \ \Diamond \ \Diamond$$

Le reste de l'après-midi passa relativement plus vite que l'interminable avant-midi. Zarya, satisfaite de ses examens, se rendit à son casier dès que la cloche sonna. En attendant l'arrivée d'Abbie, elle commença à faire un peu de ménage dans son casier, qui semblait vouloir déborder de toute part. Abbie était partie rapporter un livre sur les fines herbes à la bibliothèque de l'école : elle avait une journée de retard.

Quelques instants plus tard, elles quittèrent l'école en marchant côte à côte tout en discutant de la belle soirée qui se promettait à elles. Ce n'était pas la première fois qu'elles passeraient la nuit de Noël ensemble, mais une chose était différente cette année : c'était qu'elles festoyaient un peu d'avance, puisqu'elles devaient prendre l'avion le lendemain matin.

Elles firent halte chez Abbie pour que cette dernière puisse se changer. Zarya en profita pour jeter un coup d'œil au livre sur les pierres magiques. Pour un simple mortel, lire un bon livre procure une évasion, une sortie de sa routine pour vaguer dans son imagination et quitter momentanément les problèmes quotidiens. Mais, pour Zarya, c'était bien davantage. Juste le fait d'être plongée dans l'ouvrage sur la magie lui assurait un aller simple pour la ville d'Attilia, monde bien réel dans lequel elle se retrouverait bientôt. Sur le seuil de sa chambre, Abbie se tenait debout, les yeux brillants, et regardait Zarya. Lorsque son amie leva les yeux vers elle, Abbie fit une rotation sur elle-même pour montrer la belle robe qu'elle venait de s'acheter.

— Waouh ! Tu es très jolie, dit Zarya en regardant sa meilleure amie avec sa robe d'allure attilienne.

Avec son regard de mage, Zarya pouvait voir un halo de lumière autour du corps d'Abbie, qui rayonnait d'une blancheur pure.

— Je vais la porter ce soir, dit-elle, et j'ai l'intention de l'apporter à Attilia.

— Olivier va succomber à ton charme quand il va te voir vêtue de cette façon, dit Zarya en regardant la belle robe en satin marine dont les broderies du corsage formaient de jolis motifs. Sa beauté était si sublime que tout semblait s'immobiliser autour d'elle.

— Crois-tu que les gens d'Attilia fêtent Noël ?

— Oui, ma mère me l'a confirmé, répliqua Zarya en se levant. Et, si je me fie à elle, je peux t'affirmer que les gens de là-bas fêtent Noël différemment de nous…

— Ah oui ? Et de quelle façon ?

— Plutôt que de rester autour d'une table à manger et à boire toute la soirée, répondit-elle, ils festoient dans les rues de la ville durant vingt-quatre heures.

— Waouh ! J'ai hâte de voir ça, dit Abbie, les yeux scintillants.

— Comme tu l'as si bien mentionné tantôt, ce n'est qu'une question d'heures !

Les deux copines quittèrent la maison d'Abbie tout en bavardant de leur voyage. Abbie n'arrêtait pas de discourir sur le sujet tandis que Zarya, quant à elle, écoutait d'une oreille distraite. Elle était préoccupée par sa grand-mère, qui avait sûrement déjà reçu son message et qui s'apprêtait à venir à sa rencontre. Elle était tourmentée à l'idée de savoir si sa grand-mère réussirait, oui ou non, à la rejoindre avant son départ pour Attilia.

La neige commençait à recouvrir les toits des maisons ; elles allaient avoir un Noël blanc ! On pouvait apercevoir la fumée s'échapper des cheminées des résidences et sentir une bonne odeur de bois flotter dans l'air : l'hiver était bel et bien amorcé. Il n'y avait aucun son en dehors des enfants qui couraient et qui s'amusaient dans la première neige. Les jeunes filles marchaient sur le trottoir en direction de la maison de Zarya lorsque l'attention de cette dernière fut attirée par un bruit provenant du ciel : un puissant battement d'ailes suivi d'un ombrage longea le sol enneigé. Elle leva les yeux en direction des toits des maisons, là d'où elle pensait que le son provenait, mais elle fut éblouie par le soleil couchant qui se trouvait justement à cette hauteur-là. Abbie aussi l'avait remarqué, et les jeunes filles s'arrêtèrent brusquement.

— Mais… mais, est-ce que c'est un Erlik ? demanda Abbie, inquiète.

— Non, je ne crois pas, dit Zarya, les yeux plissés. Je crois distinguer quelque chose de perché sur le toit de la maison, juste en face de nous.

En effet, Zarya avait de la difficulté à voir « la chose » juchée sur l'un des toits à cinquante mètres devant elles : la boule rose du soleil qui avait percé les nuages l'aveuglait. Subitement, la créature quitta le toit en planant au-dessus des lampadaires, et les filles purent nettement apercevoir qu'elle se dirigeait droit sur elles. Zarya constata que c'était un oiseau légèrement plus gros qu'un perroquet, au plumage bleu royal, avec de grandes ailes et une longue queue qui flottait au gré du vent. Les couleurs vives de cet oiseau contrastaient énormément avec toute cette neige blanche qui tombait du ciel. Abbie, un peu craintive, recula d'un pas. Par contre, c'est avec un grand sourire que Zarya allongea un bras pour offrir un perchoir à l'étrange oiseau, qui volait directement vers elle. Il se percha sur le bras qui lui était offert et poussa un petit cri, semblable à un glacis d'aigle, en regardant les jeunes filles.

— Mais quel est cet oiseau ? demanda Abbie, qui ne le reconnut pas tout de suite et qui se tenait toujours à l'écart.

— C'est un picquort ! répondit Zarya. Il vient d'Attilia…

— Regarde, il a un petit paquet attaché au cou, fit remarquer Abbie en s'approchant avec prudence vers le magnifique animal. Ça provient sûrement de ta grand-mère !

— Oui, on dirait une petite mallette !

Zarya jeta un regard furtif autour d'elle et dit :

— On doit partir avant qu'on nous voie avec ce picquort.

Les jeunes filles, qui étaient maintenant arrivées à l'entrée du parc, le traversèrent d'un pas rapide pour se rendre à la maison de Zarya. Parvenu sur le seuil de sa porte, Zarya eut de la difficulté à prendre sa clef dans son sac à main. C'est alors que le picquort sauta sur le bras d'Abbie qui, heureusement, par réflexe naturel, l'avait tendu pour le recevoir. Zarya put plus facilement s'emparer de sa clef et elle ouvrit délicatement la porte. Les jeunes filles entrèrent, à pas feutrés, accompagnées de leur nouvel ami.

— Bonjour ! dit Kate, qui les entendit entrer malgré leur discrétion grâce à son ouïe maternelle affinée.

Elle était dans la cuisine en train de terminer une tarte aux framboises pour la soirée.

— Bonjour ! dirent les jeunes filles, en chœur.

— Oh, bonjour à toi aussi, Abbie ! dit Kate sans la voir.

— On va dans ma chambre, maman.

— D'accord.

Zarya entra la première, suivie d'Abbie, qui avait toujours le picquort perché sur le bras. Zarya ferma la porte derrière elle et déposa son sac à dos ainsi que son sac à main sur son bureau. Le picquort sauta alors de son perchoir pour atterrir sur le lit : l'oiseau attilien pénétra sous les couvertures pour s'y dissimuler. Les jeunes filles restèrent bouche bée devant un tel comportement. On distinguait la forme de l'oiseau sous la couverture, mais, soudain, il sembla prendre de l'ampleur ; il grandissait à vue d'œil. Abbie recula d'un pas, les yeux écarquillés, un enchevêtrement d'angoisse et d'excitation au ventre, tandis que Zarya regardait ce prodigieux phénomène sans broncher. Maintenant, l'oiseau prenait le lit en entier et, tout à coup, une tête apparut ; Zarya la reconnut immédiatement : c'était Martha, sa grand-mère.

— Bonjour, grand-mère ! dit-elle, heureuse et soulagée de la revoir.

— Bonjour, Zarya, dit Martha en restant sous la couette. Et vous êtes Abbie, si j'ai bien compris.

— Oui, madame, répondit-elle, intimidée.

— Si tu veux bien m'indiquer où se situe la salle de bain pour que je puisse m'habiller, demanda Martha à sa petite-fille en se levant et en s'enroulant dans la couverture pour recouvrir son corps dénudé.

— Au fond du couloir, dit Zarya.

— Ah ! j'oubliais, dit Martha en regardant la petite mallette de la grosseur d'un porte-monnaie déposée sur le lit.

Elle la prit de sa main libre et dit :

— *Emplificatus !*

En l'espace de deux secondes, la valise s'amplifia graduellement jusqu'à ce qu'elle atteigne la grosseur du sac à dos de Zarya.

— Waouh ! dit Abbie, béate d'étonnement devant cette démonstration magistrale.

— Je reviens tout de suite ! dit Martha en leur faisant un petit sourire.

— Elle est… cool, ta grand-mère, dit Abbie en s'assoyant sur le bord du lit.

— Oh oui ! et tu n'as rien vu, je t'assure ! approuva Zarya, qui se rappelait quelques démonstrations que sa grand-mère lui avait faites lors de leur première rencontre.

Martha revint dans la chambre avec la couverture sous le bras et la replaça sur le lit. Elle avait revêtu une longue robe d'un rouge violacé foncé.

— Est-ce que je peux ? demanda Martha en prenant la brosse à cheveux posée sur le bureau.

Elle était quelque peu décoiffée, pour une raison évidente, et voulait bien paraître devant les jeunes filles.

— Oui, bien sûr ! dit Zarya.

— Tu as une très belle chambre.

— Merci.

— Et vous, mademoiselle Abbie, comme je peux le ressentir, vous êtes également une mage ?

— Oui, c'est exact, lui confirma-t-elle en regardant Zarya d'un air étonné.

— Et vous habitez dans cette dimension aussi ?

— Oui, madame.

— Tu peux m'appeler Martha, dit-elle avec courtoisie. Et, moi, je vais te tutoyer, si tu le veux bien.

Abbie lui sourit en signe d'assentiment.

— Je suis un peu surprise que tu veuilles me voir juste avant ton départ pour Attilia.

— Mais… grand-mère, dit Zarya, stupéfaite, comment sais-tu qu'on part pour Attilia ?

— À l'aéroport de Paris, c'est moi qui étais perchée sur le lampadaire, dit-elle avec le sourire.

— Je m'en doutais… Oh oui ! je m'en doutais que ça ne pouvait être que toi, grand-mère.

Spontanément, Zarya enlaça sa grand-mère et la serra dans ses bras. Martha lui rendit son étreinte, déposa la brosse sur le bureau puis tira une chaise pour s'y asseoir.

— Il fait vraiment froid au Québec, dit-elle en se frictionnant les épaules.

— Vous avez franchi l'océan Atlantique en volant ? la questionna Abbie, curieuse comme toujours.

— Pas tout à fait. La distance entre les deux continents est beaucoup trop grande.

— Tu as été plutôt rapide, fit remarquer sa petite-fille. Je t'ai envoyé mon message tôt ce matin !

— Oui, et je suis arrivée vers 9 h ce matin, dit-elle humblement. Je me doutais bien que vous seriez à l'école, alors j'en ai profité pour aller visiter les alentours. Je suis très impressionnée par la propreté de votre ville !

— Vous avez pris trois heures pour vous rendre ici ? s'exclama Abbie, très épatée.

— Oui… environ.

Les jeunes filles se fixèrent : la même question leur trottait dans la tête…

— Comment avez-vous fait ? demandèrent-elles d'une seule voix.

Les adolescentes se regardèrent et s'esclaffèrent… Même sans télépathie, elles étaient sur la même longueur d'onde !

— C'est grâce aux hommes de Phalène, répondit Martha.

— Les hommes de Phalène ? lança Zarya, qui perdit instantanément le sourire.

Elle se rappelait très bien son insolite rencontre dans la vallée de Balaam avec ces êtres d'une taille impressionnante de deux mètres cinquante, avec de grandes ailes et des yeux rouges immenses ; on les appelait aussi les hommes-papillons.

— Oui, les hommes de Phalène. Ce sont des êtres très étranges et fascinants en même temps, je dois l'avouer. Ce sont des voyageurs étonnants qui peuvent aller d'une dimension à une autre sans aucun problème. Ils peuvent errer dans votre monde sans se faire voir et ils se retrouvent dans des endroits propices à des moments précis...

— Pour mieux observer les catastrophes et s'en délecter ! ajouta Zarya, dégoûté.

Abbie regarda Zarya d'un air étonné.

— C'est exact ! Et, à en juger par ton regard, dit Martha en levant un sourcil, tu les as déjà vus.

— Oui, une fois, et c'était une fois de trop, dit-elle en se rappelant les affreuses blessures que l'un d'eux avait infligées à Jonathan.

— Ce sont les hommes-papillons dont tu m'as déjà parlé ? demanda Abbie.

Zarya acquiesça d'un signe de tête.

— Et je constate que tu ne les portes pas dans ton cœur, remarqua Martha, et je partage tes sentiments à leur égard : ce sont des êtres sans états d'âme, des êtres dépourvus de conscience. Toujours est-il que, un jour, je les ai discrètement suivis en prenant bien soin de ne pas me faire remarquer et j'ai découvert qu'ils voyageaient à travers des portes interdimensionnelles.

— Grand-père m'a dit que ces portes existaient sûrement un peu partout dans le monde, mais que personne ne sait où elles sont situées.

— Ton grand-père a raison sur ce point, affirma Martha, cependant, les portes dont je te parle sont en altitude, et personne ne peut donc les voir... et encore moins les atteindre !

— Et où se trouve l'ouverture qui vous a menée ici ? demanda Abbie.

— Au-dessus d'une montagne assez étendue, pas très loin d'ici, et il y a une rivière tout près de cette montagne, répondit-elle.

— Je crois que c'est le mont Saint-Hilaire, devina Abbie.

— Comment peux-tu te transformer en oiseau ? la questionna à son tour Zarya.

— Je suis une cryptozoolingus.

Les jeunes filles se regardèrent sans dire un mot…

— Je peux me métamorphoser en picquort comme bon me semble, poursuivit Martha.

— Est-ce que les sorcières sont toutes des cryptozoolingus, grand-mère ?

— Non, seulement les sorciers et les sorcières qui naissent pendant une éclipse de Lune !

— Les mages peuvent-ils en être ? l'interrogea Abbie.

— Non, pas à ma connaissance… Quoique vous ayez des pouvoirs exceptionnels que nous, les sorciers, ne possédons pas, dit Martha en voyant la déception d'Abbie se peindre sur son visage.

— Le picquort est un magnifique oiseau ! dit tout de même Abbie qui, manifestement, était un peu désappointée en apprenant cela ; elle ne voulait quand même pas gâcher l'humeur joyeuse de la soirée à cause d'une chose à laquelle elle ne pouvait rien !

— Oui, dit Martha en lui faisant un sourire. L'aigle royal peut voler à une vitesse de cent vingt kilomètres à l'heure, ce qui fait de lui l'oiseau le plus rapide de votre monde. Le picquort, quant à lui, peut atteindre une vitesse de cent quatre-vingt-dix kilomètres à l'heure…

— Waouh ! lança Abbie, très impressionnée, en regardant Zarya.

— Mais tu ne m'as pas fait venir jusqu'ici pour que je te parle de moi, dit Martha en regardant sa petite-fille.

— Il est vrai que je cherchais depuis quelque temps un prétexte pour t'appeler…

— Mais tu n'avais pas besoin d'un prétexte pour m'appeler, l'interrompit Martha en plongeant son regard dans celui de sa petite-fille.

Zarya resta bouche bée quelques secondes sur ces belles paroles qui lui réchauffaient le cœur.

— J'ai eu de la visite… mal intentionnée, reprit-elle.

— Mal intentionnée ? s'inquiéta Martha en fronçant les sourcils.

— Oui, des Erliks…

— Et ils lui ont laissé un message, renchérit Abbie.

— Un message ?

Abbie sortit le papier que Zarya lui avait remis le matin même pour qu'elle puisse faire des recherches et le donna à Martha :

CORVUSIUM CORAXIX DIM RETAM-ARNTUM

Martha regarda avec attention le message des Erliks.

— Je crois que c'est un mélange de latin et de la langue noire.

— Qu'est-ce que c'est une langue noire, grand-mère ?

— C'est un langage utilisé par les démons et par certains sorciers qui pratiquent la magie noire, c'est une langue très ancienne. Malheureusement, je ne connais pas cette langue. Par contre, je connais très bien le latin, reprit Martha en regardant de nouveau le message. La seule chose que je peux te traduire, c'est : *Corvu Corax…*

— Et que veulent dire ces mots ? demanda Abbie.

— Grand corbeau !

— Grand corbeau ? répéta Zarya.

Martha prit une grande inspiration et leur dit :

— Grand corbeau est le nom que l'on donne à Malphas !

Les jeunes filles se regardèrent avec effroi. Réapparaître sans crier gare, telle était la promesse de Malphas. Elles se sentirent brusquement mal à l'aise de savoir que Malphas pouvait être près d'elles, à tout le moins, ses messagers de l'au-delà ! Quel était le plan diabolique de Malphas, cette fois ? Que voulait dire ce message ? pensa Zarya.

— Il ne peut revenir dans ce monde… hein ? demanda Abbie, incertaine. Tu l'as renvoyé aux enfers ?

— Oui… oui, bien sûr ! balbutia Zarya, qui voulait se convaincre elle-même.

— Pour ce qui est du reste du message, je connais une personne qui a des connaissances très approfondies en langues mortes ou, comme dans ce cas-ci, en langue noire. Aussitôt que j'aurai une réponse valable à vous donner, dit Martha en regardant les jeunes filles, je vous le ferai savoir.

— D'accord, dit Zarya, qui avait hâte de connaître la signification de ce message qui avait été envoyé par un être redoutable et très dangereux.

Quelques secondes passèrent, et les adolescentes retrouvèrent leur bonne humeur. C'est alors que Zarya fixa sa grand-mère et lui dit soudain :

— Grand-mère, j'aimerais bien que tu passes la soirée avec nous.

— La soirée ? répéta-t-elle, surprise.

— Nous fêtons Noël un peu en avance cette année, expliqua Zarya. Nous aimerions que tu fêtes le réveillon de Noël avec nous.

Martha fut désarçonnée par ces douces paroles que lui lançait sa petite-fille. Elle se tourna en direction d'Abbie, et cette dernière lui fit un sourire accueillant.

— *Nous…* cela veut dire : *vous* et ta mère ?

— Oui, répondit Zarya, et aussi la tante d'Abbie.

— Et elles sont au courant pour les histoires de magie, voulut la rassurer Abbie.

Martha se leva, fit quelques pas dans la chambre puis se tourna d'un seul mouvement et leur dit :

— C'est gentil de votre part, mais… mais… j'accepte !

Les jeunes filles se regardèrent avec un sourire épanoui.

Zarya se dirigea vers la salle à manger, là où était sa mère en train de mettre de magnifiques chandeliers au centre de la table.

— Allô, ma chérie !

— Allô ! dit Zarya en restant debout sans broncher.

— Ça va, Zarya ?… Et où est Abbie ?

— Elle est dans ma chambre avec…

— Avec qui ? questionna Kate en se tournant vers sa fille. Avec une nouvelle amie ?

Zarya prit une profonde inspiration et lui révéla :

— Non, avec grand-mère !

— Martha…, la femme de la montagne dont tu m'as parlé ?

— Oui, c'est ça !

Kate se sentit soudainement un peu confuse. Elle ignorait l'existence de sa belle-mère avant que sa fille lui raconte en détail sa visite chez la sorcière de la Montagne sacrée de Mocktar.

— Est-ce qu'elle peut rester pour le réveillon ? demanda Zarya en souhaitant ardemment l'approbation de sa mère.

Kate eut un moment de réflexion…

— Mais bien sûr ! répondit-elle en replaçant ses cheveux avec ses mains pour être bien certaine qu'elle n'était pas décoiffée.

Sur ces paroles, Abbie entra dans la pièce, accompagnée d'une femme sexagénaire de belle apparence aux cheveux noirs qui s'avança vers Kate.

— Enchantée de faire enfin votre connaissance, dit Martha en lui tendant la main.

— Vous ressemblez beaucoup à votre fils, dit Kate en lui serrant la main.

— Je vous remercie ! Je prends cela comme un compliment, dit-elle avec le sourire.

Zarya débordait de bonheur devant cette scène qui lui avait semblé impossible jusqu'à aujourd'hui. Abbie s'approcha de Zarya et posa sa main sur l'épaule de son amie, lui signifiant ainsi qu'elle était heureuse pour elle.

Toc! Toc!

Zarya alla à la porte et l'ouvrit.

— Joyeux Noël à tous! dit Mary en entrant avec, en main, un sac empli de cadeaux.

Après les présentations et les embrassades, elles s'installèrent toutes devant le sapin de Noël, qui n'était pas encore décoré. Dans la famille Adams, la tradition était de décorer le sapin la journée de Noël en buvant une coupe de champagne. Zarya et Abbie s'en donnèrent à cœur joie : elles s'amusèrent à faire léviter les boules de Noël pour les déposer délicatement dans l'arbre sous les rires et les regards admiratifs de leurs parents.

6

Edgar Kruta

Le professeur Hubert K. Bibolet attendait avec impatience la venue des autorités de Vonthruff qui devaient les escorter, lui et son équipe, dans un endroit sûr. La personne responsable de la communication, Christian Bernot, avait réussi à joindre le ministre Hamas Sarek, et ce dernier lui avait fortement conseillé d'appeler Edgar Kruta. Le ministre avait été formel à ce sujet : Bernot devait lui transmettre l'ordre prioritaire de protéger l'équipe et la dague, et ce, au péril de sa propre vie. Il y avait tout près de quatre heures que la communication entre les deux hommes avait eu lieu et, selon l'estimation que faisait le professeur Bibolet, les autorités ne devraient plus tarder. Simon D'hanens, pour sa part, avait soigneusement déposé la dague d'Azazel dans un coffret conçu à cet effet après qu'il eut réussi à neutraliser le champ magnétique qui la protégeait. Depuis, il restait posté à côté du coffret et le surveillait jalousement.

Francis, qui accompagnait son père pour la toute première fois lors d'une expédition, commençait à trouver le temps long : leur escorte se faisait attendre. Pour tromper l'ennui, il posa l'interrogation suivante :

— Où avez-vous trouvé le parchemin, père ?

— C'est une très bonne question, mon fils, lui dit le professeur en s'assoyant sur une valise en face de lui. Vois-tu, il y a plus de trois millénaires que l'on recherche ce fameux parchemin et, finalement, c'est un petit garçon de neuf ans qui a fait la découverte. Évidemment, sa trouvaille fut le fruit d'un heureux hasard. Assieds-toi, mon fils, je vais te raconter son histoire, dit le professeur d'un ton paternel. Un mage noir nommé Milone Darminok avait réussi à voler la dague maléfique à Joshua Drakar lui-même, il y a de cela trois mille cinq cents ans, juste après la défaite de Méphistophélès. Heureusement que, en ces temps immémoriaux, le procédé de clonage n'existait pas, car, si Darminok avait eu les connaissances nécessaires, avec le sang du démon qui imprégnait la dague, il l'aurait sûrement fait ! Mais, comme ce n'était pas le cas, Darminok cacha la dague en lieu sûr et disparut en inscrivant l'endroit secret sur un parchemin. Jusqu'à aujourd'hui, personne ne connaissait l'emplacement du fameux parchemin. Joshua Drakar, fils de fermier, avait perdu la célèbre dague d'Azazel, et ce fut grâce à Émerick Francoeur, fils de fermier, qu'on la retrouva trois mille cinq cents ans plus tard. Le hasard fait bien les choses, conclut le professeur Bibolet, son sourire dissimulé sous sa grosse moustache.

— Mais où était caché le manuscrit depuis tout ce temps ?

— Dans la région de Burianise, à l'est d'Attilia. C'est en cherchant l'un de ses grabtos d'élevage égaré sur la terre de sa famille que le jeune Émerick découvrit un gouffre profond dans la forêt au bout de leurs champs. Le jeune garçon connaissait la terre de son père comme le fond de sa poche et il était certain que cette cavité n'existait pas avant ce jour. Curieux comme pas un, selon son père, le jeune Émerick descendit donc au fond du trou, grâce aux racines d'un gros arbre, afin d'y jeter un coup d'œil. C'est alors qu'il fit la triste découverte : le pauvre grabtos égaré était mort au fond de l'abîme. On croit que la bête marchait tout bonnement à cet endroit lorsque le sol a cédé sous son poids ; il s'était trouvé au mauvais endroit au mauvais moment. Lorsque le jeune Francoeur tenta de remonter en s'agrippant toujours aux racines de l'arbre, un de ses pieds passa au travers de la paroi terreuse, ce qui lui permit de découvrir une petite pièce de l'autre côté de la cloison.

— C'est là qu'il découvrit le parchemin ? demanda Francis, qui avait hâte de connaître la suite.

— Pas tout à fait, répondit le professeur. Le jeune garçon se hissa à la surface et alla chercher, dans sa demeure, de quoi éclairer, sans dire un mot à son père.

— Il avait de l'audace !

— Oui, en effet. C'est drôle, ça me rappelle quelqu'un, dit-il avec le sourire. Après quoi, le jeune garçon retourna en secret vers le gouffre et descendit pour faire ses propres recherches.

— Il croyait trouver un trésor ?

— Oui, exactement ! Et, si tu veux mon avis, il a réussi. Toujours est-il que le jeune garçon, avec un falot pour éclairer, entra dans la pièce mystérieuse. C'est à ce moment-là qu'il fit une trouvaille incroyable...

— Le parchemin !

— Non ! Pas encore, dit le professeur, agacé par ces interruptions. Il découvrit un *Lithos Sarcophagus*.

— Attendez... je sais ce que c'est... c'est un sarcophage de pierre.

— Exactement, il avait trouvé le sarcophage de Milone Darminok. Son nom était gravé sur le dessus avec plusieurs inscriptions sataniques sur le pourtour. Le jeune garçon réussit à l'ouvrir et y trouva une châsse en or avec le parchemin à l'intérieur.

— Mais que faisait le cercueil de Darminok dans ces champs ?

— Après maintes recherches, expliqua le professeur, on découvrit que, autrefois, à l'endroit même où était situé le sarcophage de ce terrible mage noir, il y avait une église...

— Il était sous une... église, père ! s'exclama le jeune homme, surpris.

— Oui, mais pas une église traditionnelle comme celles que tu connais, fils, rectifia le professeur, c'était une église satanique... l'église de Lucifer. Les années passèrent, et elle fut abandonnée puis détruite par les villageois de ces temps reculés. Il devait y avoir un sous-sol secret dont ils ignoraient l'existence.

— Là où était situé le tombeau ? demanda Francis.

— Exactement.

— Professeur... Professeur Bibolet ! l'interpella l'un de ses hommes en marchant d'un pas rapide. Les autorités arrivent...

— Très bien, Robert, répondit-il en se levant pour les accueillir.

Un homme de taille moyenne et aux cheveux brun foncé, portant un chapeau de fourrure, pénétra dans la pièce. Il arborait un sourire pour le moins pernicieux derrière sa barbichette, ce qui fit reculer le professeur d'un pas. Les quatre hommes qui l'accompagnaient se placèrent autour de la pièce.

— Je suis Edgarr Krruta, dit-il avec un fort accent de l'Est.

— Bonjour, monsieur Kruta, dit le professeur en lui présentant sa main.

Edgar Kruta ignora le geste de politesse du professeur Bibolet et regarda partout autour de lui.

— Où est-elle ? dit l'homme avec une impertinence offensante.

— Ne vous en faites pas, monsieur Kruta, elle est en sécurité, dit le professeur.

— Mais, je ne m'en fais pas pourr la dague, prrofesseurr, dit-il en caressant sa barbichette. Mais j'ai eu orrdrre de l'apporrter dans un lieu ssûrr, dit-il avec son sourire fallacieux.

Francis se méfiait de cet homme qui semblait aussi honnête qu'un troll de montagne.

— Le ministre Sarek vous a donné l'ordre de nous accompagner dans un endroit sûr avec la dague, dit Francis, qui n'avait pas la langue dans sa poche.

Son père le regarda avec de grands yeux.

— Et qui êtes-vous… jeune homme ? demanda dédaigneusement Kruta.

— Je suis un jeune homme qui ne croit pas que vous soyez ici pour nous aider.

Malgré le fait que les hommes d'Edgar Kruta étaient en nombre inférieur, ils semblaient plus costauds que l'équipe du professeur Bibolet.

— Francis ! Voyons… Reste poli avec monsieur Kruta, lança le professeur, gêné de la réaction de son fils. Ils sont ici pour nous escorter.

Edgar Kruta jeta un regard hostile au jeune homme et se tourna en direction du professeur, un sourire narquois aux lèvres, et lui dit :

— Je crrois que… Frranciss a rraison, prrofesseurr. Nous ne sommes pas ici pourr vous convoyer, mais plutôt pour apporrter la dague dans un endrroit où elle aurra toute sa rraison d'êtrre !

— C'est hors de question ! dit le professeur en regardant automatiquement le coffret dissimulé derrière Simon. On ne peut vous donner la dague, elle appartient maintenant au musée d'Attilia.

Edgar Kruta suivit le regard du professeur Bibolet et aperçut le coffret en question.

— Ah ! la voilà, dit Edgar, les yeux brillants. Je vous rremerrcie beaucoup, prrofesseurr. Maintenant, vous pouvez disposer, vous et vos hommes. Vos prrécieux sserrvices ne ssont plus rrequis, termina-t-il ironiquement.

Edgar Kruta regarda l'un de ses hommes et lui fit signe de récupérer le coffret. Francis fit un pas de côté afin d'empêcher l'homme de voler la dague. Au même instant, Kruta tendit son bras droit vers lui et, de toute sa force intérieure, il projeta une énergie pour neutraliser le jeune garçon. Cette énergie ressemblait à une vague d'énergie translucide ; elle sembla sortir de son bras et elle se dirigea vers Francis avec une vélocité stupéfiante. Celui-ci reçut le flot d'énergie télékinésique derrière la tête et, sous l'incroyable puissance de l'impact, il tomba inconscient sur le sol.

— *NOOONN !!!!* cria le professeur de tous ses poumons en braquant les yeux sur son fils unique allongé sur le plancher…

On pouvait entendre les cris de frayeur et de souffrance à des kilomètres à la ronde. Au milieu de nulle part, personne ne pouvait leur venir en aide…

La magie de Noël

Québec…, la soirée du réveillon

La première tempête de neige de l'année qui s'abattit sur le Québec força les gens à rester confinés à l'intérieur. La famille Adams et leurs invitées n'y échappèrent pas, mais le vent froid venant tout droit du nord qui sévissait à l'extérieur ne semblait pas les déranger le moins du monde. En effet, Kate, Mary, Martha, Abbie et Zarya étaient tout autour de l'élégante table décorée avec soin et profitaient de la nourriture, qui était tout simplement délicieuse et en abondance suffisante pour nourrir toute une armée ! Elles faisaient honneur au repas traditionnel de Noël que Kate avait soigneusement préparé tout au long de la semaine. Le salon était magnifiquement décoré, comme le majestueux sapin orné de décorations de toutes les formes et de toutes les couleurs, et des lumières scintillant de mille feux chatoyants — rouges, verts, orangés et autres — l'illuminaient. Pratiquement tous les ornements du sapin avaient été accrochés « télékinésiquement » par les jeunes filles. Des guirlandes polychromes serpentaient d'un coin à l'autre de la pièce, et des bas de Noël étaient suspendu au manteau de la cheminée. Grâce à sa magie particulière, Martha avait fait apparaître l'étoile du berger au-dessus de la crèche miniature au pied du sapin ; l'astre y lévitait maintenant en permanence. C'était la fameuse étoile symbolisant le lieu de naissance de l'enfant Jésus que les Rois mages avaient suivie pour se rendre à l'endroit où le Fils de Dieu avait vu le jour, deux mille ans auparavant.

Kate, au bout de la table, présidait la soirée. Elle leva son verre de vin blanc, un Chardonnay 2002, d'où s'échappèrent quelques gouttelettes qui vinrent s'écraser sur la table, et, en prenant bien soin de regarder tout le monde, elle prononça quelques mots :

— D'abord, j'aimerais vous dire que je suis très heureuse que vous soyez toutes ici, réunies pour fêter Noël quelques jours à l'avance avec Zarya et moi. Merci à toi, Mary, mon amie de toujours, d'être présente dans ma vie, et à toi, Abbie, d'être là pour ma Zarya… J'aimerais également lever mon verre pour mon mari, John, qui n'est pas physiquement présent ce soir, mais, je peux vous l'assurer, qui est ici, avec nous, en pensée.

Les yeux pétillants, Kate regarda Martha à l'autre bout de la table et lui adressa un sourire béat en lui disant :

— J'aimerais vous avouer que votre présence ici ce soir nous honore et qu'elle nous emplit de joie, ma fille et moi. C'est un magnifique cadeau que vous nous offrez : j'ai gagné une belle-mère, et Zarya, une grand-mère.

Toutes déglutirent avec émotion…

— Je lève mon verre à vous, belle-maman, poursuivit Kate, la voix émue, qui êtes une femme formidable et je veux que vous sa-chiez que la porte de notre demeure vous sera toujours ouverte…

Martha, qui essayait tant bien que mal de retenir ses émotions, tourna son regard pailleté d'or, avec la lenteur voluptueuse d'un chat qui se réveille, en direction de sa petite-fille et lui fit un sourire indéfinissable. Elle leva son verre à son tour et dit, d'une voix mélancolique :

— Toute ma vie, je n'ai osé espérer, une seconde, vivre un moment pareil. J'ai vécu des aventures incroyables, j'ai fait des rencontres inoubliables, j'ai même momentanément connu l'amour... Mais je peux vous avouer que l'instant présent est, et de loin, la plus belle journée de toute ma vie...

Martha baissa les yeux... prit une grande inspiration et enchaîna :

— Quand Gabriel, ton grand-père, m'a demandé de te recevoir pour « tu sais quoi », reprit-elle en regardant sa petite-fille avec un petit sourire de béatitude, une grande joie m'avait alors envahie, mais une peur bleue de te rencontrer s'était également emparée de moi...

Cette révélation imposa un silence de plomb dans la salle à manger ; seule une douce mélodie de Noël provenant du lecteur de disques compacts du salon était audible...

— Pour une raison que tu connais bien, reprit Martha en regardant toujours Zarya, dont les yeux scintillaient comme des tourmalines de Paraíba en regardant sa grand-mère se confier à elle, je m'étais éloignée injustement des personnes que j'aimais et, pour moi, cet événement s'avéra être une torture incroyable. Un vide s'était installé dans mon cœur, mais, aujourd'hui, vous me donnez la chance, sans me juger, de revenir à l'endroit que j'aime le plus au monde, parmi les miens !

Malgré le fait qu'Abbie n'était pas concernée par cette histoire de famille, elle avait les yeux emplis de larmes qu'elle ne pouvait contenir.

Après que Martha eut terminé son touchant discours...

— Kate ! dit Mary d'une voix forte pour alléger un peu l'atmosphère, tes patates sont excellentes !

Sur ces paroles bien placées, toutes s'esclaffèrent...

Elles étaient rendues au dessert, et Abbie, en engouffrant sa deuxième et dernière assiettée de bûche au chocolat, demanda à Martha :

— Tantôt, vous avez mentionné que vous aviez vécu des aventures incroyables, pouvez-vous nous en évoquer une ?

Tous regardèrent Martha, qui déposa sa fourchette avec un sourire placide et doux qui démontrait l'une de ses forces : la sagesse.

— Mais bien sûr, ma chère Abbie.

Toutes les convives déposèrent leurs ustensiles à leur tour et écoutèrent attentivement Martha…

— On l'appelait la Dame noire. J'avais trente et un ans à cette époque. J'étais en visite chez une très bonne amie et collègue de travail ; j'étais professeure de botanique à ce moment-là ! Annie Raymond, c'est le nom de mon amie, me racontait que trois hommes dans la vingtaine avaient disparu depuis un mois. Le plus étrange, c'était qu'il n'y avait ni trace de sang ni signe de bagarre sur les lieux de leur disparition, pas plus qu'un mot de leur part qui aurait pu éclairer leur famille. C'était le mystère total. Croyez-moi, un vent de panique s'était mis à souffler dans la région et avec raison.

— Y avait-il des Maîtres Drakar sur les lieux ? demanda Zarya.

— Oui, certainement. Deux d'entre eux étaient affectés à ces mystérieuses disparitions. Mais ils ne semblaient pas trouver le moindre indice.

— Vraiment étrange ! lança Abbie, captivée par l'histoire.

— Pour faire une histoire brève, reprit Martha, deux jours plus tard, Annie m'appelait en sanglotant de tout son être. Je me rendis alors chez elle le plus rapidement possible et, aussitôt arrivée, elle s'effondra dans mes bras en m'annonçant la disparition de son frère Marco ! Je compris immédiatement qu'il y avait un lien entre la disparition de son frère et celle des trois autres jeunes gens, cela ne faisait aucun doute dans mon esprit. Le frère de ma meilleure amie avait disparu, et elle me suppliait de l'aider à le retrouver.

— Et qu'as-tu fait, grand-mère ?

— Tout d'abord, je dois te dire que j'en fis une affaire personnelle, répondit-elle d'un ton tranchant. Les jeunes hommes se faisaient enlever le soir vers minuit et toujours près de leur demeure. Alors, toute la nuit, j'ai survolé la région à la recherche d'indices…

— En picquort ? s'enquit à son tour Abbie.

— Oui, exactement, ma chère. J'étais perchée sur le toit d'une maison lorsque j'aperçus un étrange nuage survoler les arbres et se diriger tout droit vers une petite maison au fond d'une ruelle. Comment un petit nuage noir, ou si vous aimez mieux, un nuage de fumée, pouvait-il se déplacer de cette façon, comme mû par sa propre volonté ? Alors, je décidai de suivre cet étrange phénomène. Le plus curieux, ce fut lorsque la fumée s'arrêta devant la porte. Je me suis de nouveau juchée, mais cette fois, sur la clôture près de la maison, et j'observai sans bouger. Et là, je vis la fumée se transformer en une magnifique demoiselle…

— La Dame noire, devina Zarya.

— Oui, c'était la Dame noire, confirma sa grand-mère. Cette magnifique jeunesse d'une beauté pure s'approcha de l'entrée et frappa à la porte. Un jeune homme dans la vingtaine lui répondit avec le sourire. Elle lui demanda s'il voulait bien la suivre, elle avait besoin d'aide pour quelque chose, une chose dont j'ignore encore la nature aujourd'hui : j'étais trop loin et je n'avais pas compris la raison exacte de sa requête, mais il la suivit sans discuter. Bien évidemment, avec une telle apparence, n'importe quel homme sain d'esprit l'aurait suivie les yeux fermés, dit-elle avec le sourire. La jeune femme amena sa jeune victime près de la forêt et, là, le plus surprenant se réalisa…

Zarya et Abbie regardaient Martha, les yeux ronds, avides de connaître la suite…

— Elle enlaça le jeune homme dans ses bras, lequel ne se débattit point, mais il ne réalisa pas ce qui lui arrivait. Elle se transforma de nouveau en nuage, et le jeune homme disparut dans cette fumée opaque. Je compris qu'elle l'amenait dans un autre lieu ! Je pris alors la décision de les suivre. En fait, j'espérais qu'elle l'emmènerait au même endroit où elle avait conduit le frère d'Annie ! Plusieurs kilomètres plus loin, elle descendit en direction d'une petite cabane au milieu d'une forêt entourée d'un marais dense et infect où personne ne pouvait se rendre à pied ; c'était un endroit inaccessible. Je me suis perchée sur une branche et, là, la Dame noire réapparut avec le jeune homme, pétrifié d'horreur cette fois !

— A-t-il essayé de se défendre ? demanda Abbie.

— Oui, mais il n'eut aucune chance, elle était trop puissante. J'ai alors décidé d'intervenir. Je me suis transformée derrière un arbre et me suis habillée : j'apporte toujours ma petite valise, dit-elle en faisant un petit clin d'œil en direction des jeunes filles. La Dame noire vint pour entrer dans la cabane avec sa victime, mais, pressentant une présence derrière elle, elle se retourna et me vit : j'étais là, face à elle, prête à l'affronter.

— Et qu'est-ce qu'elle a fait, grand-mère ?

— Elle s'est mise à rire ! Elle a laissé tomber le jeune homme au sol, inerte, et m'a regardée droit dans les yeux. Elle avait un regard mauvais. Jamais de ma vie je n'avais vu des yeux aussi emplis de haine et de méchanceté. D'un geste de la main, elle me lança une attaque en disant : *Kaoulastt !* Et une fumée verdâtre se dirigea vers moi…

— Mais qu'as-tu fait ? demanda sa petite-fille, les yeux écarquillés.

— Je compris que ce n'était pas un désodorisant, répondit Martha avec le sourire. À l'aide de ma baguette, je créai un vent qui repoussa la fumée dans sa direction. Elle couvrit son visage pour ne pas respirer ce dangereux poison, se métamorphosa de nouveau en nuage et elle prit son envol. Elle survola les arbres, et je l'observai sans bouger, toujours sur mes gardes. Elle tourna au-dessus de la cabane et fonça sur moi à une vitesse folle, une vitesse tellement grande que je ne pus esquiver sa charge. La force de l'impact me projeta à plusieurs mètres. J'étais vraiment étourdie par le contact brutal que je venais de recevoir en pleine figure ! Elle reprit de l'altitude et recommença son petit manège, tournant au-dessus des arbres ; elle me chargea de nouveau, mais, cette fois, j'étais prête : *Protectumotheras !* Et soudain, le nuage fut recouvert d'une lueur vert émeraude ; j'avais créé un protectum qui l'enveloppait tout entière. Elle se transforma une fois de plus en Dame noire et comprit, avec horreur, qu'elle était prisonnière dans une bulle indestructible...

— Mais un protectum, c'est un moyen de se protéger, non ? questionna Zarya, confuse.

— Tu as raison, mais tu peux également t'en servir pour emprisonner l'adversaire quelques minutes, le temps de préparer une autre attaque ! Comme prévu, la bulle disparut et, dans un temps parfaitement synchronisé, je lui lançai une bruine glacée qui la transforma en un bloc de glace...

— Et que sont devenus Marco et les autres hommes ? demanda Kate, curieuse.

— Le jeune homme que la Dame noire venait tout juste d'enlever était en état de choc, bien entendu, mais il se portait bien et n'avait subi aucune blessure. Les trois premiers hommes qu'elle avait enlevés étaient morts de vieillesse. Quant à Marco, il avait vieilli de trois ou quatre ans selon les médecins.

— Morts de vieillesse ? dit Abbie, surprise.

— La Dame noire avait plus de huit cents ans. Au moyen de baisers, elle aspirait la jeunesse des jeunes hommes afin de conserver sa propre jeunesse.

— Mais c'est horrible ! s'exclama Mary.

— Et qu'est devenue la Dame noire, grand-mère ?

— Sur mes directives, Annie orienta les Maîtres Drakar vers la cabane. Ils l'y cueillirent, toujours emprisonnée dans la glace, et l'emmenèrent dans une prison à haute sécurité à Attilia. J'ai appris qu'elle était finalement morte de vieillesse quelques semaines plus tard.

— C'est vraiment une histoire incroyable, grand-mère.

— Merci ! dit Martha. Mais je crois qu'on peut maintenant parler de choses plus joyeuses.

La tempête à l'extérieur s'était peu à peu calmée pour laisser place à une neige qui tombait dru sur les toits des maisons. La voiture de Kate ressemblait maintenant à un gros mouton blanc pelucheux. Par contre, le froid persistait toujours, et on pouvait voir le bas des fenêtres de la maison recouverts de givre. Toute la maisonnée s'était réunie au salon : Kate et Mary étaient assises sur la causeuse, Martha était près des jeunes filles sur un confortable divan, une tasse de café brésilien à la main, et Zarya et Abbie, quant à elles, étaient assises par terre, près du sapin.

— Je crois qu'il est temps d'ouvrir les cadeaux, suggéra Kate en déposant son verre de curaçao sur la table.

Les jeunes filles se regardèrent, un sourire fendu jusqu'aux oreilles…

— Je pense que c'est une très bonne idée, approuva Mary en regardant les jeunes filles épanouies.

Kate se leva, prit un cadeau au hasard sous le sapin et lut le nom inscrit sur la petite carte collée dessus.

— Abbie, c'est pour toi… de ta tante Mary.

Abbie, toute joyeuse, prit le paquet joliment bien décoré et le tâta pour en deviner le contenu, mais en vain. Elle s'empressa de déballer le cadeau, qui avait la dimension d'une valise de voyage. Elle ouvrit la boîte et poussa un cri aigu comme seule Abbie pouvait le faire !

— Mais qu'est-ce que c'est ? demanda Zarya, aussi excitée que son amie.

Abbie déposa la boîte sur le plancher, et Zarya découvrit une multitude de petits pots…

— Ce sont des récipients emplis de fines herbes, s'écria Abbie, folle de joie, en regardant sa tante Mary.

— Il y en a des centaines, fit remarquer Zarya, contente pour elle.

Abbie se précipita vers sa tante et la serra dans ses bras.

— Tu vas pouvoir t'amuser à fabriquer des sortilèges comme bon te semble, dit Mary, heureuse de la joie que son achat avait provoquée chez sa nièce.

Par la suite, Zarya déballa à son tour ses cadeaux et reçut de beaux vêtements et de jolis bijoux. Les jeunes filles étaient comblées de bonheur.

Tandis que Mary développait le cadeau qu'Abbie lui avait offert, Kate se leva et alla dans sa chambre. Elle revint avec un sac-cadeau et le remit à Martha.

— Mais… mais c'est pour moi ? balbutia-t-elle d'une voix émue.

Martha finit d'un seul trait sa tasse de café et prit le sac que Kate lui tendait sous le regard attentif des autres. Elle ouvrit le sac avec une extrême lenteur pour apprécier chaque seconde de cet intense instant.

— Je ne sais pas quoi dire, dit-elle en sortant un cadre avec une photo de famille, une photo représentant son fils John, Kate ainsi que sa petite-fille Zarya.

Martha se leva, prit sa bru dans ses bras et lui dit d'une voix tremblante d'émotion :

— Merci à toi et à Zarya. Pour moi, cette photo est symbolique : je fais partie d'une vraie famille…

— C'était notre message, dit Kate en regardant Zarya, dont le visage rayonnant exprimait tout l'enthousiasme qu'elle ressentait à ce moment.

Martha déposa avec soin le cadre sur la table. Elle regarda ensuite les jeunes filles et leur dit :

— Moi aussi, j'ai un petit cadeau pour vous deux, mes chères demoiselles.

Zarya et Abbie s'observèrent et s'exclamèrent en duo :

— Un cadeau !

— Oui, un présent pour vous deux, dit-elle en faisant un clin d'œil à sa bru et à Mary.

— Je vais vous demander de vous lever et de vous placer devant le foyer.

Les jeunes filles se mirent debout donc et se dirigèrent vers le foyer en se demandant quelle pouvait bien être cette surprise. Martha n'avait ni sac ni paquet en sa possession !

— Vous allez vous mettre face à face et vous tenir les mains.

Kate et Mary s'assirent sur la causeuse et regardèrent attentivement.

— Et, peu importe ce qui va se passer, dit Martha d'une voix douce, il ne faut surtout pas dénouer vos mains. Sous aucun prétexte !

— D'accord, acquiescèrent les deux adolescentes, puisqu'elles faisaient confiance à Martha.

Celle-ci sortit sa baguette magique de sa poche, une baguette de la grosseur d'un cure-oreille, la regarda et dit :

— *Emplificatus !*

Instantanément, sous le regard stupéfait d'Abbie, la baguette magique de Martha, qui reposait au creux de sa main, prit de l'envergure.

— Maintenant, je vais prononcer des paroles magiques, dit Martha en observant les jeunes filles. Vous allez les répéter après moi en fermant les yeux, d'accord ?

— D'accord, dirent-elles, fébriles.

Martha leva ses deux mains, fit vaciller sa baguette de gauche à droite en direction des jeunes filles et prononça d'une voix forte :

— *Mim pouvartum…*
— *Mim pouvartum*, répétèrent les jeunes filles.
— *Tranferrass i bimm…*
— *Tranferrass i bimm…*
— *Plantitarium.*
— *Plantitarium.*

Sous les yeux ébahis de Kate et de Mary, un filet de lumière vert émeraude sortit du bout de la baguette de Martha en émettant un curieux crépitement et alla recouvrir Zarya et Abbie de son halo. Les jeunes filles semblaient être entrées en transe ; nul doute à leur état, elles avaient les yeux clos, conscientes de rien et ne semblaient pas avoir de douleur apparente non plus. La lueur scintillante qui entourait les corps des jeunes filles était si intense qu'elle éclairait la pièce comme en plein jour. Étrangement, les flammes du foyer à proximité des jeunes filles avaient pris la teinte d'un beau bleu céleste et vacillaient dans un vent imaginaire, puisque, évidemment, il ne ventait point dans le salon.

Brusquement, le tout s'arrêta ! Les jeunes filles ouvrirent les paupières en même temps et semblèrent un peu désorientées.

— Vous pouvez maintenant vous lâcher les mains, dit Martha en remettant sa baguette dans sa poche.

— Est-ce terminé, grand-mère ?

— Oui, c'est tout, dit-elle avec le sourire.

Abbie eut le réflexe de regarder ses mains et ses pieds, mais rien n'avait changé, constata-t-elle.

Zarya se tourna en direction de sa grand-mère et, surprise, elle la vit se diriger vers la cuisine. Personne n'osait prononcer un mot, croyant qu'elle avait sûrement raté son sortilège. Martha revint avec une plante en pot qui était habituellement sur une tablette près de l'évier. Elle la déposa sur la table du salon et se rassit sur le divan.

— Maintenant, mesdemoiselles, dit Martha d'une voix flegmatique, vous allez vous installer par terre près de la table.

Ce qu'elles firent…

— Qui veut avoir l'honneur de commencer ? demanda-t-elle.

Les jeunes filles se regardèrent…

— Commence Zarya, suggéra Abbie, un sourire amusé flottant sur ses lèvres tandis qu'elle jetait un regard perplexe à sa tante Mary.

— Très bien ! Maintenant, Zarya, tu vas faire face à cette magnifique plante et tu vas allonger ta main devant toi.

Zarya suivit attentivement ces instructions.

— Tu vas entrer en contact avec la plante et tu vas lui ordonner, à voix haute, d'enlacer ta main !

Zarya regarda Abbie, interloquée…

En se concentrant à l'aide de la nouvelle puissance d'invocation qu'elle venait de recevoir de sa grand-mère, les yeux fixés sur la plante, elle dit à voix haute :

— *Virnamia goustiass !*

Immédiatement et de manière surprenante, la plante se mit à bouger sous les yeux étonnés d'Abbie, de Kate et de Mary. Martha, elle, contemplait sa petite-fille d'un air satisfait.

Zarya fixait la plante sans remuer, tendant toujours la main devant elle. La cime de la plante se mit alors à allonger, à allonger et à allonger, comme si le temps avançait à une vitesse incroyable et que la plante grandissait à vue d'œil ! Dès que la plante toucha la main de Zarya, elle s'y enroula en faisant quatre tours complets, sous le regard victorieux de Zarya, qui était contente de sa nouvelle faculté.

— *Revus mitrass !* dit Martha.

Et la plante revint à sa place initiale !

— Fantastique ! lança Abbie, qui avait hâte de l'essayer à son tour.

— Mais, où as-tu appris à parler ce langage ? demanda Kate, très impressionnée.

— Quel langage ? demanda Zarya.

— Mais la *virna*-chose ! dit sa mère sans être capable de prononcer la formule en totalité.

— La quoi ? s'enquit Abbie, perplexe. Elle lui a tout simplement ordonné de lui enlacer la main !

— À partir de ce jour, expliqua Martha, les jeunes filles peuvent parler le langage des plantes. Ce n'est pas seulement grâce à la magie que cette plante a enlacé la main de Zarya, mais surtout parce qu'elle le lui a tout simplement demandé !

— Puis-je essayer à mon tour ?

— Mais bien sûr, Abbie ! approuva Martha.

— *Gintiuss pirr mat !*

Et la plante se mit à danser, sous le regard amusé de toutes...

Les envoyés spéciaux

Attilia… au Temple des Maîtres Drakar

Un homme grand et mince aux cheveux blancs, portant un complet beige de haute couture attilienne, se tenait debout devant une toile représentant un jeune Maître Drakar en position de combat. Gabriel Adams, ministre des Relations interdimensionnelles et directeur du Temple des Maîtres Drakar, les deux mains jointes sur sa canne en acajou ornée d'un cristal vert émeraude, était perdu dans ses pensées. Il arborait un petit sourire en coin en pensant à la visite de sa petite-fille Zarya et de sa meilleure amie de toujours, Abbie Steven. À une journée de leur arrivée, Gabriel était heureux de cette visite très attendue et fébrile à l'idée de leur faire découvrir le Noël attilien si particulier.

Toc! Toc! Les coups frappés à la porte tirèrent Gabriel de ses réflexions.

— Entrez, je vous prie !

Une jeune femme aux cheveux blond platine et de belle apparence entra…

— Bonjour, mademoiselle Roy, que me vaut l'honneur de votre charmante visite ?

— Bonjour, monsieur le ministre, dit-elle d'une voix fatiguée et accablée.

— Vous me semblez un peu préoccupée, ma chère Jacinthe, remarqua-t-il en regardant le teint pâle de cette dernière. Est-ce que tout va bien au ministère ?

— Je ne sais pas… En fait, si je suis ici, c'est pour vous parler du ministre Sarek.

— Le ministre Sarek ? dit Gabriel en gardant son calme habituel. Je vous en prie, ma chère, commencez donc par vous asseoir, enchaîna-t-il d'un ton paternel en désignant le fauteuil près de la cheminée.

— Merci !

— Désirez-vous une tasse de thé ?

— Non, merci, monsieur le ministre.

Gabriel se dirigea vers l'autre fauteuil accolé à celui de Jacinthe et reprit :

— Maintenant, vous allez m'expliquer ce qui vous met dans cet état.

Les lueurs ondoyantes jetées par les flammes orangées du foyer attirèrent l'attention de Jacinthe et eurent un effet apaisant sur elle. Elle pesa les paroles qu'elle allait prononcer, prit une profonde inspiration et tourna la tête en direction de Gabriel :

— Il m'a menacé de me mettre à la porte si je vous dévoilais un message qui vous était destiné, mais dont il fut finalement le destinataire puisque vous étiez absent, révéla-t-elle d'un seul élan.

Son teint blême et ses yeux cernés trahissaient une grande fatigue due à une nuit blanche…

— Ne vous en faites pas pour votre poste, ma chère Jacinthe, il ne peut pas vous congédier aussi facilement, la rassura-t-il en lui faisant un petit clin d'œil amical. Et surtout... surtout, si je suis dans les parages, ajouta Gabriel, impassible devant la menace du ministre Sarek.

Jacinthe retrouva peu à peu le sourire.

— Si vraiment on parle d'un message qui m'était destiné, alors votre travail est de me le rapporter.

— C'est à propos du professeur Bibolet...

— Et que voulait ce cher professeur ?

— Le ministre Sarek a parlé avec un certain monsieur Christian Bernot de la trouvaille de la fameuse dague d'Azazel par le professeur Bibolet...

Sur ces paroles, Gabriel se raidit sur son siège et prit une profonde inspiration à son tour...

— Ce vieux Hubert a trouvé la dague qui a appartenu à Joshua Drakar ! dit Gabriel, abasourdi par l'ampleur de cette découverte.

— Oui, et le ministre Sarek a aussi parlé d'un certain Edgar Kruta, ajouta Jacinthe.

— Et qui est cet homme ?

— Il a spécifié que c'était le chef des autorités de Vonthruff et il a insisté sur le fait que le professeur Bibolet devait absolument communiquer avec cet Edgar Kruta. Et là, d'une voix plutôt menaçante, il a dit à son interlocuteur que tout ça devait rester un secret de la plus haute importance !

— Mais... mais c'est absurde et insensé ! Que veut-il faire de cette dague ? Et pourquoi garder cette trouvaille secrète ? s'interrogea Gabriel à voix haute.

Il se leva, perplexe.

— Je crois que je vous ai tout dit ce que je savais à propos de ce message, dit la réceptionniste en se levant à son tour.

— Je vous remercie beaucoup, ma chère Jacinthe, dit le ministre en lui serrant la main. Je vous assure que tout ce que vous m'avez mentionné restera confidentiel, vous n'avez pas à vous inquiéter. Et ne vous en faites pas pour votre poste, j'aurais plus peur pour le poste du ministre Sarek que pour le vôtre, conclut-il avec humour.

Soulagée, Jacinthe sortit du bureau de Gabriel, un poids de moins sur les épaules.

◊ ◊ ◊

Au même moment, dans l'un des pubs branchés d'Attilia, *Le Bartiméus*, non loin du Temple, quatre Maîtres Drakar discutaient autour d'une table, une bonne bière en main. Parmi eux se trouvait un jeune homme de vingt et un ans, de belle apparence, de taille moyenne, aux cheveux bruns et aux yeux bleus : c'était Jonathan Thomas. C'était sans aucun doute le meilleur Maître Drakar de son temps. De nombreux trophées garnissaient *Le Bartiméus*, et la moitié d'entre eux appartenaient à Jonathan : il les avait remportés en participant à de nombreuses compétitions de psychiforce et de donar-ball.

Il était en train de prendre sa bière lorsqu'il déposa brusquement son verre sur la table en posant son doigt sur son oreille !

— Qu'y a-t-il, Jonathan ? demanda Martin.

— Je dois aller au télépat, dit-il en se levant.

— C'est sûrement le patron, devina Jimmy.

— Sûrement.

Jonathan se dirigea vers une petite cabine avec, à l'intérieur, un télépat qui reposait sur une tablette en bois. Il déposa sa main droite sur cette boule et dit :

— Jonathan Thomas qui parle !

— Bonjour, Jonathan ! J'espère que je ne vous dérange pas trop ? demanda Gabriel.

— Non, pas du tout, Maître ! dit-il, heureux de lui parler.

— Je sais que vous êtes en vacances, mon cher ami, mais j'aimerais bien vous voir dans mon bureau, vous et votre partenaire, si cela vous est possible.

— Il n'y a aucun problème, Maître, répondit Jonathan d'une voix basse et inquiète. Quelque chose vous préoccupe, Maître ? Je vous sens un peu contrarié…

— En effet, mon ami, je ne peux rien vous cacher ! Mais je préfère vous l'expliquer de vive voix.

— Je vais aller chercher mon partenaire, et nous vous rejoindrons à votre bureau le plus rapidement possible.

— Je vous remercie beaucoup, très cher ami ! dit Gabriel.

◊ ◊ ◊

Quelques instants plus tard, au Temple des Maîtres Drakar, Jonathan s'arrêtait en face du local B-104 : c'était la salle de classe du professeur Trevor Razny. Il frappa, ouvrit la porte et entra dans une salle plutôt obscure, à peine éclairée par de petites lumières fixées sur les murs. La pièce était parsemée d'une quantité phénoménale de pierres et de cristaux. Le professeur Razny, qui était en train d'expliquer les vertus de la pierre de l'andalousite à ses nombreux élèves, vit l'un de ses anciens élèves entrer dans sa classe. Le groupe se tourna vers Jonathan et l'un d'eux, un garçon de vingt-quatre ans aux cheveux longs avec de petites lunettes, lui fit un sourire amical : c'était Didier Leny.

— Classe ! J'aimerais vous présenter l'un de mes anciens élèves, lança le professeur Razny, et sans aucun doute, l'un des meilleurs disciples à qui il m'a été donné d'enseigner de toute ma carrière ! Je vous présente Maître Jonathan.

Les étudiants regardèrent avec une certaine admiration l'homme vêtu de noir se diriger vers l'avant de la classe : les paroles que venait de prononcer le professeur Razny leur indiquaient qu'il était un modèle à suivre.

— Bonjour, professeur Razny ! dit Jonathan avec politesse. Je dois venir chercher Didier Leny pour une convocation importante dans le bureau du directeur, si vous me donnez la permission, naturellement !

— Mais bien sûr, mon cher ami, dit le professeur Razny en regardant Didier, qui commençait déjà à ramasser ses effets personnels.

Didier se leva avec son sac et se dirigea vers son mentor en lui souriant. Les deux jeunes hommes sortirent de la classe en prenant bien soin de saluer le professeur Razny.

— Pourquoi le Maître veut-il me voir ? demanda Didier, curieux.

— *Nous voir* serait plus juste, mon ami ! répondit Jonathan. En fait, je n'en sais rien. Mais je l'ai senti un peu inquiet.

— Le Maître inquiet ! C'est sûrement très important, fit remarquer Didier.

— C'est ce que je crois aussi.

Jonathan et Didier arrivèrent en face du bureau de Gabriel, et Didier frappa.

— Entrez ! lança Gabriel.

Les deux hommes pénétrèrent timidement dans le bureau du directeur.

— Bonjour, Maître ! dirent-ils d'une seule voix.

— Bonjour, messieurs… Mais assoyez-vous, je vous en prie, dit Gabriel en leur désignant les fauteuils près du foyer, les mêmes que Jacinthe et lui avaient occupés quelques instants plus tôt.

Les deux hommes s'assirent dans un silence respectueux. Gabriel tira la chaise de son bureau et la déposa devant les deux jeunes hommes.

— J'aimerais tout d'abord vous remercier, vous, Jonathan, d'être venu me voir malgré votre congé et vous, Didier, d'avoir momentanément interrompu vos cours. C'est grandement apprécié, dit-il avec sincérité.

Jonathan et Didier lui rendirent son sourire sans prononcer un mot, attendant la suite.

— Tout ce que je vais vous demander restera un libre choix pour vous, dit Gabriel d'une voix flegmatique. Je sais que le temps des fêtes approche et que vous, Didier, vous n'avez jamais assisté à une fête de Noël attilienne. Ma requête vous demandera donc un certain sacrifice. Et il en sera de même pour vous, Jonathan, mais pour des raisons fort différentes... J'ai reçu des informations au sujet du professeur Hubert K. Bibolet.

— L'éminent professeur et spécialiste en archéologie ? s'enquit Jonathan.

— Exactement, mon ami, répondit le ministre. Et, si je me fie à ma source, il aurait fait une découverte exceptionnelle, et j'ai l'impression que le professeur Bibolet est en grand danger.

— En danger ! répéta Didier.

— J'en ai bien peur, dit Gabriel en regardant Didier. J'ai communiqué avec le maire de Vonthruff, sir Roland Osterman. J'ai des rapports tout à fait corrects avec sir Osterman, et il m'a confirmé qu'il avait envoyé un certain Edgar Kruta et son équipe de la sécurité de Vonthruff rejoindre le professeur Bibolet. Lorsque ceux-ci sont arrivés sur les lieux de la découverte, le professeur et son équipe avaient tous disparu !

— Pardonnez ma curiosité, s'excusa Jonathan, mais de quelle découverte s'agit-il ?

— De la dague d'Azazel !

Jonathan resta bouche bée à l'annonce de cette révélation. Didier, en voyant la réaction de son mentor, dit :

— Je sais qu'Azazel est un ange déchu, mais j'ignorais qu'une dague portait son nom !

— Elle le porte pour une raison toute particulière, expliqua Gabriel. Simplement qu'il en est le concepteur.

Et Jonathan ajouta :

— Et c'est avec cette arme que Joshua Drakar mit fin au règne du deuxième meneur des enfers…

— Méphistophélès ! devina Didier.

— Et quelle sera notre mission, Maître ? demanda Jonathan.

— Vous devrez vous rendre sur les lieux et découvrir la vérité sur la disparition du professeur et de son équipe.

— Très bien, Maître, répondit Jonathan après une seconde d'hésitation.

En sentant le doute de ce dernier, Gabriel ajouta :

— Ma petite-fille Zarya et son amie Abbie doivent venir à Attilia pour passer le temps des fêtes. Mais j'ai reçu une invitation spéciale de sir Roland Osterman pour festoyer au Nouvel An sur l'île de Vonthruff, dans le fameux château de Sakarovitch.

Jonathan eut un petit sourire discret…

— Ainsi, les jeunes filles et moi allons passer la journée de Noël ici et, le lendemain matin, nous partirons pour Vonthruff. Par le fait même, nous vous rejoindrons. J'ai l'intention d'aller quelques jours dans ce magnifique endroit, ajouta Gabriel en adressant un petit sourire complice à Jonathan.

9

L'invitation de Gabriel

Zarya s'étira en prenant bien soin de ne pas effleurer Abbie, qui était étendue à sa droite et qui dormait d'un sommeil réparateur, sûrement embelli de doux rêves. Elle se tourna vers le hublot et laissa errer son regard sur le magnifique spectacle qui se déroulait devant elle. Vers le haut, elle pouvait observer le ciel d'un bleu immaculé, et, vers le bas, de beaux nuages blancs, lourds et condensés paraissaient posséder un moteur en eux-mêmes qui les faisaient avancer à grande vitesse. Les deux amies survolaient l'Atlantique depuis quelques heures déjà en direction de Paris. Zarya regarda de nouveau à l'intérieur de l'appareil et fixa, sans la voir, l'hôtesse qui servait un passager ; elle était complètement perdue dans ses pensées.

Le réveillon s'était terminé vers deux heures du matin. Après quoi, Abbie et sa tante Mary étaient retournées chez elles se coucher ; une grosse journée s'annonçait pour Abbie.

Quant à Martha, elle était restée et avait dormi dans la chambre d'amis. Kate avait insisté sur les risques auxquels elle s'exposait si elle prenait « son envolée » en direction de Dagmar avec un temps comme celui de la nuit dernière. Martha avait finalement abdiqué, au grand bonheur de Zarya.

Ce matin-là, avant son départ pour l'aéroport, après avoir pris une bonne douche et s'être vêtue confortablement pour voyager, Zarya se dirigea vers la porte d'entrée avec ses bagages et les déposa près de la petite table en demi-lune. Elle s'achemina ensuite d'un pas joyeux vers la salle à manger pour y apercevoir sa mère en train de prendre une tasse de café avec de sa grand-mère. Elle prit son déjeuner en leur compagnie et les observa avec une joie indescriptible et un bien-être *presque* parfait. Presque, pour une seule et unique raison : deux personnes importantes manquaient autour de la table familiale pour en faire un tableau absolu : son père John et son grand-père Gabriel.

Kate avait invité Martha à rester une journée supplémentaire afin de faire plus ample connaissance, et Martha avait accepté son invitation avec plaisir.

Après le déjeuner, Martha avait discuté avec sa petite-fille concernant l'étrange message des Erliks. Elle lui avait assuré que, aussitôt qu'elle serait arrivée chez elle, elle communiquerait avec l'une de ses amies qui avait de très grands savoirs en langue noire. Ainsi, Martha lui ferait savoir le plus rapidement possible la signification de ce message quelque peu troublant.

Abbie se réveilla tout doucement en relevant son siège, ce qui tira Zarya de ses fugaces pensées.

— Bien dormi ? demanda Zarya.

— Oui, très bien. Et toi, tu n'as pas dormi ? questionna Abbie, surprise.

— Oui, mais pas longtemps.

L'hôtesse s'approcha des jeunes filles et leur dit avec amabilité :

— Nous allons bientôt amorcer notre descente, mesdemoiselles, veuillez attacher votre ceinture.

— Très bien, répondit Zarya.

Abbie acquiesça d'un fin sourire et s'attacha.

— Je n'ai jamais voyagé en seconde classe, fit remarquer Abbie, mais je peux te dire que voyager en première classe... ça a de la classe !

Toutes fébriles, elles se tinrent par la main lors de la descente vers l'aéroport Roissy-Charles-de-Gaulle, au nord de Paris. L'airbus, qui était à présent à quelques mètres du sol, dans l'axe de la piste, ralentit et, à l'instant où les roues touchèrent le sol, le pilote décéléra et prit la direction du terminal.

Zarya et Abbie se dirigèrent à l'extérieur de l'aéroport après avoir récupéré leurs bagages et suivi toutes les procédures nécessaires et sécuritaires.

Les jeunes filles passèrent rapidement en revue les passagers ainsi que les gens alignés près de la porte de sortie. Elles scrutaient les visages avec attention lorsque, soudain, elles aperçurent Gabriel, qui s'avançait dans leur direction, tout souriant. Abbie remarqua qu'il était toujours aussi élégant avec son beau complet beige très chic et, à la main, sa canne en acajou qui ne le quittait pratiquement jamais. Il était accompagné de deux hommes vêtus de noir qu'elles reconnurent comme étant des Maîtres Drakar. Abbie s'étira le cou vers sa droite et aperçut un jeune homme de leur âge, de taille moyenne, aux cheveux blonds et courts : Olivier Dumas talonnait les Maîtres Drakar. En le voyant, le sourire d'Abbie s'illumina, heureuse de le revoir après de longs mois de séparation.

— Bonjour, grand-père !

— Bonjour, monsieur Adams ! dit Abbie, tout enjouée.

— Bonjour, mesdemoiselles ! dit-il en s'approchant de sa petite-fille qu'il prit dans ses bras. J'ai l'impression qu'il y a une éternité que nous ne nous sommes pas vus.

— Moi aussi, je me suis beaucoup ennuyée de toi, grand-père.

— Et toi, ma chère Abbie, dit Gabriel en se tournant vers elle pour lui serrer la main, tu es toujours aussi ravissante !

— Merci, monsieur Adams, dit-elle en rougissant.

— J'ai emmené un charmant garçon qui, je crois, n'a pas besoin de présentation !

Olivier s'avança à son tour...

— Salut, Zarya ! dit-il en l'enlaçant dans une étreinte amicale.

Abbie regarda Olivier s'arrêter devant elle, conservant son intégrité, sa droiture. Avec son grand sourire chaleureux et irrésistible, ses beaux traits, il s'approcha tout doucement d'elle, comme s'il voulait faire durer le plaisir de leurs retrouvailles et lui dit :

— Allô, Abbie, ça va ?

Devant tous ces gens autour d'elle, Abbie s'efforçait tant bien que mal de rester calme et de ne pas lui sauter dans les bras avec fougue comme elle le désirait tant ! Mais elle se retint... pour l'instant, à tout le moins ! Elle s'avança vers d'Olivier avec douceur.

— Salut ! Oui, ça va bien, dit-elle en l'enlaçant dans un délicieux embrassement. Ce court instant de jouissance lui fit momentanément oublier leur séparation de quatre longs mois.

— Maintenant, si je peux vous faire une petite suggestion, déclara Gabriel, nous devrions partir, car nous avons une fête de Noël à célébrer.

— D'accord ! approuvèrent les jeunes filles en duo.

Tout comme la première fois, les Maîtres Drakar s'emparèrent des bagages des jeunes filles et les déposèrent dans le coffre arrière de la magnifique voiture de luxe de Gabriel. Ils quittèrent tous l'aéroport pour se rendre au manoir du ministre.

◊ ◊ ◊

Quelques kilomètres plus loin...

Le portail d'une grandeur impressionnante s'ouvrit automatiquement pour les laisser entrer et, dès qu'ils eurent fait quelques mètres, ils aperçurent, au fond du terrain, la gigantesque résidence de Gabriel avec ses trois énormes cheminées. Zarya remarqua qu'il y avait des Maîtres Drakar postés un peu partout autour du manoir, contrairement à la première fois qu'elles étaient venues. Depuis l'invasion des mages noirs de l'été passé, Gabriel était probablement plus craintif d'une nouvelle attaque, et la sécurité avait été renforcée, puisque le fameux mystérieux inconnu du parc n'avait toujours pas été capturé !

— Si vous me le permettez, mesdemoiselles, demanda Gabriel en sortant de la voiture le premier, je dois aller au manoir chercher d'importants documents dans mon bureau. Je vous suggère d'en profiter pour aller saluer Jules et Adèle. Je crois qu'ils aimeraient bien vous dire un beau bonjour également !

— Mais bien sûr ! C'était notre intention, approuva Zarya.

La porte d'entrée s'ouvrit sur une petite dame replète aux cheveux blancs et au magnifique sourire que les jeunes filles reconnurent : c'était Adèle.

Elles gravirent les trois marches pour se diriger vers la domestique de Gabriel.

— Bonjour, madame Adèle ! dirent les jeunes filles, souriantes.

— Bonjour, mesdemoiselles ! Heureuse de vous revoir ! Comment a été votre vol ?

— Très long, lança Abbie.

— Mais très bien, ajouta Zarya.

Les jeunes filles pénétrèrent dans l'immense hall et virent un homme d'âge mûr s'approcher d'elles avec, en main, un plateau d'argent sur lequel il y avait des verres de jus.

— Aimeriez-vous vous désaltérer avec un bon verre de jus d'orange, mesdemoiselles ? demanda avec courtoisie le grand homme mince aux cheveux noir charbon qui, malgré son air sérieux, dégageait une affectueuse bonté.

— Merci, monsieur Jules, répondirent les jeunes filles en s'emparant chacune d'un verre.

— Je vous en prie… et bienvenue à la maison, mesdemoiselles !

— Merci !

Abbie se tourna vers Olivier et, constatant son absence, elle s'avança vers la porte. Un coup d'œil à l'extérieur lui apprit que ce dernier, accompagné des Maîtres Drakar, apportait leurs bagages vers l'arrière du manoir.

Quelques minutes passèrent encore avant que réapparaisse Gabriel avec une mallette surchargée de documents. Zarya déposa son verre vide dans le plateau que Jules lui présenta en voyant qu'elle avait terminé, et Abbie l'imita.

Elles suivirent Gabriel jusqu'au quai. Zarya remarqua la présence du fameux brouillard au loin. En effet, ce brouillard était en fait une porte interdimensionnelle qui menait tout droit au pays de Dagmar, là où était située la ville d'Attilia.

Des Maîtres Drakar étaient postés sur le quai, et quatre autres étaient déjà installés dans une embarcation et les attendaient.

— Comme la première fois, vous devez suivre les procédures de sécurité, leur rappela Gabriel en tendant les gilets de sauvetage aux jeunes filles.

— Bien sûr, grand-père ! dit Zarya en s'emparant d'un gilet.

— Merci ! dit Abbie en saisissant l'autre.

Après avoir enfilé leur gilet de sécurité, les jeunes filles embarquèrent dans la deuxième chaloupe qu'Olivier occupait déjà. Gabriel, après avoir lui aussi mis son gilet, salua les Maîtres Drakar qui montaient la garde sur le quai et s'installa dans la même embarcation que les trois adolescents. Zarya et Abbie étaient installées à l'avant de l'embarcation, Gabriel était au centre, et Olivier était aux commandes du petit moteur, à l'arrière. Le jeune homme démarra le moteur après que l'un des Maîtres Drakar eut détaché le câble qui les retenait au quai.

Dès que la chaloupe eut appareillé, les jeunes filles regardèrent le manoir s'éloigner et le brouillard approcher. Abbie lançait de discrets regards à Olivier.

La porte interdimensionnelle franchie, la fameuse sensation de nausée que les jeunes filles appréhendaient depuis leur arrivée au manoir était maintenant chose du passé. La ville d'Attilia fit son apparition avec son paysage tropical époustouflant. La vue que leur offrit la pyramide d'Hélios au loin en surplombant les toits des maisons les séduisit autant qu'à leur première visite.

Après avoir pris le transmoléculaire, le petit groupe se rendit au 10, rue Adams, là où se trouvait la maison de Gabriel. Ce dernier avait ordonné aux Maîtres Drakar de retourner au Temple, puisqu'il n'avait plus besoin d'eux. Zarya s'avança, le cœur léger, vers sa future demeure. En effet, lorsqu'elle atteindrait l'âge de vingt ans, cette maison serait à elle, telle était la volonté de ses parents et de son grand-père Gabriel. Zarya regarda autour d'elle et admira les magnifiques arbres matures à l'arrière de la résidence ainsi que les belles fleurs surdimensionnées qui la bordaient de chaque côté. La porte s'ouvrit subitement, ce qui fit sursauter Abbie en train d'observer un petit oiseau rouge orangé perché sur l'un des réverbères, près de la maison. Une dame aux cheveux noirs ramenés en un chignon sur la nuque apparut sur le seuil de la porte. Cette femme au doux sourire, aux yeux très clairs, aux rides à peine apparentes malgré sa cinquantaine avancée leur dit d'une voix paisible, profonde et émue à la fois :

— Je vous souhaite la bienvenue chez vous, mesdemoiselles !

— Bonjour, madame Phidias ! dirent les jeunes filles d'une seule voix, contentes de revoir « leur mère de remplacement ». C'était de cette façon que les jeunes filles la surnommaient ! Mitiva Phidias était la dame de confiance et une amie personnelle de Gabriel. Malgré son air sévère, elle était pourvue d'une extrême gentillesse et de la volonté absolue, totale de s'occuper des jeunes filles comme si elles étaient siennes.

Elles suivirent madame Phidias et passèrent dans le salon où trônait le superbe piano, là où Abbie avait pianoté sur les belles touches d'ivoire la première fois qu'elle était venue. L'endroit était toujours aussi propre et accueillant avec ses confortables fauteuils, la table basse ainsi que le foyer où les flammes dansaient allègrement. Il en émanait une agréable odeur de bois brûlé, et les lueurs sinueuses et bleutées qui s'en dégageaient donnaient un cachet tout particulier à l'aire de détente. Par la suite, elles pénétrèrent dans la salle à manger, qui était également une pièce très agréable et d'une grandeur plus que raisonnable. Les murs d'un beau jaune maïs s'harmonisaient parfaitement avec les splendides armoires en bois pâle. Mais ce qui attira l'attention des jeunes filles ainsi que celle d'Olivier — car Gabriel avait insisté pour qu'il reste afin de partager leur repas —, c'était cette magnifique table, simple d'apparence, mais dressée avec talent et professionnalisme, offrant mets et vins attiliens de haute qualité en abondance. Assiettes et gobelets d'argent scintillaient à la lumière des bougies disposées dans de beaux chandeliers en cristal qui trônaient au centre de la table.

Lorsque tous les convives furent assis confortablement autour de la table, ils bavardèrent joyeusement en buvant du bon vin et en mangeant une soupe dans laquelle ils trempaient un morceau de pain de mie tendre et moelleux.

— Est-ce que tu as pratiqué les sortilèges du livre que je t'ai fait parvenir ? demanda Olivier à Abbie.

— Oh ! oui, dit-elle en jetant un coup d'œil discret à Zarya. Je te remercie beaucoup de m'avoir envoyé ce livre. J'ai appris énormément de choses sur la combinaison des pierres et des potions.

— Corrige-moi si je me trompe, ma chère Abbie, s'intéressa Gabriel avec courtoisie, mais ne dois-tu pas rencontrer demain le professeur Trevor Razny pour un cours particulier sur les pierres magiques ?

— Oui, hésita Abbie, qui n'était pas sûre que Gabriel approuvait ce privilège auquel elle avait droit.

— Je trouve que c'est une excellente idée, dit-il, qui semblait avoir senti l'incertitude de la jeune fille. Et je suis certain que tu as un talent dans cette discipline…

— Merci, dit timidement Abbie avec soulagement. Je ne sais pas si j'ai vraiment un talent avec les pierres, mais une chose est sûre… j'adore leur contact.

— Si tu veux mon avis, reprit Gabriel en déposant sa coupe de vin sur la table, il n'y a aucun doute que tu as de l'aptitude dans cette matière. Adèle m'a parlé de la séance de divination avec la boule de cristal qui a eu lieu au manoir l'été dernier. Tes prédictions ont eu pour résultat de sauver de nombreuses vies.

Abbie se sentit devenir rouge écarlate, et Zarya regarda sa meilleure amie avec fierté.

— Je crois que ton cours débute très tôt demain matin, poursuivit Gabriel, mais j'aimerais que tu viennes me voir dans mon bureau avant de t'y rendre. Serait-ce possible ?

— Mais bien sûr, répondit-elle avec sincérité.

Abbie jeta un regard discret à Zarya en se demandant pour quelles raisons monsieur Adams voulait lui parler en tête à tête. Mais elle préféra ne rien lui demander devant les personnes présentes.

Zarya et Abbie furent estomaquées en voyant la bouteille de vin léviter au-dessus de la table pour se diriger vers madame Phidias…

— Voulez-vous encore un peu de ce merveilleux vin de Sarthèse, Mitiva ? demanda poliment Gabriel, un doigt pointé en direction de la bouteille.

Les jeunes filles, qui avaient rarement eu l'occasion de voir Gabriel à l'œuvre, le voyaient exécuter la lévitation avec une facilité déconcertante… Abbie en oublia de mastiquer et resta la bouche entrouverte…

— Ma chère Zarya, ma chère Abbie, dit Gabriel en redéposant la bouteille au centre de la table, j'aimerais vous proposer quelque chose.

Les jeunes filles le regardèrent avec attention.

— Le lendemain de Noël, reprit-il, je dois quitter Attilia pour me rendre sur une île dans le nord de Dagmar. J'ai reçu une invitation d'un vieil ami d'école, sir Roland Osterman, le maire de Vonthruff. Il nous a chaleureusement conviés à aller passer le Nouvel An dans son château de Sakarovitch.

— Le fameux château de Sakarovitch ? lança Olivier, les yeux écarquillés.

— Exactement, Olivier, dit Gabriel avec un sourire ravi et amusé de le voir aussi ébahi.

— C'est un château légendaire, s'enthousiasma Olivier en regardant les jeunes filles, vous avez beaucoup de chance !

— Je peux t'affirmer que tu as aussi de la chance, mon cher Olivier, dit Gabriel, car tu es également invité.

— C'est vrai ? dit-il, surpris.

— Mais bien sûr, j'aurai besoin de mon commissionnaire, dit-il en faisant un clin d'œil complice à Abbie.

Abbie lui rendit son sourire, ravie. Cependant, Zarya n'était pas aussi enchantée que ses amis, et c'est avec hésitation qu'elle accepta l'invitation : cette hésitation se nommait Jonathan. En effet, si elle quittait Attilia, ses chances de revoir Jonathan après Noël seraient pratiquement nulles.

— Ah oui ! J'avais presque oublié de vous mentionner un petit détail important ! dit Gabriel d'un air taquin en regardant sa petite-fille. Je dois aller rejoindre deux de mes Maîtres Drakar en mission là-bas.

Après un court silence, Gabriel reprit :

— Jonathan et Didier sont déjà sur place.

À cette annonce, un sourire s'épanouit instantanément sur le visage de Zarya.

— Je crois qu'on va y aller, dit Abbie en donnant un discret coup de pied à Zarya sous la table.

Après avoir fait honneur au somptueux repas, Olivier suggéra à Zarya et à Abbie de l'accompagner à la Récré-A-Thèque pour aller retrouver leurs amis. C'est avec un plaisir certain mêlé d'excitation que les jeunes filles acceptèrent, avec l'accord de Gabriel. Après avoir aidé à ramasser la vaisselle et à nettoyer la table, les adolescents quittèrent la maison pour se rendre au transmoléculaire le plus proche. Olivier, Abbie et Zarya entrèrent dans la cabine argentée, main dans la main. Aussitôt qu'ils posèrent le pied sur le plancher métallique, le fond de la cabine s'éclaira d'une lumière vert émeraude qui partait du plafond et tombait comme une fine pluie de cristaux étincelants sur le sol. Ils se dirigèrent vers ce rideau lumineux et, dès qu'ils entrèrent en contact avec cette lumière, ils disparurent.

À quelques kilomètres de la maison de Gabriel, les jeunes gens réapparurent en face de la Récré-A-Thèque. Zarya distingua la plaque de bois apposée sur le mur de briques à côté des deux portes noires où l'on pouvait lire « Récré-A-Thèque » en rouge sur fond blanc avec les pourtours du lettrage dorés. Les jeunes filles reconnurent immédiatement l'endroit, échangèrent un sourire empreint d'excitation joyeuse et suivirent Olivier vers le bâtiment de trois étages. Lorsqu'ils pénétrèrent dans le hall d'entrée bien éclairé, Zarya regarda avec admiration les magnifiques dessins aux belles couleurs vives qui représentaient des adolescents jouant à la psychiforce. En contemplant ces fresques d'une qualité exceptionnelle dessinées par des artistes attiliens, elle se rappela sa première visite ici et son fameux combat de psychiforce contre le redoutable Devon Ekin.

Olivier s'arrêta brusquement, sans crier gare, et ferma les paupières quelques secondes sous le regard étonné de Zarya et d'Abbie. Il rouvrit les yeux et leur dit :

— Ils sont dans la salle des jeux holographiques !

Les jeunes filles avaient compris qu'Olivier venait de faire de la télépathie avec leurs amis, mais elles n'avaient aucune idée de ce qu'étaient les « jeux holographiques ».

Elles talonnèrent Olivier de près, car elles ne voulaient pas le perdre de vue ; il y avait des adolescents partout. Zarya aperçut deux garçons qui jouaient au donar-ball, le jeu préféré d'Olivier. Elles passèrent devant ce jeu sans s'arrêter et remarquèrent qu'Olivier jetait un regard furtif vers le terrain. Mais il continua en direction de l'escalier devant eux, malgré la forte tentation qu'il éprouvait de défier quiconque à ce jeu.

— C'est au troisième étage, dit-il en tournant la tête vers les jeunes filles.

— On te fait confiance ! lança Abbie d'un air taquin.

Ils arrivèrent au troisième étage et aperçurent Élodie venant à leur rencontre…

— Salut les filles ! dit-elle, un sourire fendu jusqu'aux oreilles. On s'est beaucoup ennuyés de vous !

— Nous aussi ! dit Zarya en échangeant de fortes étreintes avec Élodie.

Abbie s'était également approchée et l'embrassa à son tour…

— Vous venez d'arriver à Attilia ?

— Nous sommes arrivées cet après-midi, répondit Abbie.

— Je suis avec Karine, elle nous réserve une place là-bas, dit Élodie en la montrant du doigt. Venez, il y a un combat intéressant entre deux garçons.

Ils se dirigèrent tous vers Karine, qui était assise sur un banc surélevé, près d'une fenêtre. Sur la table, il y avait un pichet contenant un liquide bleu azur que Zarya reconnut comme étant du sammael.

— Salut les filles ! dit Karine en se levant pour les embrasser.

Zarya et Abbie s'assirent près de Karine pendant qu'Olivier allait chercher trois autres verres.

— Mais… mais quel est ce jeu ? balbutia Zarya, impressionnée par le spectacle hors du commun qui se déroulait devant elles.

— C'est le pankration en hologramme, répondit Élodie.

Zarya et Abbie regardèrent les deux garçons assis l'un en face de l'autre avec leurs mains posées sur un cristal orangé à peine plus gros qu'une boule de billard. Le plus étrange, c'était la lumière qui émanait de cette sphère et qui projetait deux petits monstres de trente centimètres sur une arène miniature d'une circonférence de un mètre vingt. Le garçon de droite possédait un monstre qui avait une tête d'aigle et un corps de vautour pourvu d'une queue dentelée, avec de robustes pattes et un bec horriblement pointu et tranchant. Le deuxième garçon, quant à lui, avait une bête féroce aux poils courts gris anthracite, laquelle possédait deux cornes en forme de vrilles très longues qui pointaient vers l'avant ainsi que de grands crocs et une crinière en dents de scie. Zarya reconnut immédiatement cette bête, c'était un béhémoth.

— Les combats féroces du pankration, expliqua Olivier en rapportant les trois verres qu'il déposa sur la table, voient s'affronter des créatures sorties tout droit de l'imagination des deux participants et projetées en hologrammes par les boules de styviconéas sur l'arène que vous voyez là. On peut créer toutes sortes d'attaques comme de redoutables morsures, des flammes ensorcelées et on peut même propulser de la magie noire par les yeux de certains monstres. Tout ça pour vous dire que tous les coups sont permis dans les combats de pankration. Tant que vous avez de la créativité, le combat que se livrent les deux bêtes est une bataille sans merci !

Sur ces dernières paroles, le béhémoth miniature fonça sur l'oiseau à tête d'aigle, mais ce dernier sauta en crachant du feu bleu roi ensorcelé sur la tête de son rival, et celui-ci croula. D'un léger *pop !*, l'hologramme du béhémoth disparut sous les cris d'excitation du public, qui était en grand nombre autour de l'arène miniature.

Après cet insolite affrontement, Zarya se tourna de nouveau vers ses amis. Elle avait remarqué qu'un de leurs amis brillait par son absence depuis leur arrivée et elle demanda :

— Mais où est Jeremy ?

— Pauvre de lui ! répondit Karine en déposant son verre, il travaille comme un fou dans les champs avec son père. Ils veulent finir leur récolte de mureuillais avant Noël.

— C'est une pomme de salade jaune, précisa Olivier en voyant les yeux interrogatifs de Zarya et d'Abbie. J'avais pensé aller lui donner un coup de main pour qu'il puisse avoir fini à temps, suggéra Olivier.

— C'est une très bonne idée, approuva Élodie. Vous pourriez venir nous rejoindre chez nous demain dans la journée.

En voyant les visages souriants de tout le monde, Olivier comprit qu'il ne serait pas le seul à rendre service à son ami.

— Mais toi, Abbie, dit Olivier, tu dois aller à ton cours sur les pierres...

— Tu as un cours sur les pierres ? demanda Karine, curieuse.

— Oui, avec le professeur Razny. C'est grâce à Olivier que j'ai obtenu un cours particulier sur les pierres et cristaux, répondit-elle, reconnaissante. Mais j'aurais aimé aller avec vous pour aider Jeremy.

— Ne t'en fais pas Abbie, dit Élodie. On va lui expliquer la raison de ton absence, il comprendra...

— Oh oui ! lança Karine, qui était tout à fait d'accord avec son amie. Un cours particulier au Temple des Maîtres Drakar, il va sûrement comprendre, et je crois qu'il va aussi t'envier, comme je le connais, dit-elle avec le fou rire.

— Et toi, Zarya, tu n'y vas pas ? questionna Élodie.

— Non, dit-elle avec le sourire et contente pour son amie. C'est une invitation particulière que le professeur Razny a fait parvenir à Abbie par l'entremise d'Olivier. Il a eu vent de la nouvelle passion d'Abbie pour les pierres et les cristaux et il veut partager un peu de son savoir avec elle.

Abbie lui rendit son sourire...

La Quête des Visions

Vonthruff, 9 h 32

Jonathan et Didier étaient débarqués tôt le matin sur l'île de Vonthruff. Deux agents de la sécurité, choisis par sir Roland Osterman lui-même, les attendaient près du quai. Il avait été mis au courant par le ministre Gabriel Adams que deux agents du gouvernement de Dagmar, Jonathan Thomas et Didier Leny, allaient arriver à Vonthruff afin d'examiner les lieux de la disparition du professeur Bibolet et de son équipe. Le ministre Adams avait été formel sur un point : ils devaient être accompagnés par deux agents ne faisant pas partie de l'équipe d'Edgar Kruta.

Un homme dans la quarantaine, de taille moyenne, aux cheveux bruns dégarnis sur le devant avec un air coloré et jovial s'approcha.

— Bienvenue à Vonthruff, dit Edmond, l'un des agents venus les accueillir. J'espère que vous avez apprécié votre traversée ?

— Oui, merci, dit Jonathan en lui serrant la main. Je suis Maître Jonathan Thomas, et voici mon partenaire, Didier Leny.

— Enchanté, messieurs, dit gentiment l'autre homme, de grande taille, blond et très nerveux, cachant des muscles d'acier sous une apparente délicatesse. Je suis Steve Arvon, et voici Edmond Dohan. Nous faisons partie des agents de sécurité du château de Sakarovitch. Si vous êtes prêts, messieurs, alors allons-y !

— Plutôt impressionnant, le trajet, chuchota Didier à Jonathan en regardant par-dessus son épaule le bateau qui s'éloignait déjà du quai à grande vitesse.

Jonathan lui fit un sourire approbateur.

Didier remarqua que la température de Vonthruff était beaucoup plus froide qu'à Attilia. Dans cette région du Nord, il ne devait pas faire plus de cinq degrés Celsius au-dessous zéro. En suivant les deux hommes en direction d'un transmoléculaire, Didier demanda à Jonathan :

— Pourquoi n'avons-nous pas traversé la mer en nous transmoléculant ?

— La technologie a ses limites, la distance entre les deux rives est beaucoup trop grande, mon ami, répondit Jonathan.

Jonathan et Didier furent impressionnés de voir le fameux château de Sakarovitch surplomber la mer du haut du mont Évina. Le majestueux château présentait une architecture de style gothique et avait des tours d'une hauteur ahurissante. Les palissades de la forteresse à flanc de montagne touchaient la ville de Vonthruff, qui comptait une multitude de monuments bien gardés à l'architecture du Moyen Âge.

— Notre destination est le 463, leur dit Steve en entrant dans le transmoléculaire.

— D'accord, répondit Jonathan. Le 463, répéta-t-il en regardant Didier.

Ce dernier acquiesça d'un signe de tête.

Ils se transmoléculèrent à tour de rôle et se retrouvèrent ainsi à plusieurs kilomètres plus au nord.

Jonathan sortit du transmoléculaire suivi de Didier et il posa les pieds dans une neige fraîchement tombée. Partout où il posa son regard, il ne vit que du blanc. Il se retourna au son d'un crissement de pas sur la neige et il vit un jeune garçon leur apporter des manteaux pour les protéger du froid ambiant.

Ils le remercièrent de sa gentillesse et s'empressèrent d'enfiler les manteaux de fourrure blanche ainsi que les bonnets assortis. Ce faisant, Jonathan et Didier remarquèrent une imposante bâtisse, un brin austère, en bois rond avec une cheminée en pierres des champs d'où s'échappaient d'énormes tourbillons de fumée blanche qui emportaient des étincelles vers le ciel.

— Allons-y, messieurs ! dit Edmond en se rapprochant. On vient de me confirmer que les traîneaux sont prêts pour le voyage.

Ils suivirent les agents vers le bâtiment, le contournèrent pour se rendre à l'arrière et constatèrent que, effectivement, il y avait deux traîneaux parés pour leur expédition. Didier sursauta à la vue des bêtes attachées aux traîneaux ; il y en avait quatre.

— Ne t'en fais pas, dit Jonathan en voyant l'expression d'horreur de son partenaire, ce sont des fenris blancs du Nord...

— Oui, exactement, renchérit Steve. Et n'ayez crainte, elles sont sous hypnose permanente, précisa-t-il pour le rassurer.

Didier déposa son sac sur le premier traîneau et regarda fixement les deux monstrueuses créatures de ses yeux élargis : étant deux fois plus grosses que des loups, elles étaient couchées au sol et attendaient patiemment. Ayant des mâchoires béantes hérissées de crocs immenses, elles étaient pourvues d'abominables pattes griffues qui les empêchaient sûrement de caler dans l'épaisse couche de neige. Soudain, les fenris se levèrent simultanément, et Didier tressaillit. Il vit avec étonnement que le dos des bêtes lui arrivait à la hauteur de la poitrine.

Sous l'invitation d'Edmond, Didier s'assit dans l'un des traîneaux tandis que Jonathan faisait de même dans l'autre avec Steve au contrôle. Les fenris attelés par de puissants harnais se mirent à courir sans l'aide de fouet. « Les agents doivent les diriger par télépathie », pensa Didier. Les deux fenris du traîneau de Didier talonnaient ceux de celui de Jonathan, lesquels le faisaient glisser à une vitesse surprenante vers les montagnes rocheuses qui se profilaient à l'horizon. Plus les quatre hommes s'enfonçaient dans la région nordique, plus un profond silence s'installait. Seuls les efforts des fenris, le tintement des petites cloches sur leurs harnais de cuir et le doux sifflement des patins cirés sur la neige affermie par les nuits froides du Nord étaient perceptibles. Fort heureusement, la croûte durcie rendait la progression glissante et très rapide, et les griffes des fenris leur procuraient une bonne adhérence. Le petit groupe parcourut une trentaine de kilomètres selon l'estimation de Jonathan. Ciel bleu immaculé, neige blanche éclatante, soleil ardent, froid salubre : Didier avait de la difficulté à croire qu'ils se dirigeaient vers un temple démoniaque implanté depuis des milliers d'années sur le mont d'Hésiode. Encore quelques kilomètres et celui-ci fit son apparition dans une plaine blanchâtre d'aspect sauvage sur laquelle les reliefs se détachaient en gris.

Les quatre hommes arriveraient sous peu sur les lieux de la disparition du professeur Bibolet et de son équipe. Les fenris arrêtèrent en douceur, et tous purent mettre pied à terre.

Après avoir escaladé le mont en évitant toutes les embuscades et les pièges naturels, ils parvinrent finalement à destination. La vision qu'offrit alors le temple avec ses sculptures représentant des démons effroyables impressionna Didier au plus haut point. Selon les informations que Jonathan avait reçues de l'un des agents qui les accompagnaient, ils étaient maintenant devant le temple de Méphistophélès. Steve et Edmond regardèrent le temple avec une appréhension grandissante et l'inquiétude superstitieuse d'un malheur passé. Quant à Didier, il était fasciné de voir un *vrai* temple maudit se dresser devant lui. Il en était à sa deuxième mission avec Jonathan et il adorait sa nouvelle vie emplie de mystère et de magie. Et là, sur le point d'entrer dans ce temple de plus de trois mille ans, il était au summum de son excitation. Les quatre hommes se dirigèrent vers l'entrée principale encadrée de deux sculptures démoniaques afin d'y pénétrer. Ils entrèrent avec précaution dans une pièce sombre et humide, trop sombre pour faire un pas de plus. Jonathan sortit un petit cristal transparent de sa poche qu'il frotta avec sa main et qui se mit aussitôt à éclairer. Didier talonnait son mentor et, avec son incroyable don de voyance, il détectait une panoplie d'ondes mauvaises partout autour d'eux. Ils avançaient prudemment dans le long couloir humide, suivis des deux agents qui n'avaient jamais mis les pieds de leur vie dans des lieux maléfiques.

Ils arrivèrent rapidement dans la Chambre des Arcanes grâce au plan détaillé de sir Osterman. Une intolérable obscurité y régnait malgré la lumière qui se dégageait du cristal de Jonathan : cette dernière semblait engloutie par les ténèbres de la chambre, ce qui créait un climat d'insécurité et un réel sentiment d'inconfort. Dans l'obscurité qui prédominait, Jonathan se dirigea vers les murs afin d'enflammer, avec l'aide de la citrine, les torches qui y étaient fixées. Maintenant allumées, elles révélèrent une salle ténébreuse avec six statues de démons qui firent sursauter Edmond. Jonathan s'approcha du socle où la légendaire dague se trouvait sûrement quelques jours plus tôt.

— Dire que, durant tout ce temps, elle était ici, dit Jonathan en touchant de sa main le socle à présent vide.

Depuis son enfance, il avait entendu parler de cette dague magique, la fameuse arme avec laquelle le célèbre Joshua Drakar avait combattu de nombreux démons pendant une décennie.

Didier se promenait autour de la pièce à la recherche d'indices, de signes ou de toute autre chose qui pourraient les aider à élucider le mystère entourant la disparition d'une équipe au grand complet. Étrangement, il n'y avait ni trace ni empreinte pouvant faciliter l'enquête.

Et soudain !

— Didier, j'ai trouvé quelque chose ! dit Jonathan à voix haute.

Les deux agents et Didier tournèrent la tête dans sa direction. Didier s'approcha de son mentor penché sous le socle.

— Tu as trouvé un indice ?

Jonathan se releva, un gant de cuir à la main.

— Il était derrière la base, dit Jonathan. Peux-tu faire quelque chose avec ?

— Je vais essayer d'atteindre la Quête des Visions, Maître.

Après avoir enlevé ses propres gants, Didier prit le gant de cuir dans sa main gauche et posa la main droite dessus. Il ferma ensuite les yeux pour mieux se concentrer. Sous les regards observateurs de Steve et d'Edmond, Didier sembla entrer en transe. Effectivement, Jonathan, sans dire un mot, observa son apprenti qui sombrait dans une transe profonde. Il se tenait prêt à toute éventualité, car, lors d'une de ses démonstrations au Temple des Maîtres Drakar, Didier avait été entraîné dans une exaltation hors du commun et il en avait résulté une série de gestes désordonnés, quelques convulsions et même une chute qui aurait pu le blesser.

Subitement et sans crier gare :

— *NON ! JE VOUS EN PRIE… PITIÉ !* hurla Didier d'une voix transformée.

Didier semblait être entré dans la peau de la personne à qui le gant appartenait antérieurement...

Jonathan vit son apprenti reculer, les mains devant la figure, comme s'il voulait se protéger de quelque chose. Steve et Edmond regardèrent, les yeux écarquillés, le jeune homme se jeter sur le sol et ramper sous le socle afin de se dissimuler derrière.

Didier avait une scène d'horreur qui défilait dans sa tête, comme un film jouant au ralenti. Il voyait des boules télékinésiques voler de toutes parts et produire des bruits torrentiels en frappant tristement les murs de pierre ocre, ce qui créait de confus échos répétés sans fin. Des flammes traversaient la salle et jetaient des reflets rougeâtres sur les gigantesques statues démoniaques qui semblaient se délecter du spectacle avec un malin plaisir. Brusquement, Didier, qui était toujours dans une transe profonde, bondit sur ses pieds et se dirigea vers l'extérieur de la pièce en courant à vive allure. Jonathan le suivit de près, tenant dans sa main le cristal allumé pour éclairer le passage sombre. Didier ne semblait pas avoir besoin de cette lumière artificielle pour se déplacer dans l'obscurité totale. Il courut de plus belle et, selon Jonathan, l'individu que personnifiait Didier paraissait perdu. Il cherchait désespérément un endroit où se cacher et même, il semblait chercher la sortie de ces tunnels infinis. C'est alors qu'il vit une fissure discrète dans l'un des murs du couloir, et Didier s'arrêta d'un coup, mais Jonathan l'agrippa par la manche pour le stopper et le sortir de sa transe avant qu'il ne s'engage dans la faille et qu'il ne disparaisse dans le néant.

— Que s'est-il passé avec Didier ? demanda Steve, encore sous le choc.

— Est-ce un truc de Maître Drakar ? questionna à son tour Edmond.

— Exactement, répondit Didier encore un peu déboussolé. En touchant l'objet d'une personne qui a vécu une forte émotion, je peux atteindre une transe psychédélique communément appelée la Quête des Visions.

— Et ça fonctionne toujours ? s'enquit Steve, impressionné.

— Non, une chance sur quatre… malheureusement, répondit Jonathan, qui était cependant très fier de la performance de son partenaire.

Jonathan et Didier regardèrent la fissure du mur qui se révéla être une fente provoquée par un tremblement de terre ayant eu lieu bien longtemps auparavant.

— Je crois que le propriétaire du gant est tombé dans cette cavité, en déduisit Didier.

— Il n'y a qu'un seul moyen de le savoir, dit Jonathan en entrant prudemment dans la brèche pour y descendre.

Un homme de taille normale passait de justesse dans cette fissure d'à peine une trentaine de centimètres de large sur un mètre vingt de hauteur, et c'est donc avec quelques contorsions que les deux hommes réussirent à s'y infiltrer. Didier suivait Jonathan dans son abrupte descente vers une ténébreuse obscurité ; Steve et Edmond préférèrent rester près de l'entrée et attendre leur retour. Ils dévalèrent presque inconsciemment cet abysse, ce qui, même en plein éclairage, eût été pour ainsi dire périlleux et impraticable. Après une descente risquée, ils posèrent leurs pieds sur une corniche taillée naturellement dans le roc, très étroite et très rude, élevée au-dessus d'un gouffre sans fond. Et là, Jonathan et Didier considérèrent silencieusement le corps d'un homme allongé près d'une stalagmite, un homme sans vie. Jonathan déposa un genou au sol, près du malheureux, et, à l'aide de son cristal, il éclaira le visage inerte de l'homme dont une partie de la figure disparaissait sous une grosse moustache blanche ; Jonathan reconnut immédiatement le professeur Bibolet.

— Il est sûrement mort sur le coup à cause de cette chute fatale et inéluctable, constata Didier.

— Je ne crois pas, mon ami, dit Jonathan en déplaçant son cristal vers la gauche. Il a eu le temps d'écrire un message sur le sol... avec son sang !

DAG AZAZL SOUILLÉE SANG MÉPHIS

— Il n'a pas eu le temps de terminer son message, fit remarquer Jonathan.

— On découvre que le dernier mot est Méphistophélès, dit Didier. Mais pourquoi avoir écrit cet avertissement ?

— Nous, Attiliens, maîtrisons parfaitement le clonage...

— Laisse-moi deviner... Les personnes responsables de tout ce bordel aimeraient cloner leur dieu du mal... Méphistophélès !

— Je crois que oui !

— Maintenant, que doit-on faire, Maître ?

— Nous allons continuer nos recherches pour essayer de retrouver le reste de l'équipe.

— En espérant retrouver des survivants ! dit Didier.

— Et, par la suite, dit Jonathan avec détermination, nous partirons à la recherche de la dague !

Révélations troublantes

L e lendemain matin, Zarya et Abbie rejoignirent madame Phidias dans la salle à manger. Zarya avait passé une agréable nuit emplie de magnifiques rêves, tous caressés par la présence de Jonathan. Abbie, dans son cas, avait somnolé la moitié de la nuit. Cette insomnie passagère était probablement attribuable à l'excitation qu'elle ressentait de bientôt suivre un cours particulier sur sa nouvelle passion, ou peut-être était-ce à cause de la question qui tournait sans cesse dans sa tête et qui la tracassait depuis le souper de la veille : « Pourquoi Gabriel voulait-il la voir seul à seule ? »

— Bonjour, madame Phidias ! dirent les jeunes filles en entrant dans la salle à manger.

— Bonjour, mesdemoiselles ! dit-elle avec un sourire aimable. Bien dormi, j'espère ?

— Oui, très bien, répondit Zarya.

— Moi aussi, répondit Abbie à son tour en masquant un peu la vérité. Mais je peux vous avouer que j'ai fait des rêves un peu agités…

— Au coucher, vous étiez vraisemblablement dans un état de fébrilité très élevé à l'idée de la journée qui s'annonçait pour vous, ce qui a pu avoir pour effet de provoquer une forte activité de votre subconscient, supposa Mitiva.

— Oui, sûrement, acquiesça Abbie en adhérant à cette explication pleine de bon sens.

Les jeunes filles s'installèrent à la table dressée pour le déjeuner continental avec yogourt aux promnites, jus de fruits fraîchement pressés et bon pain grillé garni de confiture de tripousets.

— Où est mon grand-père ? demanda Zarya.

— Il est au Temple, répondit Mitiva en versant du jus dans les verres des jeunes filles. Il a énormément de travail à terminer avant Noël, mais surtout, avant votre départ pour l'île de Vonthruff.

— Oui, ça doit, approuva Abbie en se servant du yogourt.

— Il ne faudrait surtout pas oublier que monsieur Adams veut discuter de choses très importantes avec vous, mademoiselle Abbie, dit Mitiva en s'assoyant à son tour.

— Oui, bien sûr, je n'ai pas oublié, répondit-elle. Mais savez-vous à quel sujet monsieur Adams veut me parler ?

Zarya et Abbie regardèrent madame Phidias avec attention.

— Je sais que c'est à propos d'un sujet très personnel, mais je ne peux pas vous en dire davantage, je suis navrée, dit-elle d'un air désolé.

Les jeunes filles s'observèrent en fronçant les sourcils. Zarya et Abbie n'insistèrent guère et commencèrent à déguster le bon déjeuner avant d'affronter, avec joie, la merveilleuse journée qui les attendait.

◊ ◊ ◊

Une foule serrée de mages avançait d'un même pas pour prendre le transmoléculaire près de la rue Adams. Zarya et Abbie furent les dernières à entrer dans la cabine argentée pour se transmoléculer vers le Temple des Maîtres Drakar. Zarya avait tenu à accompagner Abbie jusqu'aux portes du Temple avant d'aller rejoindre leurs amis.

Quelques microsecondes plus tard, dans un léger crépitement, les deux adolescentes sortirent du transmoléculaire numéro 555. Elles marchèrent côte à côte sur l'étroit chemin bordé par une haie verdoyante très haute en discutant de leur futur voyage sur l'île de Vonthruff. Zarya avait particulièrement hâte de s'y rendre pour une raison évidente qui s'appelait Jonathan. Après deux minutes de marche sous un soleil éclatant, un immense oiseau au plumage arc-en-ciel plana au-dessus de leur tête, ce qui attira l'attention des jeunes filles. Cet oiseau attilien, d'une espèce inconnue pour les adolescentes, leur fit penser à Martha. Zarya se demanda alors : « Que peut bien faire ma grand-mère en ce moment ? Peut-être qu'elle bavarde avec son amie, la spécialiste de la langue noire, au sujet du message des Erliks... Ou peut-être qu'elle connaît déjà la réponse et cherche un moyen de communiquer avec moi ! »

Abbie et Zarya arrivèrent au bout du chemin, ce qui sortit cette dernière de son tourbillon de questions sans réponses. Le Temple, à l'aspect d'une forteresse médiévale, fit son apparition à leur droite. Elles s'y dirigèrent et franchirent le pont qui enjambait la rivière Argolide. Elles atteignirent la porte principale, et là, devant les agents tous vêtus de noir qui montaient la garde en permanence, Zarya sourit de ses fines lèvres, exprimant ainsi une grande joie pour son amie et lui dit :

— Je te souhaite bonne chance pour ton cours.

— Merci, répondit Abbie en enlaçant sa copine dans une étreinte amicale. Et moi, je t'ordonne de t'amuser ! Et n'oublie pas de dire bonjour à tout le monde de ma part, d'accord ?

— D'accord ! Ne t'en fais pas… Bye et bonne chance encore ! dit Zarya en tournant les talons.

— Bye !

Abbie regarda Zarya s'éloigner sur le pont et marcher en direction du transmoléculaire d'un pas rapide pour aller rejoindre leurs amis. Elle s'approcha ensuite de la porte d'entrée où un agent vint à sa rencontre pour s'adresser poliment à elle :

— Bonjour, mademoiselle, puis-je vous être utile ?

— J'ai un rendez-vous avec le directeur Gabriel Adams, répondit-elle.

— Un instant, je vous prie.

Le gardien ferma les yeux quelques secondes et les ouvrit de nouveau.

— Très bien, mademoiselle Steven, dit-il avec le sourire, le directeur vous attend.

— Merci !

Il lui ouvrit la porte avec courtoisie, et Abbie entra dans l'immense hall d'entrée…

◊ ◊ ◊

Zarya sortit du transmoléculaire toute fébrile de revoir ses amis et de partager une activité avec eux. Elle apparut à Amalthée, un petit village situé à une vingtaine de kilomètres de la ville d'Attilia. Le transmoléculaire était posé sur le coin d'une rue où se trouvait un bâtiment à l'allure d'un petit café, selon Zarya. Le joli petit village avait sur le plan architectural de magnifiques constructions qui ressemblaient beaucoup à celles d'Attilia ; elles étaient implantées au milieu d'arbres matures, de petites colonnes de pierres et de jardins de fleurs qui embellissaient les lieux. Zarya scruta attentivement les alentours de ses yeux perçants. Derrière elle, elle aperçut une vallée profonde et large où elle pouvait voir une multitude de toitures de verre qui s'étendaient sur plusieurs kilomètres ; elle devina qu'elles représentaient des centaines de serres et que les gens de cette dimension étaient, sans contredit, des spécialistes en serriculture. Elle prit une grande inspiration… et expira lentement, appréciant ce qu'elle voyait : une campagne fertile, une forêt dense de pins bleus qui s'étendait jusqu'à l'horizon où les cimes des arbres se confondaient et se perdaient dans le ciel de la même teinte.

— Salut partenaire ! dit un jeune homme de grande taille aux cheveux châtains courts.

Zarya se retourna prestement et reconnut sur-le-champ celui qui venait de la saluer ainsi : c'était Jeremy Vernet.

— Salut partenaire, dit-elle en se souvenant de son partenariat avec ce Jeremy lors du prestigieux tournoi au camp des Maîtres Drakar, l'été précédent.

Elle allongea le cou et vit derrière Jeremy, Élodie et Karine, qui s'approchaient d'un pas léger.

— Salut, les filles !

Derrière Zarya, un nouveau crépitement se fit entendre en provenance du transmoléculaire : c'était Olivier qui arrivait…

— Salut, tout le monde ! Abbie s'est bien rendue au Temple ? s'enquit avec empressement Olivier auprès de Zarya.

— Oui, et elle avait hâte de commencer son cours, répondit Zarya.

— Qu'elle en profite… la chanceuse ! dit Jeremy, qui aurait payé cher pour être à sa place. Comme je l'ai mentionné aux filles tantôt, je suis très content que vous vous soyez déplacés pour venir me donner un coup de main.

Olivier lui fit un sourire en lui donnant une tape amicale dans le dos, lui signifiant ainsi qu'il pourrait toujours compter sur lui.

— Ça me fait plaisir, dit Zarya avec sincérité. Abbie aurait également aimé être parmi nous.

— Je sais et je comprends très bien la raison de son absence, dit Jeremy en ricanant.

— Je crois qu'on devrait y aller, suggéra Olivier.

Ils tournèrent les talons, et Zarya fut stupéfaite de voir le véhicule avec lequel ses amis étaient venus la chercher.

— Mais… mais, c'est une voiture, balbutia Zarya, surprise. Mais mon grand-père m'avait dit qu'il n'y avait pas de voitures dans la ville d'Attilia pour ne pas faire de pollution ?

— Ton grand-père a parfaitement raison, répondit Olivier. Premièrement, nous ne sommes pas en ville, mais plutôt à la campagne, et à la campagne, il n'y a pas de transmoléculaire à tous les cinq cents mètres. Deuxièmement, ce n'est pas une voiture à moteur comme ceux de l'autre monde, puisque celle-ci fonctionne aux cristaux solaires. Les campagnards utilisent ce moyen de transport pour se déplacer.

Tous montèrent dans le véhicule attilien au profil très arrondi qui s'apparentait à une fourgonnette familiale de l'autre monde. Son bleu céleste et ses vitres teintées jaunes lui donnaient un cachet avant-gardiste. Zarya, qui s'assit en avant près de Jeremy aux commandes, aperçut par le pare-brise une lueur émanant du capot avant. En effet, à travers le capot qui était transparent, elle pouvait voir un cristal émettre une lumière blanchâtre scintillante.

Arrivée à destination, Zarya admira la simplicité et la somptuosité des lieux. Ni tracteur ni instrumentation pour agriculteurs n'occupaient l'extérieur de la propriété. Cependant, il y avait une immense grange adjacente à la jolie petite maison fleurie et décorée avec goût. Ce petit paradis terrestre était un pur enchantement pour les yeux avec ses fleurs et ses ornements naturels de végétation abondante constituée d'herbes, de plantes grimpantes et d'arbustes dispersés qui entouraient la ravissante maisonnette.

— C'est un endroit vraiment magnifique ! s'exclama Zarya, ébahie par la beauté des lieux.

— Merci, mademoiselle, dit une dame dans la mi-quarantaine avec un charmant sourire en s'approchant des adolescents à pas précipités. Je suppose que vous êtes Zarya, la jeune fille de l'autre monde ?

— Oui, madame.

— Voici ma mère, lui présenta Jeremy.

— Enchantée, madame Vernet.

— C'est très gentil de votre part de venir aider ce *pauvre* Jeremy, dit madame Vernet en regardant son fils du coin de l'œil. S'il passait autant de temps dans les champs que dans la grange à s'entraîner au Maître Drakar, les graines de mureuillais n'auraient même pas le temps de pousser !

— Ça, c'est vrai ! approuva Élodie en s'esclaffant.

— Arrête, maman, dit Jeremy un peu gêné, tu exagères ! Et toi, tu peux bien rire, la sœur ! dit Jeremy en la regardant avec de gros yeux. Toi, tu ne viens jamais dans les champs… et…

— Les enfants ! interrompit madame Vernet, exaspérée. Tu sais bien que le travail de ta sœur est dans les serres avec les fruits et qu'elle a pris de l'avance pendant que tu faisais tes acrobaties !

Zarya et Karine se regardèrent avec le fou rire.

— Et vous, ma chère Zarya, dit madame Vernet en l'observant de haut en bas, je crois que je vais vous prêter des vêtements de travail d'Élodie pour ne pas que vous salissiez vos beaux atours.

— Très bien, madame, merci !

Quelques instants plus tard, Zarya ressortait de la maison vêtue d'une chemise bleu pâle, d'un pantalon bleu marine, et les pieds chaussés de bottillons en caoutchouc noirs.

— Tiens, on dirait Élodie, mais en plus jolie ! dit Jeremy en regardant sa sœur avec un sourire espiègle.

Élodie lui donna une tape derrière la tête.

— Ton père est dans les champs, dit madame Vernet, il sera content de voir arriver les renforts.

— D'accord, allons-y ! dit Jeremy avec le sourire.

Zarya et ses amis suivirent Jeremy, heureux pour une fois d'aller travailler dans les champs. Ils empruntèrent un chemin longeant le côté de la grange, et Zarya vit un champ apparaître graduellement : une glèbe entourée de haies vives qui clôturaient l'immense propriété de la famille Vernet. Ils marchèrent entre les rangées de mureuillais jaune pour rejoindre monsieur Vernet, qui se trouvait au centre du champ.

— Salut, papa, dit Élodie, qui était la première arrivée sur les lieux. Nous sommes là juste à temps ?

— Oui, même un peu en avance, dit-il en fixant Zarya du coin de l'œil. Vous êtes Zarya, je suppose ?

— Oui, monsieur ! répondit-elle avec un sourire timide en regardant cet homme chauve de grande corpulence avec des mains gigantesques.

Elle fut totalement abasourdie de voir le peu de matériel que les Attiliens utilisaient pour faire leur récolte : seulement un chariot à deux roues de deux mètres sur un mètre cinquante et un sleipnir qui y était fièrement attelé.

Zarya demanda discrètement à Élodie :

— Quel est cet animal ?

— C'est Féeria, répondit-elle. C'est un sleipnir… On l'a trouvée dans la forêt, abandonnée par sa mère quand elle était toute jeune, et, depuis, elle est restée avec nous. Elle refuse de partir.

— Mais c'est une jument avec des ailes ! s'exclama Zarya, qui n'en revenait pas et qui observait la splendide jument blanche ailée qui se tenait la tête haute, démontrant ainsi sa fière allure. Est-ce qu'elle peut voler ? demanda-t-elle encore.

— Elle n'a jamais essayé, répondit Élodie, c'est sûrement pour cette raison que sa mère l'a délaissée.

— Salut, mon cher Olivier, content de te revoir ! dit monsieur Vernet.

— Bonjour, monsieur Vernet.

— Tu devrais les appeler, suggéra Jeremy à son père, nous sommes prêts à commencer.

— Bonne idée ! dit monsieur Vernet en sortant une corne de sa poche intérieure.

Il souffla de tous ses poumons dans l'embouchure, et un son grave, vibrant, déferla partout dans la vallée profonde. Zarya sursauta et se tourna en direction de monsieur Vernet en se demandant pourquoi il avait soufflé dans cette corne. Qui appelait-il de cette façon ?

À ce signal d'appel, Zarya aperçut au loin de petites personnes sortir de la haie, comme des abeilles de leurs alvéoles, et courir vers eux. Seule leur tête chauve dépassait les plants de mureuillais. Zarya trouva que, pour des personnes de petites tailles, elles se déplaçaient plutôt vite !

Zarya demanda à Élodie :

— Ce sont des lutins ?

— Pas tout à fait, répondit cette dernière, ce sont des Kobolds. Ils sont très gentils… maintenant !

— Maintenant ?

— Oui, par le passé, expliqua-t-elle, ils volaient nos plants de mureuillais. Les autorités attiliennes ont donc conclu un pacte avec eux. Ils avaient le choix entre entrer en guerre contre les mages, et je peux t'avouer qu'ils n'auraient eu aucune chance, ou aider les cultivateurs de la région à faire leurs récoltes et être gratifiés de nourriture suffisante pour nourrir toute leur famille.

— Et ils ont accepté ? devina Zarya en regardant ces petits êtres d'à peine un mètre de haut, avec de grands yeux tendres et des oreilles de chauve-souris pointées vers l'avant.

— Oui, et je crois même qu'ils adorent travailler avec les cultivateurs.

— Mais ils ont tous des salopettes ! fit remarquer Zarya, qui trouva cela très amusant.

— Ça… C'est l'idée de ma mère, dit Élodie avec un sourire complice.

— Salut, Modok ! dit Jeremy en serrant la main de leur chef.

— Salut, jeune humain ! répondit Modok d'une voix aiguë. Comment va ton entraînement ?

— Très bien, mon ami !

— Et si tu donnais une petite démonstration, proposa Karine à Jeremy. Olivier et Zarya ne connaissent sûrement pas la méthode de travail à suivre.

— Tu as raison ! dit-il en s'installant près du chariot. Vas-y, papa… commence !

Élodie se plaça près de Zarya et d'Olivier pour leur expliquer ce qu'ils voyaient :

— Les Kobolds sont les arracheurs, et mon père, dans ce cas-ci, est le lanceur. Quant à Jeremy, c'est l'attrapeur.

— C'est un travail à la chaîne, observa Olivier.

— Oui, c'est ça, répondit-elle. Les plants de mureuillais jaune sont très fragiles et ils doivent être cueillis minutieusement. Les Kobolds sont des spécialistes et ils ont un grand avantage sur nous, dit-elle avec un petit sourire, c'est qu'ils n'ont pas besoin de se pencher pour faire ce travail ; c'est moins accablant pour eux. On ne peut extraire les mureuillais en se servant de la télékinésie, car on risquerait de casser les tiges.

Zarya observait les Kobolds travailler avec une concentration étonnante. Ils arrachaient les pommes de salade jaunes et les déposaient délicatement sur le sol. Par la suite, avec l'aide de la télékinésie, monsieur Vernet soulevait l'une de ces pommes et la catapultait à son fils. Jeremy l'attrapait, également à l'aide de son pouvoir, pour ensuite la déposer dans le chariot, sans même la toucher. Rendue là, sous les yeux ébahis de Zarya, la pomme de salade de la grosseur d'un ballon de soccer disparaissait dans un léger crépitement !

— Mais ce chariot est un transmoléculaire ? remarqua Zarya, surprise.

— Oui, exactement, dit Élodie. Les pommes de mureuillais sont envoyées directement chez le fournisseur dans la ville d'Attilia.

— Plutôt efficace, dit-elle, impressionnée par le mélange de technologie et de magie !

Toute la journée, ils travaillèrent tout en s'amusant. Ils changèrent de position de temps à autre, de lanceur à attrapeur, pour goûter à tous les aspects de ce travail plutôt plaisant, selon Zarya.

◊ ◊ ◊

Abbie marchait d'un pas lent tout en observant les ornements médiévaux parsemés le long du couloir qui menait au bureau de Gabriel. Il y avait de belles armes blanches et de magnifiques armures cerclées de chrome et couleur de feu qui décoraient superbement les murs du Temple. La jeune fille cheminait timidement vers le bureau d'un homme important et très occupé par le fait même, ce qui lui procurait un sentiment de nervosité supplémentaire à l'effet de lui parler seul à seule.

Elle se souvenait très bien de l'endroit où était situé le bureau et se dirigeait donc sans peine. Elle arriva en face de la porte et, discrètement, elle frappa.

— Bonjour, ma chère Abbie, dit Gabriel en ouvrant la porte. Mais je t'en prie, entre !

Abbie pénétra dans une vaste pièce où une belle grande fenêtre orientée vers le sud laissait entrer le soleil à profusion. Gabriel resta respectueusement debout pendant qu'Abbie s'assoyait dans le fauteuil armorié, près de la cheminée. Elle jeta un coup d'œil à la bibliothèque qui arborait des centaines de livres.

— Ils sont magnifiques, n'est-ce pas ? dit-il en remarquant le regard de l'adolescente tourné en direction de la bibliothèque. Et ils sont très vieux !

— Ils sont vraiment splendides, répondit-elle. Je ne sais pas pourquoi, mais j'ai une adoration sans borne pour les livres anciens et les vieux manuscrits.

— C'est l'une des raisons pour lesquelles je t'ai demandé de venir me voir.

Surprise, Abbie se tourna vers Gabriel.

— En fait, reprit-il, j'aimerais te parler de tes parents…

— Mes parents ?

— Oui, j'ai connu Tom et Stéphanie de façons personnelle et professionnelle. Personnelle, car ils étaient des amis de la famille Adams comme tu le sais très bien. Et professionnelle, puisque tes parents travaillaient pour moi.

— Pour vous ? dit-elle, étonnée.

— Oui, ils travaillaient au Temple depuis plusieurs années comme scientifiques dans le domaine de la gemmologie physique et des préparations médicamenteuses liquides, c'est-à-dire les potions magiques.

— Je croyais que mon père œuvrait dans une bijouterie et que ma mère était ménagère !

— Une bijouterie n'est pas loin de la vérité, puisque ton père travaillait au département de la recherche sur les pierres et les cristaux, dit-il avec humour pour détendre l'atmosphère.

— Et ma mère ?

— Ta mère était son assistante.

Abbie resta bouche bée en entendant ces révélations.

— Dans la vie de tous les jours, ils constituaient un couple exemplaire et, au travail, ils formaient une équipe du tonnerre, dit Gabriel avec une certaine admiration dans la voix.

Abbie écoutait avec attention, et de chaudes larmes descendaient le long de ses joues et suivaient le sillon de son doux sourire, un sourire qui exprimait toute la fierté qu'elle éprouvait pour ses défunts parents.

— Ils ont œuvré sur plusieurs projets, poursuivit Gabriel, et tous leurs projets ont été couronnés de succès : ils étaient les meilleurs dans leurs domaines. Je peux te confier que le professeur Trevor Razny était leur admirateur numéro un, et ce, sans contredit.

— Le professeur Razny ! répéta Abbie, surprise.

— Exactement, et c'est l'une des raisons pour lesquelles il est très excité de te donner des cours-privilèges sur les pierres et les cristaux. Il croit, et moi de même, que tu as hérité du potentiel de tes parents.

— Mais, je n'ai rien fait d'exceptionnel, dit-elle humblement.

— Tu as été remarquable quand tu as prédit l'avenir de Zarya par l'entremise de la boule de cristal l'été dernier au manoir. Sans oublier que tu as obtenu le deuxième meilleur résultat du test d'évaluation au camp des Maîtres Drakar.

Abbie sentit ses joues rougir quelque peu.

— Nous croyons que tu as un très bon contact avec les pierres et que tu as sûrement de l'avenir dans le domaine dans lequel tes parents excellaient.

Gabriel se dirigea derrière son bureau et rapporta sa canne, qu'il déposa dans la main d'Abbie.

— Ceci est le cristal le plus polyvalent que nous connaissions, dit-il. C'est une conception de tes parents.

— Il est magnifique ! dit Abbie en regardant le cristal vert émeraude.

— Il est aussi très puissant !

Abbie redonna la canne à Gabriel, et ce dernier la mit de côté afin de se diriger vers l'un des tableaux accrochés derrière son bureau.

— Je dois maintenant te révéler une chose très importante, dit-il en déplaçant le tableau à l'aide de la télékinésie ; un coffre-fort apparut derrière. Je suis l'exécuteur testamentaire de tes parents, continua-t-il en ouvrant le coffre et en en sortant un cylindre de verre avec des embouts en or dans lequel se trouvait un rouleau de papyrus.

Abbie regarda le cylindre avec attention…

— Je crois que madame Phidias t'a parlé antérieurement de la maison que tes parents t'ont laissée et des biens qui y sont rattachés, dit Gabriel en regardant Abbie.

— Oui, elle m'a en effet déjà parlé de cette maison.

— Tes parents te lèguent une chose encore plus précieuse, poursuivit Gabriel, ils te transmettent leur projet inachevé.

— Un projet ? dit-elle, surprise. Mais… je n'ai pas les compétences nécessaires pour achever ce genre de travail, quel qu'il soit ! Je suis bien trop jeune et je n'ai pas de formation dans cette spécialité ! Ce devrait être au professeur Razny de le poursuivre.

— C'était un projet sur lequel Tom et Stéphanie travaillaient en dehors du Temple, c'était un projet familial, dit Gabriel en remettant le cylindre dans les mains d'Abbie. Nous n'avons aucun droit sur ce projet, alors c'est à toi de le poursuivre et non au professeur Razny. Et je crois en toi, tu as le potentiel pour poursuivre le travail de tes parents. Bien évidemment, il te faudra suivre le cours avancé de gemmologie physique à l'Université Rockwhule, les cours sur les pierres et cristaux avec le professeur Razny et les cours de potions magiques avec la professeure Vaena Molidor, ici, au Temple et pendant trois ans. Mais je te reparlerai de ces cours en temps et lieu, si tu me le permets.

— D'accord, dit-elle, ravie de l'avenir prometteur qui se dessinait pour elle !

Gabriel resta silencieux quelques secondes avant de poursuivre…

— Je dois également te parler d'une chose qui risque de te faire beaucoup de peine, dit-il enfin. Mais… je dois te dire la vérité sur la mort prématurée de tes parents.

— Mais, ils sont bien morts dans un accident de voiture, n'est-ce pas ?

— Je dois t'avouer que… non, je suis désolé.

Gabriel, qui se sentait mal à l'aise tout à coup, posa une main réconfortante sur l'épaule d'Abbie et continua :

— Le laboratoire dans lequel ils travaillaient le soir de leur décès a explosé d'une façon plutôt… énigmatique !

Abbie sentit des larmes lentes, silencieuses et douloureuses couler de nouveau de ses paupières fermées. Un chagrin surgi d'un passé lointain l'assaillit… Quelques minutes s'écoulèrent en silence…

— Croyez-vous que c'était un accident ? balbutia-t-elle d'une voix à peine articulée.

— Je me permets de supposer, malgré le rapport de l'enquête… que cela n'avait rien d'un accident. Et je crois… qu'il y avait un lien direct avec le fameux projet de tes parents. C'est pour cette raison que j'ai beaucoup hésité avant de te dévoiler la vérité entourant la mort de tes parents. Mais je devais te le dire un jour et je pense que le moment était venu.

— Vous avez bien fait de me dire la vérité, dit-elle avec sincérité. Mais je dois absolument continuer ce travail de mes parents…, je dois, et je vais respecter leur dernier souhait. Ce devait être très important pour eux !

— Courageuse Abbie, dit Gabriel en déposant sa main sur celle de l'adolescente. Tes parents seraient très fiers de toi, ma chère Abbie. Mais je veux que tu me promettes une chose. Je veux à tout prix que cette œuvre, quelle qu'elle soit, reste un secret de la plus haute importance. Et que, aussitôt que tu pressentiras un danger, tu me le feras savoir.

— D'accord, dit-elle en essuyant ses dernières larmes.

— Une dernière chose, dit encore Gabriel, les documents qui sont dans le cylindre te donneront les directives à suivre pour récupérer le matériel que tes parents t'ont légué.

— D'accord, dit-elle en retrouvant tranquillement sa bonne humeur…

12

La Banque de Centauros

Tout en marchant dans le long couloir labyrinthique du Temple, Abbie examinait soigneusement le cylindre de verre qu'elle tenait à la main. Elle avait décidé qu'elle attendrait patiemment le soir venu pour l'ouvrir et jeter un coup d'œil sur son contenu. Elle n'avait aucune idée de ce que pouvait bien renfermer ce fameux cylindre et de quelle nature pouvait être le projet inachevé de ses parents. Elle se dirigeait donc vers le local du professeur Trevor Razny sans plus se préoccuper des lancinantes questions qui lui trottaient dans la tête et qui, de toute façon, resteraient probablement sans réponse… enfin, pour l'instant ! Elle préférait se concentrer sur le moment présent, vivre l'instant qu'elle attendait depuis de longues semaines : le cours sur les pierres magiques.

Aussitôt arrivée en face du local B-104, Abbie frappa timidement à la porte avant d'entrer dans la classe, laissant se refermer tout doucement derrière elle la porte voûtée surmontée d'un oculus. C'était une salle à demi obscure à peine éclairée par de petites lumières blafardes fixées sur les murs bétonnés grisâtres. Elle se dirigea d'un pas nonchalant vers l'avant de la classe et déposa avec délicatesse son sac à dos sur le sol : elle ne voulait pas briser le cylindre de verre qu'elle y avait minutieusement rangé. Elle s'installa près du bureau du professeur Razny et attendit patiemment son arrivée. Elle profita du fait qu'elle était seule pour scruter la salle de long en large et examiner avec un grand intérêt les magnifiques pierres et cristaux qui s'y trouvaient. Il y en avait vraiment de toutes les couleurs et de différentes formes, le tout étalé d'une façon un peu désordonnée, pensa Abbie. Et brusquement, un léger grincement rauque se fit entendre. La porte s'ouvrit, et un homme dans la soixantaine portant de petites lunettes rondes et ayant un front dégarni avec une couronne de cheveux frisottés poivre et sel parut. Elle le reconnut aussitôt, c'était le professeur Trevor Razny.

— Bonjour, professeur Razny ! dit Abbie avec un sourire épanoui.

— Bonjour, mademoiselle Steven ! J'espère que votre voyage s'est bien déroulé, dit-il en lui serrant la main.

— Oui, très bien, merci, professeur.

— Je ne suis pas trop en retard, j'espère ? demanda poliment le professeur.

— Non, pas du tout, répondit aimablement Abbie, ne vous en faites pas, moi aussi je viens tout juste d'arriver.

— Je crois que vous avez rencontré le directeur Adams ce matin ?

— Oui, c'est exact.

— Il vous a sûrement mentionné que je connaissais très bien vos parents ?

— Oui, professeur.

— Connaissant l'estime que le directeur portait à vos parents, il vous a dit qu'ils étaient les meilleurs dans leur profession, dit-il, et je peux vous avouer que je partage cette opinion, si vous voulez mon avis. Ils ont réalisé des choses extraordinaires et hautement profitables pour notre société.

Abbie écoutait le professeur avec attention et, dans ses paroles, elle pouvait ressentir l'admiration qu'il éprouvait pour ses parents. Cela lui faisait chaud au cœur d'entendre ces compliments des plus sincères venant de la part d'un excellent enseignant comme le professeur Razny.

— J'imagine que le directeur Adams vous a tout dévoilé concernant vos parents ? Alors, inutile d'en ajouter davantage, poursuivit le professeur. Maintenant, si nous commencions par le début de vos cours ? Tout d'abord, j'aimerais vous évaluer.

— D'accord, dit-elle, surprise.

— De cette façon, je pourrai me faire une bonne idée de vos compétences et, ainsi, vous orienter dans la bonne direction pour qu'un avenir prometteur vous sourie. Ici, dans notre monde, il est primordial d'aimer notre métier, mais il faut également être en mesure d'y exceller. Alors, c'est pourquoi j'aimerais tout d'abord connaître vos forces, si vous le voulez bien.

Le professeur se dirigea vers une armoire ancestrale à pointes de diamant dont les pentures de cuivre, n'étant plus astiquées, ne luisaient plus sous les lueurs vacillantes des deux gigantesques chandeliers de cuivre à douze branches placés de chaque côté. Il en sortit une boîte de bois ouvragée et la déposa sur son bureau déjà encombré par de multiples cristaux octaédriques et lenticulaires.

— Venez, mademoiselle Steven, dit le professeur en retirant deux pierres de la boîte. Approchez, s'il vous plaît.

Abbie se déplaça vers le bureau exigu de l'enseignant en regardant les pierres jumelles que le professeur Razny déposa précautionneusement sur son plan de travail.

— Elles sont très jolies, commenta Abbie. Sont-elles identiques ?

— Oui, ce sont des topazes bleues et elles sont identiques, répondit-il avec un léger sourire. Vues de l'extérieur, à tout le moins !

— Que voulez-vous insinuer par là, professeur ?

— C'est à vous de me dire leur différence, répliqua le professeur en poussant les deux pierres vers Abbie.

Celle-ci scruta les pierres sous tous les angles sans toutefois les toucher, mais en vain : elles semblaient identiques.

— Vous pouvez les prendre dans vos mains si vous le désirez, dit le professeur, qui semblait bien s'amuser.

Ce qu'elle fit. Elle prit la première pierre dans sa main gauche et l'autre, dans sa droite.

— Et que remarquez-vous, mademoiselle Steven ?

— Leur poids semble le même, les pierres sont pratiquement identiques… Attendez ! Je crois que j'ai trouvé…

Le sourire du professeur s'élargit sur ces paroles.

— La pierre de gauche dégage une énergie qui réchauffe l'intérieur de ma main tandis que celle de droite ne libère rien du tout !

— Excellent ! lança le professeur Razny d'une voix forte qui fit sursauter Abbie. C'est extraordinaire ! Vous êtes comme vos parents, je le savais !

— Quoi donc ? demanda-t-elle, intriguée.

— Rares sont les personnes qui peuvent ressentir l'énergie shaïman.

— Shaïman ?

— Chaque pierre, chaque cristal qui existe a une énergie shaïman. C'est leur émanation ou si vous préférez, leur âme.

— Chaque pierre ! dit Abbie, surprise. Mais cette pierre n'a pas de shaïman, fit-elle remarquer en indiquant la pierre qui était dans sa main droite.

— Exactement, c'est une pierre morte.

— Une pierre peut mourir ? dit-elle, perplexe.

— Bien sûr, répondit le professeur Razny.

— Mais comment peut-on… *tuer* une pierre, professeur ?

— Très bonne question, mademoiselle Steven. Il existe une seule façon de tuer une pierre ou un cristal. C'est d'en extirper la shaïman.

— Mais c'est triste ! s'exclama-t-elle en déposant les pierres jumelles sur le bureau.

— Ne vous en faites pas, mademoiselle Steven, dit le professeur en esquissant un petit sourire admiratif devant la sensibilité de la jeune fille, elles ont une shaïman, mais pas de conscience. Pour bien illustrer mes dires, vous pouvez prendre l'exemple du bûcheron qui coupe des arbres pour le besoin de la société et de l'ébéniste qui les utilise pour en faire des meubles. Les arbres aussi ont une shaïman.

— Vous avez bien raison, répondit l'adolescente avec un petit rire en réalisant qu'elle éprouvait des sentiments pour une simple pierre.

— Maintenant que vous connaissez l'existence de l'énergie shaïman, dit le professeur, satisfait, on peut commencer la transition !

Elle regarda le professeur Razny en fronçant les sourcils.

— À présent, mademoiselle Steven, proposa le professeur en rapprochant de nouveau les deux pierres près de sa nouvelle apprentie, vous allez faire une transition d'une pierre à l'autre. À l'aide de la polarité négative de vos sept chakras, vous allez soustraire la shaïman de cette pierre et l'introduire, à l'aide de votre polarité positive, dans la pierre morte.

— D'accord… enfin je crois, dit-elle, incertaine de savoir quoi faire exactement.

Instinctivement, elle leva ses deux mains au-dessus de la pierre vivante et se concentra pour en extirper la shaïman, sous le regard bienveillant du professeur Razny. Quelques secondes passèrent, et Abbie, qui était toujours bien concentrée sur la pierre, remarqua qu'une chaleur s'en irradiait et se répandait dans les paumes de ses mains. Et soudain, de minces filaments chimériques dorés sortirent de la pierre et flottèrent sous ses mains, comme des dentelles déchirées battant au vent. Par la suite, les filaments formèrent une boule translucide tourbillonnant sur elle-même, sous les yeux ébahis de la responsable de la transition. Abbie, toujours concentrée, regarda le professeur du coin de l'œil et aperçut un Maître très satisfait de sa nouvelle élève qui, nul doute, avait du talent à revendre. Elle reporta son attention vers la lumière spectrale et poussa cette lueur vacillante vers la pierre dépourvue de shaïman. Dans un dernier effort, Abbie fit pénétrer les derniers filaments vers leur destination finale, soit dans la pierre morte.

— Bravo ! lança le professeur, très content de son élève.

Abbie, avec un sourire de contentement, mais sans trop comprendre la logique de cet exercice, demanda des explications au professeur.

— Quel est le but de prendre la shaïman d'une pierre et d'en faire la transition dans une autre ?

— Encore une très bonne question, mademoiselle Steven, s'anima le professeur en se levant de sa chaise pour aller chercher deux autres pierres sur l'une des tablettes qui se trouvaient derrière lui. Tenez, mademoiselle Steven, voici deux pierres qui ont leur propre shaïman. Celle-ci est un fassour noir et la deuxième, c'est un chrome diopside.

Abbie remarqua que le fassour ressemblait à un morceau de charbon lustré. La deuxième pierre par contre était, et de loin, la plus jolie des deux avec son vert céladon exceptionnellement brillant.

— Le fassour sert à désenvoûter les maisons hantées par des esprits maléfiques, expliqua le professeur en prenant la pierre au creux de sa main. Le chrome diopside, quant à lui, sert à faire baisser la pression artérielle. Maintenant, mademoiselle Steven, vous allez soustraire la shaïman du chrome diopside et l'introduire dans le fassour.

— D'accord !

Abbie leva de nouveau ses deux mains et extirpa, avec plus de facilité que la première fois, la shaïman du chrome diopside pour ensuite réaliser la transition vers le fassour.

— Comme je vous l'ai déjà mentionné plus tôt, et vous l'avez sûrement remarqué, dit le professeur Razny, les deux pierres étaient pourvues de leur propre shaïman…

Abbie acquiesça d'un signe de tête…

— Vous venez donc d'exécuter une combinaison de deux shaïmans, ajouta le professeur, et on appelle cette opération la fusion shaïmanatique.

— Quel est l'objectif de la fusion shaïmanatique ? demanda Abbie, curieuse.

Le professeur Razny prit le fassour dans sa main droite et, avec un prodigieux élan de la main, fit le geste lancer la pierre au fond de la classe, mais en prenant bien soin de la conserver dans sa main. Et, sous le regard stupéfait d'Abbie, un cordon longitudinal très mince et d'un rouge éclatant jaillit du fassour et alla enlacer une chaise. Le professeur Razny l'avait prise au lasso !

— Comme vous pouvez le constater, dit le professeur en tenant toujours la pierre dans sa main, grâce à la fusion des deux pierres, le fassour est devenu une pierre de combat : une pierre très spéciale conçue pour les Maîtres Drakar. C'est ma conception ! déclara le professeur avec fierté.

— C'est vraiment incroyable ! lança Abbie, dont le regard restait fixé sur le cordon rouge qui tenait la chaise ficelée comme un saucisson. Mais c'est vraiment étrange qu'une pierre qui est en fait un dépuratif d'esprits maléfiques et une pierre de guérison puissent, grâce à leur fusion, devenir un lasso lumineux !

— Et un très puissant lasso ! Et indestructible, par le fait même, ajouta le professeur Razny, très fier de sa découverte.

— Mais, comment est-ce possible ?

— Nous n'en savons rien, répondit-il en relâchant enfin la prise qu'il exerçait toujours sur la chaise. Mais c'est à nous qu'il revient de faire des recherches afin de trouver de fructueuses combinaisons. Cependant, il faut faire attention, car toutes les pierres ne sont pas compatibles !

— Qu'est-ce qui peut arriver si elles ne sont pas compatibles, professeur ? demanda-t-elle.

— Un jour, l'un de mes confrères, conta le professeur Razny en regardant son élève avec des yeux éteints, a combiné huit pierres…

— Huit pierres ? s'exclama Abbie, surprise.

— Exactement, huit pierres, répéta-t-il. Les combinaisons multiples sont très difficiles, mais réalisables. Toujours est-il que, lors de la transition risquée, un trou noir se forma accidentellement au-dessus de sa tête, et il fut aspiré à l'intérieur de ce vide sans fond devant ses partenaires pétrifiés et impuissants… et on ne l'a jamais revu.

— Mais c'est horrible !

— Ce sont les risques de notre métier, conclut-il avec philosophie.

Pour le reste de la journée, le professeur Razny montra à sa nouvelle apprentie l'importance de la transition shaïmanatique dans le monde des préparations médicamenteuses liquides, c'est-à-dire les potions magiques. Abbie fut comblée en découvrant les côtés bénéfiques de sa futur profession passionnante et si importante pour toute la société.

◊ ◊ ◊

De la maison de Gabriel, on pouvait apercevoir une clarté illusoire s'allumer au loin ; les projecteurs de la pyramide d'Hélios éclairaient le ciel étoilé, tranquille, muet et parfaitement impassible. Aux dernières lueurs du crépuscule de l'hiver attilien succède toujours une humidité chaude et pénétrante. Un jeune couple d'amoureux se promenait près de la rue Adams, sous les pâles éclairages des réverbères qu'un vent alizé faisait vaciller, et se retourna sous le bruit d'un faible crépitement. Une jeune fille toute vêtue de noir sortit du transmoléculaire et passa près du jeune couple en les gratifiant d'un magnifique sourire. C'était Zarya Adams qui marchait, le cœur léger, vers la maison de son grand-père.

Zarya entra et referma la porte derrière elle. Elle retira ensuite ses bottillons et se dirigea vers le salon d'un pas exténué. Aussitôt qu'elle y mit un pied, elle aperçut madame Phidias qui, prenant conscience de sa présence, leva la tête et lui fit un sourire invitant.

— Bonsoir, mademoiselle Zarya, dit madame Phidias en se levant. Vous avez passé une belle journée ?

— Oui, magnifique, répondit-elle, épuisée, en se laissant choir dans le profond et moelleux divan où l'on pouvait se perdre à trois. C'est l'une des journées que je ne suis pas prête d'oublier !

— Oui, j'imagine. L'agriculture d'ici est totalement différente de celle de votre monde… *plus magique* ! dit madame Phidias en lui faisant un petit clin d'œil. Désirez-vous boire quelque chose ? J'allais justement me chercher une tasse de thé.

— Non, merci. Comme je vous l'ai mentionné au télépat cet après-midi, ils m'ont gardée à souper et, si j'avale quelque chose de plus, je vais sûrement exploser ! dit-elle en s'esclaffant.

— Très bien.

— Où est mon grand-père ? reprit Zarya.

— Il ne devrait plus tarder. Il devait aller souper avec le premier ministre et, par la suite, revenir aussitôt à la maison.

— Ah! d'accord… Et Abbie, est-elle arrivée?

— Oui, elle est dans votre chambre, répondit madame Phidias. Je crois qu'elle a adoré son cours avec le professeur Razny. Actuellement, elle a sûrement le nez plongé dans l'un de ces gros bouquins que le professeur lui a donnés, dit-elle avec un petit rire de bon cœur.

Zarya alla donc rejoindre Abbie dans la chambre et la trouva assise sur le coin de son lit.

— Salut, Abbie!

— Salut! J'ai l'impression que ta journée a été plutôt épuisante? remarqua-t-elle en regardant les cheveux tout ébouriffés de son amie.

— Oui, on a marché plusieurs kilomètres dans les champs, mais on a eu un plaisir fou!

— C'est bien.

— Et toi, Abbie, comment a été ton cours? demanda Zarya en regardant les livres étalés sur son lit.

— J'ai *adoré* mon cours! lança-t-elle en insistant sur son engouement. J'ai appris des choses très intéressantes sur les pierres et les cristaux. C'est une spécialité sans limites qui peut nous mener à un métier passionnant! Et, en plus, le professeur Razny m'a dit que j'avais un talent certain dans ce domaine.

— Ça… j'en suis convaincue, approuva Zarya, fière de sa meilleure amie de toujours. Au fait, as-tu vu mon grand-père avant ton cours?

— Oui…

— Et que te voulait-il?

Abbie regarda le cylindre de verre posé sur le bureau près du télépat.

— Il voulait me parler de mes parents, chuchota Abbie comme si elle avait peur que les murs aient des oreilles.

— De tes parents! lança Zarya, très surprise.

Abbie lui fit de gros yeux pour lui signifier de baisser le ton et elle lui raconta tous les détails concernant le projet de ses parents ainsi que les événements entourant leur mort prématurée, une mort suspecte, selon Gabriel. Elle se dirigea ensuite vers le cylindre de verre, le prit et le déposa sur le lit près de Zarya.

— Qu'est-ce que c'est ?

— C'est leur testament.

Zarya le prit dans sa main et l'observa sur toute sa longueur...

— L'as-tu ouvert ?

— Oui, et je l'ai lu.

— Est-ce trop indiscret de te demander de m'en lire une partie ? demanda poliment Zarya avec une certaine gêne dans la voix.

— Non, surtout pas pour toi, je t'assure !

Sur ces agréables paroles, Abbie enleva l'un des embouts en or du cylindre et elle en sortit un papier.

— Il est inutile de te lire les mots doux qu'ils m'ont écrits, dit Abbie avec un petit sourire timide. Mais je vais te lire les directives qu'ils m'ont écrites pour réaliser le travail dont je t'ai parlé tantôt.

— D'accord.

Ma chérie, ton père et moi avons travaillé sur un projet secret depuis huit mois. Nous jugeons qu'il est ambitieux et qu'il peut être d'une importance capitale pour l'humanité, quelle qu'en soit sa provenance. Cependant, pour une raison que nous ignorons, il semblerait qu'une personne ait eu vent de notre projet et l'aurait probablement dévoilé à des personnes mal intentionnées qui voudraient s'en emparer à des fins négatives. Nous avons donc préféré mettre ce travail de côté, du moins pour le moment. Si tu lis cette lettre, c'est que nous n'aurons pas eu la chance de le terminer, pour une raison ou pour une autre. *Nous avons remis ce testament à la seule personne en qui nous portons une confiance absolue, une personne qui pourra t'aider dans l'avenir : il s'agit de Gabriel Adams. Il n'est pas au courant du résultat que peut engendrer ce projet, mais il est informé de l'importance de le garder secret. S'il nous arrivait un malheur relié à ce travail, il a l'ordre de te faire sortir de cette dimension et de t'amener chez ma sœur qui vit dans une autre dimension afin d'assurer ta protection. Il est primordial pour toi de suivre ton intuition. Si tu désires continuer ce projet, alors tu ne dois en parler à personne. Tu dois travailler seule et, si tu réussis à l'achever, alors remets-le en main propre à Gabriel Adams ou à sa descendance, ils sauront quoi en faire. Une dernière chose, ma chérie, maintenant que tu es de retour à Attilia, tu ne devras jamais dévoiler, à qui que ce soit, le lien qui existe entre nous. Quelques personnes connaissent ta réelle identité, soit les proches de Gabriel Adams et le professeur Trevor Razny, en qui nous avons foi et qui saura préserver le secret. Cet enseignant pourra te donner une formation adéquate si tu veux poursuivre notre mission, mission qui devient tienne ! Mais je t'en prie, sois prudente, ma chérie !*

Pour cacher ton identité, on a préféré changer ton nom de famille. En réalité, tu t'appelles Abbie Danson.

— C'est vraiment incroyable ! lança Zarya, sous le choc.

— Je crois que je l'ai lu une trentaine de fois, dit Abbie, troublée. Et j'ai encore de la difficulté à y croire !

— J'imagine, mademoiselle Danson, dit Zarya avec un sourire affectueux.

Abbie lui rendit son sourire…

— Attends ! Ce n'est pas terminé, continua Abbie, qui commençait à se sentir mieux de pouvoir se vider le cœur auprès de sa meilleure amie. Mes parents m'ont laissé des instructions pour aller le récupérer.

Pour te procurer le projet et les documents qui y sont reliés, tu dois te rendre à la banque la plus sécuritaire d'Attilia : la Banque de Centauros. Il te faudra apporter la clef pour ouvrir le coffre de sûreté. La clef est dans l'objet qui te suit depuis ta naissance. Un objet ensorcelé dont tu ne peux te séparer, malgré toi (sauf si on te le volait). La clef se situe à l'intérieur. Pour l'ouvrir, tu dois épeler ton nom de famille en commençant par la dernière lettre.

— Et quel est cet objet ? questionna Zarya.

— Je crois que c'est mon pendentif.

— As-tu essayé de l'ouvrir ?

— Oui, mais ça ne fonctionne pas ! J'ai même tenté de l'ouvrir avec un couteau… mais c'est impossible !

— Vraiment bizarre ! Essaye encore, suggéra Zarya.

— D'accord, dit-elle en déposant la lettre sur le lit.

Elle le prit à nouveau dans sa main et prononça à voix forte son nom de famille :

— N-E-V-E-T-S.

Mais, comme la première fois, rien ne se passa…

— Tu vois, ça ne fonctionne pas ! dit Abbie, exaspérée.

— J'espère que tu blagues ! lança Zarya en la regardant avec de gros yeux.

— Pourquoi dis-tu ça ? s'enquit-elle, ne comprenant pas la réaction de son amie.

— Tu as épelé le nom de Steven…

— Oui, je sais…

— Mais ton nom réel, c'est Danson !

— Zut ! Tu as raison, dit-elle, pas très fière de sa piètre performance qu'elle pouvait mettre sur le compte de l'énervement causé par les bouleversantes révélations de la journée.

— Alors, recommence, dit Zarya avec un sourire en coin.

— D'accord !

Abbie reprit son pendentif dans sa main, mais cette fois, prononça son véritable nom :

— N-O-S-N-A-D

Dans un léger déclic, le pendentif en forme de loup s'ouvrit sous les yeux satisfaits des deux jeunes filles. Abbie le déposa à plat sur le lit et découvrit un papier minutieusement plié à l'intérieur. Elle le prit, le déplia délicatement pour ne pas le déchirer et trouva une clef en argent ; tout ce temps, celle-ci avait été emballée dans son pendentif en forme de loup.

— Regarde, Zarya, dit-elle en plaçant la clef sur le lit près du bijou. Il y a quelque chose d'écrit sur le papier.

— Tu as raison, dit Zarya en allongeant le cou pour essayer de le déchiffrer.

— Attends, je vais le lire ! *Licorne dorée.*

— Qu'est-ce que c'est ? demanda Zarya.

— Je n'en sais rien… sûrement un mot de passe ou quelque chose comme ça !

Zarya et Abbie se tournèrent en direction de la porte. Elles venaient d'entendre une voix familière : c'était Gabriel qui rentrait à la maison. Elles décidèrent de mettre de côté le testament ainsi que la clef et d'aller rejoindre Gabriel et madame Phidias.

◊ ◊ ◊

Le lendemain matin, les jeunes filles se levèrent avec précipitation : une grosse journée les attendait. En effet, elles voulaient commencer par aller à la Banque de Centauros afin d'aller récupérer le fameux projet des parents d'Abbie.

Après avoir pris un bon déjeuner en compagnie de Mitiva et de Gabriel, les jeunes filles quittèrent la table en les saluant respectueusement. Dans le hall d'entrée, en mettant leurs souliers, Zarya annonça à Abbie la fameuse compétition de potions magiques qui se déroulerait pendant les festivités de Noël.

— Une compétition de potions magiques! répéta Abbie en sortant à l'extérieur de la maison.

— Oui, exactement, répondit Zarya en referment la porte derrière elle. C'est Élodie qui m'a mentionné qu'il y aurait plusieurs tournois de toutes sortes lors des festivités. Et, entre autres, il y aura une compétition sur les potions.

— Et que faut-il faire pour y participer?

— Je ne connais pas les procédures, avoua-t-elle. Mais, cet après-midi, je dois prendre contact avec Élodie par télépat et je crois qu'elle aimerait que nous allions toutes nous y inscrire...

— Qui ça, «nous»? demanda Abbie.

— Toi, moi, Élodie et Karine.

— Et que vont faire les garçons?

— Pour ce qui est d'Olivier, dit Zarya, il va s'inscrire au championnat de donar-ball. Et Jeremy, pour l'instant, il n'en sait rien!

— On va aller encourager Olivier, j'espère? suggéra Abbie, les yeux brillants.

— C'est sûr, répondit Zarya avec un sourire complice.

Une fois de plus, les jeunes filles prirent le transmoléculaire pour se diriger vers leur destination. Comme Gabriel le leur avait indiqué quelques instants plus tôt, elles montèrent dans la cabine 386, c'était le numéro du transmoléculaire qui les mènerait à la Banque de Centauros.

Elles réapparurent à une trentaine de mètres d'un impressionnant bâtiment du centre-ville d'Attilia. En plus de ses treize marches de granite talqueux et de ses huit magnifiques colonnes de marbre cipolin qui honoraient la façade, il y avait deux gigantesques statues représentant des centaures, chacun armé d'une longue lance d'airain, comme s'ils protégeaient les lieux d'une possible invasion. Au-dessus des portes monumentales, massives, bien ornées et renforcées par de larges clous à tête ronde dorés et rivés, il y avait un écriteau indiquant :

LA BANQUE DE CENTAUROS

Zarya et Abbie entrèrent dans l'immense hall d'entrée. Elles furent ébahies de voir la richesse architecturale des lieux, embellie par trois superbes lustres à pendeloques de cristal qui longeaient la pièce faite sur la longueur et proportionnelle à la hauteur du plafond cathédrale. Avec toutes ces magnificences, les jeunes filles n'avaient pas remarqué les gens qui faisaient la file au comptoir. Et, sous l'effet de surprise, Abbie donna un coup de coude à Zarya…

— Regarde ! lança-t-elle, les yeux écarquillés.

Zarya resta bouche bée devant le spectacle paranormal qui se présentait à elles !

— Mais, qu'est-ce qui se passe ici ? demanda Abbie à Zarya, qui avait toujours la bouche béante.

— Mais… mais, je n'en sais rien !

Zarya et Abbie s'installèrent avec méfiance derrière la première file. Il y avait trois autres personnes devant elles et, tranquillement, elles avancèrent vers la préposée postée derrière le vaste comptoir.

Il restait une seule personne devant elles maintenant et, curieusement, elles n'entendaient pas la conversation malgré le fait qu'elles étaient à peine à deux mètres de cet individu.

— C'est à nous ! fit remarquer Zarya à Abbie qui regardait partout, sauf en avant d'elle.

Elles cheminèrent d'un pas incertain…

— *Bonjour, mesdemoiselles !* dit télépathiquement la jeune employée.

— Bonjour ! répondirent Zarya et Abbie, abasourdies.

— *Que puis-je faire pour vous ?*

— Êtes-vous morte ? demanda Abbie avec spontanéité.

Zarya rougit sur ces paroles !

— *C'est la première fois que vous venez ici ?*

— Oui, répondit Zarya.

Zarya et Abbie furent stupéfaites de voir que les personnes qui travaillaient à la banque étaient toutes démunies de corps physique. En effet, la jeune préposée devant elles était translucide et dépourvue de cordes vocales ; c'est pour cette raison qu'elle communiquait à l'aide de la télépathie.

— *Non, nous ne sommes pas morts,* répondit-elle avec un léger sourire. *Je ne suis pas vraiment en ces lieux, je suis à quarante kilomètres d'ici.*

— Comment cela se peut-il ? demanda Abbie en regardant un commis passer au travers du comptoir pour aller aider une jeune dame à remplir un formulaire.

— *Nous sommes tous en astral. À l'instant présent, je suis confortablement assise chez moi sur mon gros divan.*

Les deux adolescentes se dévisagèrent avec étonnement.

— *Aimeriez-vous ouvrir un compte ?* poursuivit la préposée.

— Non merci, répondit Abbie. Nous aimerions plutôt avoir accès à mon coffre de sûreté.

— *Oui, bien sûr. Avez-vous le numéro du coffre ?*

Abbie et Zarya se regardèrent en pensant à la même chose.

— On ne m'a jamais parlé d'un numéro de coffre, dit Abbie, embarrassée.

— *Avez-vous une clef ?* questionna alors l'employée avec une patience professionnelle.

— Oui, oui… j'ai une clef pour ce coffre.

— *Alors, il doit y avoir un numéro inscrit dessus, et ce numéro correspond à votre coffre,* expliqua-t-elle.

— Vous avez raison, dit Abbie, un peu gênée de n'avoir pas remarqué le numéro plus tôt. C'est le 6054, répondit-elle, soulagée.

— *Très bien*, dit-elle, satisfaite. *Maintenant, suivez-moi.*

Les jeunes filles regardèrent la jeune fille passer de part en part du comptoir afin de se diriger au fond de la salle.

— Pourquoi travaillez-vous en astral ? s'enquit Zarya.

— Ce n'est certes pas pour gagner du temps en transport, ajouta Abbie, aussi curieuse que son amie. Avec la rapidité des transmoléculaires…

— *Non, sûrement pas*, approuva-t-elle avec le sourire. *C'est pour une raison de sécurité. S'il y a des malfaiteurs qui désirent braquer cette banque, nous disparaissons immédiatement !*

— Et nous, les clients ? fit Zarya, inquiète.

— *Ne vous en faites pas*, répondit-elle, en s'arrêtant pour se tourner vers les jeunes filles. *Aussitôt que nous disparaissons, nous enclenchons le système d'alarme qui avertit aussitôt les autorités attiliennes et, par le fait même, cela lance un Sortilège du Sommeil très puissant.*

— Cela vous est-il déjà arrivé de vous en servir ? demanda Abbie.

— *Oui, quatre fois en deux cent cinquante ans !*

Les jeunes filles se regardèrent, très impressionnées par la simplicité et l'efficacité du système de sécurité de la banque. Abbie examina les pieds de la jeune fille et remarqua qu'elle ne touchait pas le sol, elle flottait tout bonnement !

Elles arrivèrent près d'une porte sans poignée et recouverte d'une bulle translucide bleutée.

— *Maintenant*, dit la préposée en se tournant vers elles, *vous allez entrer dans le bouclier anti-télépathique et vous allez dire télépathiquement votre mot de passe.*

— D'accord, dit Abbie.

Abbie fit signe à Zarya de la suivre, et elles pénétrèrent au travers du bouclier. En s'introduisant, elles sentirent une sensation d'isolement total, un espace vide de vibrations. Leurs oreilles entendaient un léger bourdonnement, comme si elles avaient la tête dans un gros bocal de verre hermétiquement fermé. Zarya indiqua à Abbie du doigt le cristal encastré dans le mur près de la porte ; Abbie devina qu'elle devait dire le mot de passe vers ce cristal. Elle regarda la préposée en montrant le cristal, et cette dernière lui fit un sourire approbateur.

— *Licorne dorée* ! fit-elle télépathiquement.

Sur ces mots, la lourde porte s'ouvrit. Zarya et Abbie restèrent bouche bée en voyant un rideau cristallisé d'une lumière vert émeraude faire son apparition au fond de la nouvelle pièce ! En effet, la porte ouverte venait de révéler une minuscule pièce où l'on pouvait apercevoir une fine pluie de cristaux éclatants tomber sur le plancher métallique. Elles découvrirent que c'était là un transmoléculaire. Elles regardèrent une dernière fois la préposée et se dirigèrent vers ce rideau lumineux. Dès qu'elles entrèrent en contact avec cette lumière, elles disparurent.

Elles réapparurent dans une pièce immense qui, à première vue, semblait sans fond : c'était la Chambre des Coffres. Les jeunes filles se tournèrent vers le crépitement derrière elles et virent l'employée sortir du transmoléculaire et pénétrer, à son tour, dans la Chambre des Coffres.

— Où sommes-nous ? demanda Abbie, curieuse.

— *Nous sommes quelque part dans le pays de Dagmar, mais où exactement, ça, personne ne le sait !*

— Mais, il y a sûrement quelqu'un qui le sait, dit Abbie en regardant partout. Ceux qui ont érigé ces coffres ont sûrement une bonne idée de leur emplacement ?

— *La Chambre des Coffres a été construite il y a six cent quarante ans…*

— Six cent quarante ans ! firent les jeunes filles d'une seule voix.

— *Oui, et la construction a été réalisée par des milliers de farfadets. Et connaissant ces créatures plutôt particulières, ils sont morts avec le secret de l'emplacement. Maintenant, mesdemoiselles, suivez-moi, suggéra la préposée.*

Zarya et Abbie suivirent donc la jeune fille en admirant l'immense voûte munie d'un éclairage tamisé et discret. On pouvait apercevoir des milliers de coffres qui s'étalaient sur une longueur démesurée. D'après la fraîcheur des lieux, elles se doutèrent que la Chambre des Coffres devait être bâtie sous terre. En effet, en scrutant vers le haut du plafond, Zarya vit des stalactites pendre de la paroi voûté, ce qui confirma ses pensées.

En arrivant en face du coffre 6054, l'employée s'arrêta devant les jeunes filles pour leur dire :

— *Maintenant, vous pouvez entrer dans le coffre. Moi, je dois demeurer à l'extérieur, je vous attendrai donc ici.*

— D'accord !

Abbie sortit de nouveau sa clef argentée et l'inséra dans la serrure du coffre-fort avec une certaine fébrilité. Sous un puissant déclic, la porte d'une épaisseur impressionnante s'ouvrit. L'intérieur du coffre, à peine de la grandeur de la chambre des adolescentes, était éclairé par des centaines de pierres et de cristaux disposés sur les tablettes des murs inexpugnables. C'était une collection étonnante de pierres que ses parents avaient entreposées dans ce lieu sécurisé. Selon Abbie, il y avait des pierres rarissimes et d'une beauté sans pareil.

— Regarde, Zarya, fit remarquer Abbie en montrant un objet du doigt. C'est sûrement ça…

— Le projet de tes parents ?

Abbie avait repéré, dans la pénombre au fond de la pièce, un objet dissimulé sous une couverture qui avait vraisemblablement été posée là pour le protéger de la poussière. Elle s'approcha tout doucement vers la chose en question et retira l'étoffe légère, mince et souple.

— Mais… c'est quoi, ça ? demanda Zarya en fixant l'objet plutôt insolite.

Il représentait une petite pyramide tronquée de trente centimètres en cristal translucide déposée sur une plaque ronde en or pur dans laquelle étaient plantées, sur le pourtour, douze tiges de deux centimètres à bouts aplatis positionnées à la manière des chiffres d'une horloge et prêtes à recevoir douze cristaux différents. À l'intérieur, elle était à demi remplie d'une multitude d'éclats de cristaux jaunâtres. Et, sur le dessus, il y avait un petit socle creux en forme d'œil en or jaune clinquant qui était sûrement prêt à accueillir un cristal plus gros.

— Regarde, Abbie ! fit remarquer Zarya, il y a un livre ici, et je crois qu'il a un lien avec le projet.

— Qu'est-ce qui te fait dire qu'il a un lien avec la pyramide ? demanda Abbie, qui examinait toujours la chose sous tous ses angles.

— Sur la page couverture, il y a la photo de la pyramide avec le nom du projet sur le dessus…

— Ah oui ! Et quel est son nom ? s'enquit Abbie en se tournant vers Zarya.

— *La Porte de l'Unisson.*

Oblonguïturum

Abbie, quelque peu troublée, examina de nouveau la pyramide tronquée et jeta un regard interrogateur à son amie sans prononcer un seul mot. Zarya, qui essayait de déchiffrer les symboles inscrits dans le livre sans toutefois en comprendre la signification, se sentit soudainement observée par Abbie et, la regardant à son tour, lui demanda :

— Qu'est-ce qui se passe ? On dirait que tu as vu un revenant !

— Regarde attentivement la pyramide, lui dit-elle d'une voix soucieuse, et dis-moi ce que tu en penses.

— Je la trouve très jolie ! répondit spontanément Zarya.

— Non, recule-toi de deux pas, insista Abbie en la tirant par le bras, et dis-moi à quoi elle te fait penser.

À la demande de son amie, Zarya observa plus consciencieusement la pyramide tronquée sous tous ses angles. C'est alors que, avec un mouvement de recul, elle comprit l'inquiétude d'Abbie :

— Tu fais référence à Michel Dubuc, comprit Zarya.

— Exactement, répondit-elle. Celui qui parle toujours de l'ordre de… du…

— Du Nouvel Ordre mondial…

— Oui, c'est ça ! Et la fameuse affiche sur sa case qui montre une pyramide avec un œil sur le dessus et, juste sous la pyramide, l'inscription *L'Ordre des Illuminati*, dit Abbie, qui se rappelait facilement ces détails étant donné que sa case était située près de celle de Michel Dubuc.

— C'est vrai qu'il y a une ressemblance, mais je ne crois pas… C'est impossible, voyons ! dit Zarya, les yeux toujours rivés sur la pyramide.

Abbie regarda alternativement la pyramide, puis Zarya…

— Tu as sûrement raison, dit-elle finalement avec un petit rire complice. C'est complètement stupide de ma part de penser qu'il pourrait y avoir un lien entre la Porte de l'Unisson et le Nouvel Ordre mondial…

— Surtout venant de la part de tes parents. Je ne crois pas qu'ils étaient membres de l'Ordre des Illuminati, l'interrompit Zarya avec des yeux souriants.

— Non, bien sûr que non ! approuva Abbie avec conviction. J'ai l'intention d'apporter le livre, décida-t-elle subitement en le prenant dans ses mains. Et je vais laisser la pyramide ici. Un jour, quand je serai prête à travailler avec, je reviendrai la chercher. De toute façon, avec ces deux cents pages de symboles alchimiques et de chiffres totalement incompréhensibles, j'ai du travail pour un bon bout de temps ! dit-elle en feuilletant le livre.

— Très bonne idée ! approuva Zarya.

Les jeunes filles sortirent du coffre en jetant un dernier coup d'œil en direction de la pyramide, qui avait maintenant retrouvé sa place sous la couverture. Et Abbie referma la porte derrière elle.

Après un avant-midi empli de surprises et de fantasmagories, les jeunes filles étaient de retour à la maison. Zarya brossait ses longs cheveux noir de jais, lisses et brillants devant le vaste miroir de leur chambre pendant qu'Abbie essayait, tant bien que mal, de déchiffrer le manuscrit que ses parents avaient rédigé de leurs propres mains.

— Quand doit-on prendre contact avec Élodie ? demanda Abbie.

— À 1 h 30, répondit Zarya en regardant l'heure sur son réveille-matin. Dans vingt minutes, exactement. Commences-tu à comprendre les symboles et les formules de ton livre ?

— Pas vraiment…

— Je ne suis pas inquiète pour toi, tu vas réussir à les décrypter, un jour.

— Et, en ce qui concerne la pyramide, je n'ai aucune idée de ce à quoi elle peut servir !

— Il n'y a aucune instruction pour son fonctionnement dans ton livre ? demanda Zarya.

— Oui, sûrement… Il y a des descriptions, mais je ne comprends absolument rien, c'est du vrai jargon de scientifiques, si tu veux mon avis !

— Tu devrais demander au professeur Razny de t'aider à le décoder.

— Je crois que ton grand-père ne serait pas très fier de moi si je commençais à exhiber mon livre à tout le monde.

— C'est vrai, tu as raison, j'avais oublié, approuva Zarya en continuant de se brosser les cheveux. Alors, tu devrais jeter un Sortilège de Pêle-Mêle à ton livre lorsque tu auras fini de le lire.

— Très bonne idée… mais je ne sais pas comment réaliser ce sortilège !

— On pourrait demander à madame Phidias, suggéra Zarya en déposant sa brosse à cheveux pour prendre son bâton de rouge à lèvres.

Abbie acquiesça d'un signe de tête et replongea dans son livre.

En appliquant soigneusement son rouge à lèvres, Zarya eut une pensée pour sa grand-mère Martha… une forte pensée ! Elle déposa son bâton sur son bureau et examina le pourtour de ses yeux. C'est alors qu'elle discerna de légères rides qui s'y formaient… Elle remarqua par la suite quelque chose de plus étrange encore : ses longs cheveux semblaient raccourcir ! Stupéfaite, elle recula d'un pas, sans dire un seul mot à Abbie, qui était toujours concentrée sur son livre. Zarya se regarda de nouveau dans le miroir en croyant que tout était redevenu normal, mais, bien au contraire, son visage se transformait !

— Mais… mais que se passe-t-il ? balbutia-t-elle, déconcertée.

Abbie délaissa son livre et leva la tête en direction de Zarya.

— Bonjour, Zarya ! dit le reflet dans le miroir.

— Grand-mère !

— Cool ! lança Abbie en regardant le visage de Martha qui avait pris la place du visage de sa petite-fille dans le miroir.

— Bonjour, Abbie !

— Bonjour, madame, répondit-elle, très impressionnée par la magie de Martha.

— C'est bien toi, grand-mère ? demanda Zarya, qui reprenait ses esprits. Tu m'as vraiment fait peur…

— Excuse-moi, ma chérie, dit-elle avec un sourire sincère.

— Mais où es-tu, grand-mère ?

— Je suis de retour chez moi. Soit dit en passant, je dois te remercier encore une fois de m'avoir présentée à ta mère, c'est une femme charmante. Elle m'a invitée pour le Nouvel An, confia-t-elle, les yeux brillants, et naturellement, j'ai accepté !

Zarya, très heureuse, ne sut quoi dire. Elle se contenta donc de lui faire un magnifique sourire.

— Je vous avais promis de m'informer au sujet du message des Erliks.

— Oui, c'est vrai, dit Zarya. Et puis, as-tu eu la signification du message par ton amie ?

— Oui, répondit-elle, très angoissée. Le message provient bel et bien de Malphas, comme je vous l'avais dit, et il se traduit ainsi :

Grand corbeau viendra arracher lui-même ton cœur.

Le sourire des jeunes filles disparut automatiquement pour faire place à un regard d'effroi, et avec raison !

— À partir d'aujourd'hui, suggéra fortement Martha, inquiète pour les jeunes filles, soyez très vigilantes et, si jamais vous sentez le moindre danger, avertissez Gabriel sur-le-champ ! Pour ça, je lui fais entièrement confiance, il fera tout en son pouvoir pour vous protéger, quoi qu'il arrive !

— D'accord, grand-mère !

— De toute manière, Malphas est dans son monde et ne peut vous atteindre...

— Sauf si quelqu'un a la mauvaise idée de l'invoquer, l'interrompit Abbie, qui n'était pas totalement rassurée.

— Tu as raison, Abbie, dit Martha, peu sécurisée elle-même. Et si je me fie à la rumeur plutôt alarmante qui circule dans le monde des sorciers, les astres auraient révélé à une sorcière bien connue que nous sommes à l'aube d'une ère d'antagonisme. Et j'ai bien peur que les étoiles ne se trompent jamais, dit-elle d'un ton dramatique.

— Que veux-tu dire par là, grand-mère ?

— Selon Behdenna Alizinas, une populaire astrologue du monde des sorciers, expliqua Martha, il va y avoir une confrontation entre le bien et le mal dans l'année de l'*Hippalectryon*.

— C'est quand, l'année de l'Hippa... lait... trions ? demanda Abbie en prononçant du mieux qu'elle le pouvait ce mot peu commun.

— À partir du 1er janvier... c'est-à-dire, dans quelques jours, divulgua Martha, la voix tremblotante.

— Ne t'en fais pas, grand-mère, nous sommes entourées de Maîtres Drakar ici, à Attilia. Nous sommes parfaitement en sécurité.

— Tu as raison, lui accorda sa grand-mère en retrouvant tout doucement le sourire. Mais soyez prudentes malgré tout, où que vous soyez, les filles.

— D'accord ! acquiescèrent Zarya et Abbie d'une seule voix.

— J'insiste sur une dernière chose, dit Martha. Si tu veux me parler, alors n'hésite surtout pas, utilise ton amulette magique...

— Promis, grand-mère.

Martha disparut en leur faisant un doux sourire...

— J'adore ta grand-mère, confia Abbie avec sincérité.

— Moi aussi.

Abbie, qui avait déposé son livre sur son lit, se tourna en direction de Zarya et lui demanda :

— Que penses-tu du message de Malphas ?

— Je n'en sais rien, répondit Zarya en lui lançant un regard inquiet.

— Vas-tu en parler à ton grand-père ?

Zarya pivota vers la fenêtre, regarda à l'extérieur les petits oiseaux colorés qui voltigeaient entre les branches touffues d'un arbre et se demanda, en elle-même, quoi répondre à sa meilleure amie.

— Aaah ! Si Jonathan était là, lança Abbie d'un air fanfaron. Je suis certaine que tu lui demanderais conseil et, de cette façon, il pourrait monter la garde devant la porte de ta chambre pour te protéger...

Zarya se tourna vers Abbie et lui fit un sourire de connivence qui voulait tout dire.

— J'ai bien peur que si je le mentionne à mon grand-père, se confia-t-elle, perplexe, il me renvoie chez moi, dans l'autre dimension.

— Peut-être que tu te trompes et que, au contraire, il te dira de rester auprès de lui pour qu'il puisse mieux te protéger !

— C'était ma deuxième inquiétude. Je ne veux être un fardeau pour personne…

— Ne dis pas ça, Zarya ! l'interrompit Abbie avec de gros yeux. Tu ne seras *jamais* un fardeau pour ton grand-père… il t'adore !

Soudain, Zarya plaqua sa main sur son oreille…

— Qu'est-ce qui se passe ? s'enquit Abbie, tout à coup inquiète.

— C'est Élodie qui me demande au télépat.

— Zut ! Je l'avais complètement oubliée ! avoua Abbie, un peu gênée.

Zarya se dirigea vers le télépat, posa sa main sur la boule d'un bleu opaque et répondit :

— Allô !

— Salut, Zarya ! Je ne te dérange pas ? demanda poliment Élodie.

— Non, pas du tout, voyons !

— Je t'appelle concernant l'inscription. Vous êtes toujours partantes, j'espère ?

— Mais bien sûr qu'on l'est !

— Cool ! Alors, l'inscription se fait à la Récré-A-Thèque, expliqua-t-elle. Dans la grande salle, là où tu as livré ton fameux combat de psychiforce, tu t'en souviens ?

— Oh oui ! Je m'en souviens, dit-elle en regardant Abbie avec un petit sourire gêné ; Abbie lui rendit son sourire sans trop en comprendre la signification.

— Très bien, conclut Élodie. Alors, nous serons là vers 2 h 30.

— D'accord, à 2 h 30, confirma Zarya en regardant de nouveau Abbie.

— Alors, à tantôt, les filles !

— À tantôt, bye !

— Bye !

Dans l'heure qui suivit, Zarya et Abbie demandèrent à madame Phidias les instructions pour créer le Sortilège de Pêle-Mêle afin de mettre le livre d'Abbie en toute sécurité. Naturellement, madame Phidias accepta avec un immense plaisir de leur montrer ce sortilège plutôt particulier. Elle ferait n'importe quoi pour les jeunes filles et, pour elle, c'était un très grand honneur. Cependant, à la grande surprise d'Abbie et de Zarya, le Sortilège de Pêle-Mêle était plus difficile à exécuter qu'elles ne l'avaient cru. Mais, grâce à sa patience et à ses années d'expérience comme enseignante d'histoire à l'Université Rockwhule, madame Phidias s'acquitta de sa tâche assez facilement et elle y prit beaucoup de plaisir.

Le bruit des conversations se répercutait en écho à travers la salle de la Récré-A-Thèque, semblable aux piaillements d'une nuée de goélands bavards. Des centaines d'adolescents venaient s'inscrire aux multiples compétitions de tous genres. Après avoir obtenu, par la réceptionniste, des indications plus précises sur l'endroit où elles devaient se rendre, Zarya et Abbie se faufilèrent entre les personnes déjà présentes. De peine et de misère, elles atteignirent le terrain de psychiforce numéro 5, là où se trouvait le comptoir des inscriptions pour la compétition de potions magiques. Une véritable frénésie flottait dans l'air : une fête grandiose se préparait, et on pouvait déjà sentir les réjouissances de la fête de Noël.

— Regarde ! fit remarquer Abbie à Zarya. Ils sont là.

Les jeunes filles s'approchèrent d'un petit groupe d'adolescents qui se tenait près du vestiaire des filles. Le groupe était composé d'Élodie, de Karine, de Jeremy et d'Olivier.

— Salut, les filles ! dit Jeremy, la voix amplifiée par son enthousiasme.

Abbie jeta un regard pétillant à Olivier qui, pour sa part, lui fit un sourire craquant.

— Est-ce que vous vous êtes déjà inscrits ? demanda Zarya.

— Non, on vous attendait, la rassura Karine.

— Il y a beaucoup de monde qui veut s'inscrire à la compétition de potions magiques, fit remarquer Élodie en montrant la longue file d'attente du doigt. On devrait d'abord aller inscrire Olivier à sa compétition de donar-ball, il y a à peine une dizaine de personnes.

— Excellente idée ! dit Jeremy. Viens, mon vieux, on va aller t'inscrire…

— Tu es sûr que tu ne veux pas t'inscrire avec moi, demanda alors Olivier.

— Sûr et certain, vieux, dit-il en lui pressant l'épaule. Je n'ai aucune chance avec toi dans cette compétition, tu es vraiment supérieur à ce jeu… et j'ai bien dit : *à ce jeu !* dit-il avec un sourire amical.

— Toi, Jeremy, demanda Zarya, curieuse, dans quoi veux-tu t'inscrire ?

— Je crois que je vais passer mon tour cette année, dit-il d'une voix fatiguée. J'avoue que le travail dans les champs a eu raison de moi : je suis exténué !

— Je peux très bien comprendre, dit-elle avec une évidente sincérité. J'ai de la difficulté à mettre un pied devant l'autre… mes jambes sont encore tout endolories !

Le groupe se faufila dans la foule pour se diriger vers le comptoir d'inscription au jeu de donar-ball.

— Regarde, Olivier, dit Jeremy, estomaqué en s'approchant du comptoir. C'est Mathis Manssy !

— Qui est ce garçon ? demanda Zarya, intéressée.

— C'est le champion de l'année dernière dans la compétition du niveau 5, répondit Jeremy. Et, pendant les quatre années précédentes, il a fini deuxième… il est vraiment fort !

— Et qui l'a battu les quatre autres années ?

— Maître Jonathan Thomas. Tu sais, le type horriblement laid avec de gros traits de vieux gobelin, et sans oublier ses affreux yeux glaireux ! répliqua Jeremy avec un sourire taquin.

Zarya sentit ses joues devenir écarlates lorsque Jeremy prononça le nom de Jonathan. Pour dissimuler sa gêne, elle pouffa de rire à cette grotesque description.

— Et que s'est-il passé l'an dernier ?

— Il n'a pas participé, je crois qu'il était en mission.

— Moi, de toute façon, dit Olivier, je m'inscris dans une catégorie plus basse, c'est-à-dire dans le niveau 4.

— Je crois sincèrement que tu as assez de potentiel pour affronter les meilleurs, insista Jeremy.

— Dans le niveau 5 ? lança Olivier, surpris. Mais… mais, ils sont beaucoup trop forts pour moi…

— Tu n'en sais rien, répliqua Jeremy. Quoi qu'il en soit, tu n'as rien à perdre et, bien au contraire, tu as tout à gagner, mon ami. Moi, j'ai confiance en toi !

— Nous aussi ! renchérirent les jeunes filles en chœur.

— D'accord ! Alors, je vais essayer, dit Olivier en regardant Abbie lui faire un sourire approbateur. Mais, je ne vous promets rien, les amis.

— Ne sois pas aussi modeste, mon vieux, dit Jeremy en lui donnant un coup de poing amical sur l'épaule. Tu vas les écraser !

Olivier avança d'un pas timide vers la dame derrière le comptoir en jetant un dernier coup d'œil à Abbie et se dépêcha de dire, avant de changer d'idée :

— J'aimerais m'inscrire à la compétition de niveau 5, s'il vous plaît…

Après l'inscription d'Olivier, Zarya et ses amis se dirigèrent vers un deuxième comptoir, là où les filles devaient aller s'inscrire pour la compétition de potions magiques.

— Il ne reste que deux personnes, fit remarquer Abbie à ses copains.

— Parfait ! lança Élodie. Si vous êtes d'accord avec moi, on va s'inscrire au niveau 1 pour la simple et bonne raison que personne n'a vraiment d'expérience...

— Nous, on a seulement produit le Sortilège de l'Œil Furtif, dit Abbie, sinon, on n'a aucune idée de ce que peut être un sortilège à partir d'une potion magique.

— Ah oui ? Et vous avez réussi ? demanda Karine.

— Oui, répondit simplement Zarya.

— Mais c'est très bien !

— Mais c'est un sortilège de niveau 1, intervint Olivier. Les sortilèges du livre que je t'ai fait parvenir sont tous de niveau 1.

— Alors, je crois que nous sommes tous d'accord pour le niveau 1, conclut Élodie.

Ils arrivaient près du comptoir lorsqu'un groupe de cinq adolescents se plaça subitement devant eux, de façon très irrespectueuse.

— Tiens ! Si ce n'est pas *cette Adams* avec sa clique ! lança une fille de l'âge de Zarya, très grande, avec des cheveux noirs et des yeux de la même teinte, ce qui lui donnait une allure asiatique ; c'était Cylia Ekin.

— Ekin ! dit Jeremy. Mais, si je ne me trompe pas, le comptoir pour la compétition de recettes culinaires se situe par là, dit-il en montrant du doigt un groupe de vieilles dames au fond de la salle.

— Suivant ! dit la préposée.

Cylia leva le nez et, se tournant en direction de la dame, dit d'une voix tranchante :

— Niveau 2 !

Elle prit d'un geste brusque la carte de l'épreuve que lui tendait la dame et se tourna de nouveau vers Zarya :

— Tu n'auras pas toujours de la chance, Adams ! cracha Cylia en lui jetant un regard méprisant et en la bousculant en quittant les lieux d'un pas rapide.

— Suivant !

— Niveau 2 ! dit Élodie en regardant le reste du groupe, un groupe tout à fait d'accord avec ce soudain changement !

Élodie prit la carte de l'épreuve en remerciant la gentille dame.

— Quelle est l'épreuve ? s'enquit Karine.

— L'épreuve est… Le Sortilège de l'Oblonguïturum.

— Oblonguïturum, répéta Jeremy. Ça va être du gâteau ça !

— Mais c'est quoi, ce sortilège ? voulut savoir Zarya.

— Je n'en ai aucune idée ! avoua piteusement Jeremy en se grattant la tête.

— Alors, que fait-on à présent ? demanda Abbie.

— Premièrement, dit Élodie, on doit trouver la signification de ce sortilège et, ensuite, on doit rassembler les ingrédients dont on aura besoin, puis finalement… le concevoir !

— Alors, il n'y a plus de temps à perdre, allons à la bibliothèque, suggéra Olivier.

Ils réapparurent tous devant la bibliothèque d'Attilia. Un gigantesque bâtiment avec une devanture à l'aspect svelte et élancé, et chapeauté par trois immenses dômes sis sur un toit de tuiles orangées. Zarya, toujours très éblouie par la magnificence des lieux, contourna la fameuse fontaine de bronze représentant un monstrueux lion et, avec ses amis, ils se dirigèrent tous vers l'entrée.

Ils se rendirent immédiatement dans la salle principale, une salle ronde dotée d'un plafond cathédrale où un magnifique lustre à pendeloques de cristal, ruisselant de mille éclats, enrichissait les lieux.

— Venez, c'est par ici ! chuchota Olivier qui faisait office de guide.

Sans discuter, ils suivirent tous Olivier en direction de la section des ouvrages sur les rituels et les envoûtements.

— On va sûrement trouver quelque chose ici, assura-t-il, convaincu.

— Ça va être un jeu d'enfant avec ces milliers de livres, lança Jeremy avec humour.

— Arrête, le frère, le réprimanda Élodie en lui pinçant le bras. Ne nous décourage pas !

— Tu sais bien que je blaguais, répliqua-t-il pince-sans-rire. C'est sûr qu'on va trouver... avant le jour de l'An !

Zarya, Karine et Abbie se regardèrent en retenant leur fou rire. Malgré les propos humoristiques de Jeremy, ils se mirent tous sérieusement à la tâche. Chacun des adolescents prit une dizaine de livres et s'installa confortablement aux tables pourvues de petites lampes basses qui diffusaient une douce lumière afin de faciliter la lecture. Zarya prit un livre intitulé *Les Runes et leurs aptitudes mentales*, et Abbie, quant à elle, avait ouvert deux livres simultanément. Le premier avait pour titre *Les Rituels de la magie blanche* et le second, *Le Sortilège de la Fidélité*, un sortilège qui s'avérerait fort pratique dans l'autre monde, pensa-t-elle avec un petit sourire.

Zarya remarqua qu'il y avait de nombreux groupes d'adolescents qui s'installaient près d'eux. « Sûrement des équipes, tout comme nous, qui veulent participer à la compétition de potions magiques », pensa-t-elle. En effet, certains adolescents se dirigeaient également vers la section des ouvrages sur les rituels et les envoûtements. Zarya se replongea dans son livre à la recherche du sortilège en question lorsqu'elle fut de nouveau distraite par le bruit tapageur d'un groupe d'adolescents s'installant bruyamment à deux tables d'eux : c'était le groupe de Cylia Ekin.

— Aucun respect pour les autres ! chuchota Karine, indignée.

Après d'intenses recherches, Olivier repéra le livre dont ils avaient besoin.

— Regardez, je crois que j'ai trouvé ! chuchota-t-il discrètement.

Tous s'approchèrent d'Olivier et regardèrent un petit livre orné d'enluminures d'or et de velours rouge uni.

— Le Sortilège de l'Oblonguïturum consiste à...

— Lis la description dans ta tête, la sœur ! suggéra promptement Jeremy en regardant Cylia se tourner dans leur direction.

— Incroyable ! lança Abbie. Elle est incapable de jouer honnêtement.

— Est-ce qu'elle peut lire nos pensées ? demanda Zarya.

— Non, c'est impossible, la rassura aussitôt Olivier. Un mage ne peut lire dans la pensée d'un autre mage.

— J'ignorais ce détail, avoua Zarya, surprise.

— Sauf si tu le désires, ajouta Karine. On appelle ça de la télépathie.

Tous se mirent à lire la description en toute discrétion...

— Avez-vous vu la liste des ingrédients ? fit remarquer Élodie.

— Est-ce qu'il y a un magasin qui fournit des ingrédients pour les potions magiques ? s'enquit Zarya.

— Oui, bien sûr qu'il y a un magasin pour ce genre d'ingrédients, répondit Élodie. Mais pour la moitié d'entre eux seulement. Pour ce qui est des autres ingrédients, ils se trouvent dans la montagne près d'Attilia. Pour ça, il n'y a pas de problème.

— Alors, c'est quoi le problème ? demanda Abbie en voyant les mines déconfites de ses amies attiliennes.

— Le problème, c'est pour la feuille de lymorth.

— À vrai dire, le plus gros problème, c'est l'endroit où sont situées ces feuilles ! ajouta Karine, la voix étouffée par son soupir.

— Et où peut-on se procurer ces feuilles ? demanda Zarya.

— Elles se trouvent dans la forêt interdite des Korrigans !

La requête de l'au-delà

Quelque part à Vonthruff

Toujours coiffé de son chapeau de fourrure, ce qui lui donnait un air austère, Edgar Kruta pénétra dans une horrible petite maison déjetée et vétuste. La décrépitude des lieux était le fruit d'une interminable négligence. En entrant dans une pièce exiguë, une forte odeur nauséabonde assaillit Kruta. Cette pestilence émanait de pots de céramique emplis de potion magique à l'effluve de soufre et de poudre brûlée.

— Vous vouliez me voi*rr*, Sytiliss ? demanda Edgar d'un ton irrévérencieux.

— J'ai reçu la visite des Erliks cette nuit, et ils m'ont laissé un message de l'au-delà qui vous est destiné, seigneur, dit une vieille sorcière teigneuse et hideuse aux cheveux ébouriffés et grisonnants.

— Et de qui prrovient ce message ? demanda-t-il, surpris, en regardant, par-dessus l'épaule de Sytilis, une araignée géante et velue descendre du plafond voûté et aller se poser sur le parquet qui n'était pratiquement jamais balayé.

— De Malphas, seigneur.

— Malpha*ss* ! dit-il, les yeux agrandis.

— Oui, seigneur, dit-elle en s'assoyant sur une chaise près de la gigantesque cheminée où mijotait une mixture pouvant donner la nausée à un grabtos de Burianise.

— Et que disait ce message ? demanda-t-il, peu rassuré.

— Malphas veut que vous lui trouviez un corps jeune et puissant avant la prochaine pleine Lune…

— La pleine Lune ! répéta-t-il en caressant sa barbichette.

— Oui, et la Lune sera pleine dans une semaine, seigneur. Il faudra faire vite, car Malphas veut être présent lors de l'arrivée de son maître Méphistophélès. Il veut être là pour le servir et pour le protéger…

En regardant les lueurs tremblotantes provenant d'une bougie noire posée sur la petite table et qui avait pour effet d'amplifier les rides crevassées et profondes de la vieille sorcière, Edgar Kruta se posa deux questions fondamentales liées à la requête de Malphas : Qui et comment ?

— Et si vous trouvez un corps jeune et puissant, poursuivit Sytilis, vous vous demandez sûrement comment vous l'amènerez à coopérer, devina-t-elle avec un sourire grimaçant.

— C'est exact, vieille *ssorrcièrre* !

Elle se leva, se dirigea d'un pas indolent vers une armoire grillagée remplie de petits pots de verre contenant des têtes de rongeurs semi-aquatiques, des larves xylophages et des mammifères frugivores. Elle prit un pot vide et se déplaça vers le chaudron suspendu au-dessus du feu pétillant et bleuâtre de l'âtre.

— Lorsque vous l'aurez trouvé, vous lui ferez boire cette mixture magique, dit-elle en immergeant le petit pot dans le chaudron brûlant contenant un liquide visqueux et brunâtre. Et, très important, il faudra lui faire avaler *tout* son contenu !

— Et pou*rr* l'incantation *rr*ituelle…

— Pour ça, je vais m'en occuper, seigneur…, dit-elle en lui faisant un sourire édenté.

◊ ◊ ◊

Quelques kilomètres plus au nord, Jonathan et Didier marchaient sur l'épaisse couche de neige éternelle, laissant de profondes traces irrégulières derrière eux. On pouvait entendre le tintement des clochettes des harnais de cuir des fenris blancs qui les suivaient de près avec les deux agents de sécurité du château de Sakarovitch, Steve Arvon et Edmond Dohan, à bord des traîneaux. Ils étaient à la recherche des corps disparus de l'équipe du défunt professeur Hubert K. Bibolet. Selon Jonathan, une équipe de huit hommes ne pouvait pas s'être volatilisée sans laisser d'empreintes !

De façon imprévisible, le couple de fenris attelé au traîneau d'Edmond se mit brusquement à courir en passant près de Didier à une vitesse folle. Ce dernier, qui déjà avait une certaine crainte de ces immenses bêtes cauchemardesques, eut le bon réflexe de les éviter en se lançant à plat ventre sur le sol. Avec ce départ inopiné et plutôt très rapide, Edmond avait culbuté hors du traîneau dans une neige poudreuse, fort heureusement ! Jonathan fixa les deux fenris qui s'arrêtèrent à quelques mètres devant eux, aux abords d'une crevasse, près d'une paroi presque verticale de la montagne, qui était tapissée d'une couche de glace et de neige durcie. Il devina que les bêtes avaient senti quelque chose avec leur odorat développé. Il se dirigea donc en courant vers les deux bêtes, qui regardaient le fond de l'abîme.

— Les voici ! s'écria Jonathan en regardant à son tour dans le gouffre.

Didier courait déjà vers lui. Il se pencha lui aussi au-dessus de cette cavité d'une dizaine de mètres de profondeur et aperçut, avec effroi, sept corps inanimés gisant sur le sol irrégulier.

— Mon Dieu ! lancèrent Edmond et Steve, abasourdis en voyant cette scène macabre à leur tour. Ils sont tous là !

— Non, il en manque un, remarqua Jonathan.

— Vous avez raison, Maître, dit Didier en constata quelque chose de particulier. Il y a des traces sur la paroi de glace.

— Exact, mon ami, dit Jonathan qui s'allongea le cou pour mieux voir. Un survivant a réussi à escalader la cloison de glace et à prendre la fuite. Malheureusement, la tempête a effacé toute trace sur la neige.

Steve et Edmond se dévisagèrent avec étonnement.

— Alors, Edmond et moi partons à sa recherche immédiatement, suggéra Steve. Car nous connaissons la région mieux que vous.

— Vous avez raison, approuva Jonathan. Mon partenaire et moi allons rester ici afin de remonter les corps à la surface et, par le fait même, nous nous assurerons qu'il n'y a pas d'autres survivants parmi eux. Et, naturellement, nous chercherons des indices.

— C'est très bien, dit Steve. Quand vous aurez fini, les fenris vont vous ramener au transmoléculaire sans difficulté lorsque vous le désirerez, ils connaissent le chemin du retour.

◊ ◊ ◊

Dans le repaire des mages noirs, Edgar Kruta descendit l'escalier de pierres en colimaçon d'un pas rapide.

— Et puis, prrofesseurr Gaurriat, quels sont les développements ?

— Vraiment surprenants ! répondit le professeur Gauriat, un homme de forte corpulence avec des joues rouges, comme s'il avait bu un verre de trop. Le fœtus augmente d'heure en heure, il grossit trente fois plus vite qu'un être humain normal… C'est vraiment incroyable !

— Et quand pensez-vous qu'il *serra* à *maturrité* ? demanda Edgar d'une voix impérieuse et glacée en regardant, dans un immense aquarium, un fœtus rouge gélatineux qui baignait dans un liquide blanchâtre vaguement mousseux sur le dessus.

— C'est difficile à dire, monsieur Kruta, dit le professeur, circonspect.

— Quand ? répéta Kruta d'une voix à vous glacer le sang.

— Je… je crois qu'il sera à maturité pour le jour de l'An, balbutia le professeur Gauriat avec des sueurs froides coulant de son front dégarni.

La boutique de madame Barsac

Pendant que les garçons expliquaient à Zarya et à Abbie la fameuse histoire qui entourait la forêt interdite des Korrigans, Élodie et Karine prenaient soin de noter tous les ingrédients requis pour le Sortilège de l'Oblonguïturum.

— Quand nous étions enfants, expliqua Olivier avec une approche dialectique, nos parents nous racontaient des tas d'histoires étranges sur les Korrigans. Tout d'abord, j'aimerais vous souligner qu'ils font partie de la famille des lutins et que ce sont de petits diablotins qui vivent plus de deux cent cinquante ans, dit-il sous les yeux ébahis des jeunes filles. Malgré le fait qu'ils peuvent vivre très vieux, ce sont des êtres peu évolués et, selon nos parents, ce sont des êtres à ne pas fréquenter. Leur petite taille ne les empêche pas d'être très malicieux et…

— Et très dangereux, ajouta prestement Jeremy.

— Dangereux ! répéta Abbie, surprise, mais ce sont des lutins, et des lutins, c'est gentil ! dit-elle sans trop savoir.

— Oui, il y a sûrement quelques Korrigans qui peuvent être gentils, mais la majorité d'entre eux sont très désagréables et, même, ils n'ont aucun scrupule envers les jeunes enfants qui s'aventurent trop près de leur forêt...

— Une fois, j'ai entendu dire qu'ils faisaient cuire les enfants dans un chaudron d'eau bouillante avant de les dévorer à belles dents, ajouta Jeremy, qui prenait un malin plaisir à vouloir en ajouter *un peu*.

— Arrête, le frère, tu exagères ! dit Élodie en regardant Jeremy avec de gros yeux. Tu vas réussir à leur faire peur.

— Tu sais bien que je plaisante, voyons ! dit-il, le sourire aux lèvres en regardant les jeunes filles.

Zarya et Abbie, qui connaissaient bien l'humour pince-sans-rire et omniprésent de Jeremy, s'esclaffèrent...

— La forêt des Korrigans est totalement interdite aux jeunes, ou devrais-je dire, à tous ceux qui sont dépourvus de pouvoirs magiques, dit Olivier, qui essayait de reprendre son sérieux à la suite de la plaisanterie de Jeremy. Mais, pour ceux qui ont des pouvoirs comme nous, il est possible de s'y aventurer, mais en prenant garde, toutefois, de toujours rester très vigilants...

— Une chose est certaine, dit Jeremy en regardant les filles du coin de l'œil, moi, si j'y vais, je vais être très vigilant... en restant derrière vous, les filles !

— D'accord ! les amis, dit Élodie en se levant, on a terminé de prendre en note la recette de la potion magique. Maintenant, si vous le voulez bien, allons chercher les ingrédients !

Les jeunes adolescents se levèrent avec la satisfaction du devoir accompli. La première étape était finie, et ils se dirigeaient maintenant vers la sortie. En passant à côté de la table du groupe de Cylia, Jeremy en profita pour lui jeter un regard triomphant et lui dit :

— Nous, on a terminé la première étape… et vous ?

Cylia le regarda d'un œil indifférent puis, tout à coup, une petite grimace nerveuse au coin de sa bouche apparut ; Jeremy devina que cela ne lui plaisait guère d'être en retard sur leur groupe.

— Ne perds pas ton temps avec elle, dit Karine en lui donnant une poussée pour qu'il avance.

Zarya et ses amis quittèrent la bibliothèque d'un pas décidé pour la deuxième phase.

— Maintenant, où va-t-on ? demanda Zarya, qui suivait le groupe en direction du transmoléculaire.

— On va à la boutique de madame Barsac, répondit Karine.

— C'est la boutique d'ingrédients pour potions la plus complète d'Attilia, dit Olivier en se tournant vers Zarya tout en marchant.

— Est-ce loin ? demanda Abbie.

— Tu sais bien que ça n'a aucune importance ici, à Attilia, avec tous ces transmoléculaires ! dit Zarya en lui faisant un petit sourire ironique.

— Tu as raison ! dit-elle dans un fou rire…

C'est en se tenant par la main que tous, en s'esclaffant sous ces charmantes paroles empreintes d'innocence de la part d'Abbie, franchirent le seuil du transmoléculaire pour se rendre à la boutique de madame Barsac.

Sous le bruit d'un léger crépitement mêlé de rires, les adolescents sortirent du transmoléculaire. Zarya regarda autour d'elle et vit une ruelle étroite pavée de pierres ainsi qu'une multitude de boutiques à colombages, coiffées de toits en ardoise d'un gris foncé. Il y avait du monde partout, dont des enfants en bas âge accompagnés de leurs parents et des adolescents qui cheminaient sur le vieux trottoir dallé de lourdes pierres reliées entre elles par un mortier délavé.

— Je ne croyais pas qu'il pouvait exister un lieu comme ça à Attilia, dit Zarya, agréablement surprise. On se croirait à une autre époque.

— C'est vraiment cool ! lança Abbie, qui partageait l'opinion de son amie.

— Effectivement, Zarya, tu as tout à fait raison, l'informa Élodie. Ce quartier est l'un des plus vieux d'Attilia. Et le plus remarquable, c'est qu'ils ont préservé le cachet du Moyen Âge.

— Bon, maintenant, il faudrait se dépêcher, suggéra Karine en regardant sa montre. Le temps nous presse...

— Tu as raison, approuva Olivier, vous avez une potion magique à concevoir !

Ils se faufilèrent parmi la foule qui était composée d'innombrables touristes qui envahissaient les trottoirs aménagés en terrasses pour les festivités. En effet, pour le temps des fêtes, des gens de partout venaient dans la ville d'Attilia pour rendre visite soit à des parents, soit à des amis, ou simplement pour venir participer aux festivités très populaires d'Attilia. Tout en marchant, Zarya et Abbie en profitèrent pour jeter un coup d'œil aux diverses vitrines composant leur parcours. Abbie donna un coup de coude à Zarya en lui indiquant une boutique de pierres et de cristaux ; elle se promit d'y revenir dans un avenir rapproché afin d'y fureter à sa guise. Ils passèrent devant une boutique d'antiquités, et Zarya trouva très joli le nom qu'on lui avait donné : *Les tentations de Caylus*. On pouvait lire ce nom sur la pancarte artisanalement bien décorée qui surmontait la double porte de bois.

— Regarde cette librairie, fit remarquer Olivier à Abbie. Si tu veux, on pourrait y revenir ensemble...

Celle-ci regarda à sa gauche et fut stupéfaite de voir une vieille librairie avec l'inscription *L'immémorial papyrus de monsieur Emiliano*.

— ... C'est une librairie qui vend de vieux manuscrits et des livres très anciens, dit-il en sachant pertinemment qu'elle serait ravie à l'idée d'y revenir avec lui. Et je peux t'avouer que c'est ici que je me suis procuré *Les mille et une pierres et leurs vertus*, le livre que je t'ai donné.

— Tenez, c'est là ! dit Karine qui faisait office de guide.

Ils entrèrent dans une boutique vieillotte et bien achalandée par des adolescents qui étaient sûrement là pour la même raison qu'eux. Abbie était en extase devant toutes ces tablettes garnies de petits pots de verre transparent qui révélaient des fines herbes de toutes sortes et des plantes bizarroïdes. Zarya, qui se promenait parmi les rangées, s'approcha d'une plante aquatique aux étroites feuilles olivâtres qui flottait dans un immense aquarium de verre ; elle crut pendant un instant que la plante lui souriait. Curieuse, elle baissa les yeux pour lire le nom de cette magnifique plante : *vormiculatux des Paludes*.

— Avez-vous besoin d'informations, mademoiselle ? demanda une vieille dame replète à la coiffure extravagante et affichant des bijoux clinquants ; en voyant ces bagues démesurées à chacun de ses doigts, Zarya sut immédiatement que c'était des imitations.

— Oui, bien sûr ! répondit Zarya en regardant autour d'elle pour savoir où était Karine avec la liste.

Karine, qui connaissait bien la propriétaire, la reconnut aussitôt ; c'était madame Barsac. Elle s'approcha donc avec, en main, la liste des ingrédients.

— On aimerait se procurer ces ingrédients, s'il vous plaît, demanda Karine en lui remettant la liste.

— D'accord, dit-elle en lisant le papier de haut en bas. Nous allons commencer par le trivaniculuste à pointes.

Jeremy, Élodie, Olivier et Abbie étaient venus rejoindre Zarya et Karine et tous suivirent la propriétaire. Ils se dirigèrent vers le fond du magasin et s'arrêtèrent devant une petite cage de verre. Zarya resta muette devant cette petite plante qui ressemblait étrangement à une araignée. En effet, cette plante avait huit pattes mobiles et une longue tige flexible en son centre qui était enracinée dans une terre sablonneuse. Elle courait de long en large dans sa cage pour essayer de capturer un insecte qui volait au-dessus d'elle, et c'est sous un léger *Snapp!* que le trivaniculuste à pointes attrapa habilement l'insecte avec sa langue visqueuse et fourchue.

— C'est une magnifique plante carnivore, dit fièrement madame Barsac en ouvrant la cage avec précaution.

— Oui, elle est très… belle, hésita Zarya en regardant la plante avec dégoût ; elle détestait les araignées.

La vieille dame enfila une paire de gants de protection et essaya d'attraper la plante, qui avait repris sa course à l'intérieur de la cage.

— Je dois lui soustraire une de ces pointes que vous voyez sur son dos, puisque c'est de cet ingrédient que vous avez besoin pour votre potion magique.

— Est-ce que ça va lui faire mal ? demanda Abbie, compatissante envers la plante qui semblait avoir très peur.

— Non, pas du tout, ne vous en faites pas, répondit madame Barsac, qui avait enfin réussi à la saisir. Et, en plus, la pointe va repousser dans quelques jours.

Après s'être procurée tous les ingrédients disponibles à la boutique de madame Barsac, Élodie, accompagnée de ses amis, se rendit à la caisse pour payer la facture.

— Tenez, madame ! dit Élodie en déposant sa carte de crédit de la Banque de Centauros sur le comptoir.

— Merci ! dit-elle. Et n'oubliez surtout pas que c'est entièrement remboursable par le gouvernement attilien, étant donné que c'est pour la compétition.

— Très bien, madame Barsac. Merci et bonne journée !

◊ ◊ ◊

Quelques instants plus tard, le groupe d'amis se retrouva près de la rivière Argolide, à deux kilomètres à l'est du Temple des Maîtres Drakar. Ils étaient à la recherche d'un ingrédient puissant et primordial que madame Barsac n'avait pas dans sa boutique.

— Je crois que nous sommes arrivés, dit Olivier.

— Tu as raison ! Madame Barsac a mentionné ce gros rocher en forme de tête de troll, approuva Zarya en montrant du doigt le rocher près d'un gros arbre centenaire.

— Allons, les garçons, dit Karine, c'est à vous de jouer maintenant.

— Pardon ! lança Jeremy en regardant Olivier. Mais c'est votre compétition, les filles !

— Voyons, les garçons, dit Karine avec un sourire envoûtant, soyez gentlemen ! Vous ne voudriez certainement pas que nous éclaboussions nos beaux vêtements…

— Mais… mais…, balbutia Jeremy, qui ne pouvait résister au magnifique sourire de Karine.

— Je crois qu'on n'a pas vraiment le choix, dit Olivier en regardant Abbie, qui lui adressait un sourire tout aussi ensorceleur.

— Tu as raison, vieux.

D'un geste parfaitement synchronisé, les deux garçons roulèrent le bas de leur pantalon jusqu'à mi-cuisse et pénétrèrent dans une eau tiède et limpide.

— Et que doit-on chercher ? questionna Olivier en retroussant ses manches. Un petit poisson multicolore ?…

— Ou peut-être un coquillage blanc comme celui-ci, dit Jeremy, en prenant un dans sa main pour le leur montrer.

— Vous devez trouver un serpent médèsen des eaux, dit Élodie d'un air placide.

— QUOI ! lancèrent les garçons en regardant autour d'eux avec de grands yeux écarquillés.

— En fait, ce sera plus simple de vous laisser trouver par lui ! poursuivit Élodie d'un air malicieux en regardant son frère.

— On doit seulement lui soustraire son venin, spécifia Karine en leur montrant un petit pot de verre.

— Ne vous en faites pas, les gars, continua Élodie, son venin est très puissant certes, mais il n'est pas mortel. Il est juste un peu... paralysant...

— Paralysant ! s'exclama Jeremy. Alors là, tu me rassures !

— Mais si je peux vous donner un petit conseil, suggéra Élodie, le mieux serait de ne pas vous faire mordre.

— Ha ! Ha ! Tu es vraiment tordante, la sœur.

Jeremy et Olivier se postèrent dos à dos et restèrent aux aguets.

— Et à quoi ressemble ce serpent ? demanda Olivier, toujours concentré.

— Il est fait sur le long...

— Ne me dis pas que c'est un serpent fait sur le long ! l'interrompit ironiquement Jeremy.

— Oui, et il est rouge avec des taches jaunes sur le crâne si tu veux savoir, précisa Élodie.

Pendant qu'Élodie donnait des précisions aux garçons, Abbie se tourna vers Karine et lui demanda :

— Que vas-tu donner à Jeremy pour Noël ?

— Donner ?

— Oui. Je te demande ça, car je n'ai rien acheté pour Olivier encore. Je ne sais vraiment pas quoi lui offrir... et Noël, c'est demain !

— Tu n'as rien acheté pour Olivier ! chuchota Zarya, très surprise.

— À vrai dire, je lui ai juste écrit une carte et...

— Attendez les filles, les interrompit Karine. Tu veux lui donner un objet, mais pourquoi ?

— Enfin, pour Noël !

— Ah ! je comprends, tu veux lui donner un cadeau !

— Oui... c'est ça, confirma Abbie en regardant Zarya, visiblement confuse par la réaction de Karine.

— Nous, on ne se donne jamais de cadeaux pour Noël, dit tout bonnement Karine. J'imagine que si tout le monde commençait à s'en donner, ça ne finirait plus, dit-elle en riant de bon cœur.

— Ah oui ! Vous ne vous donnez jamais de cadeaux ? demandèrent encore Abbie et Zarya, qui n'en croyaient pas leurs oreilles.

— Oui, bien sûr, répondit-elle, cela nous arrive. Mais on se donne un cadeau seulement quand ça nous tente, non quand nous y sommes obligés.

— Mais je ne me sens pas obligée, indiqua Abbie, légèrement hébétée.

— Tu veux lui acheter un présent parce que c'est Noël, alors, c'est comme si tu te sentais un peu obligée…

Zarya et Abbie se regardèrent, bouche bée.

— Nous, à Noël, on fait des activités de groupe afin de fraterniser, de partager et de s'unifier… Par exemple, aujourd'hui, on participe à une activité ensemble !

— Vous, les Attiliens, vous êtes vraiment incroyables ! lança Zarya, qui trouvait que les valeurs de ce peuple étaient vraiment à la bonne place.

— Et, demain, tous les gens du pays de Dagmar vont s'unifier pour fraterniser en festoyant pendant une journée entière, conclut Karine avec fierté.

Après un interminable trente-cinq minutes d'attente dans une position quelque peu désagréable, pour les garçons à tout le moins, il y eut un petit clapotis à quelques mètres de Jeremy.

— Je crois qu'il y a quelque chose là-bas, chuchota Jeremy, peu rassuré.

— Je crois que tu as raison, approuva Olivier, toujours sur ses gardes.

— Faites attention, les garçons ! leur lança Abbie.

— Je crois qu'il vient dans ma direction, dit Jeremy en observant les ondulations créées à la surface de l'eau par le déplacement du monstrueux serpent.

— Oui, en effet, et c'est bel et bien un serpent rouge avec des taches jaunes sur la tête, confirma Zarya, qui se tenait debout sur un gros rocher afin de mieux apercevoir le redoutable reptile qui approchait à la façon d'un prédateur prêt à sauter sur ses proies ; dans ce cas-ci, c'était Jeremy et Olivier qui faisaient office de proies !

Toute la splendeur aquatique que l'on pouvait observer de l'extérieur cachait aussi un monde sombre et ténébreux, un monde de reptiles terriblement dangereux, incluant ce serpent médèsen des eaux. Olivier prit son courage à deux mains et s'installa à côté de Jeremy : ils se préparaient à capturer le féroce reptile de trois mètres de long.

— On fait comme tu as dit tantôt, Jeremy, dit Olivier, qui voyait le serpent à deux mètres d'eux.

— D'accord, mon vieux, je suis prêt…

Sur la rive, les filles retenaient leur souffle. Zarya, haut perchée sur son rocher, pouvait voir le serpent prendre de la vitesse, la gueule grande ouverte. Lorsque celui-ci fut à une dizaine de centimètres d'eux, Jeremy créa un mur télékinésique qui stoppa subitement le serpent. Ce dernier se buta à plusieurs reprises, sans trop comprendre, contre le mur invisible que Jeremy tenait en place. Maintenant, c'était au tour d'Olivier de jouer. Il se concentra pour sortir le serpent en dehors de son habitat naturel et le fit léviter à deux mètres au-dessus du niveau de la rivière, sous les applaudissements des jeunes filles.

Après qu'Élodie eut habilement prélevé le venin du serpent médèsen des eaux, Olivier le déposa délicatement sur le bord de la rive, et l'animal glissa rapidement sur le sable chaud pour aller s'engouffrer dans les profondeurs des eaux, avec plus de peur que de mal. Zarya et Abbie furent très impressionnées de voir les connaissances d'Élodie sur l'anatomie reptilienne. Leur amie leur expliqua qu'elle étudiait pour devenir spécialiste en pathologie vétérinaire et en virologie pour animaux.

◊ ◊ ◊

Il était près de 16 h lorsque les six adolescents sortirent du transmoléculaire numéro 348, situé au nord de la ville d'Attilia. Leur prochaine destination : la forêt interdite des Korrigans. Ils marchèrent une bonne vingtaine de minutes sur un chemin rocailleux, escarpé et boueux à certains endroits. Sous l'écho de leurs pas, des bandes d'oiseaux tropicaux s'envolaient brusquement vers le fond de la vallée. C'était une région inhospitalière, un lieu qu'on ne pouvait habiter. Les champs incultes étaient très abrupts, le sol trop stérile pour une quelconque récolte.

En arrivant à destination, Zarya et Abbie furent abasourdies de voir cette forêt se dresser devant eux comme un mur géant, inaccessible. C'était une vaste forêt de pins avec des feuillus en lisière, tels des guerriers gardant jalousement un endroit secret.

— Nous y sommes, les amis, dit Olivier.

— Êtes-vous déjà venus ? demanda Zarya, qui regardait les arbres qui semblaient toucher les nuages.

— Jusqu'ici, oui, répondit Élodie. Mais là-dedans… jamais ! dit-elle en montrant du doigt la forêt ténébreuse.

Zarya pouvait lire l'avertissement sur l'une des pancartes à l'entrée de la forêt :

DANGER
Accès interdit à toute personne
n'ayant pas obtenu ses pouvoirs magiques !
Ministère de la Sécurité publique

— Bon, maintenant, allons-y ! dit Jeremy, peu rassuré lui-même.

La bande suivit ce dernier, qui marchait d'un pas hésitant vers cette forêt ombreuse, d'un calme irréel et inquiétant. Zarya remarqua que la forêt était plongée dans les ténèbres. Les rayons du soleil ne pouvaient atteindre le sol humide à cause de la forte densité des arbres géants qui reposaient en ces lieux depuis des temps immémoriaux ; on se serait cru à la nuit tombante. Plus le groupe s'enfonçait dans la forêt, plus le silence régnait ; seuls les craquements de brindilles étaient audibles. Alors que la placidité des lieux prédominait et qu'une immobilité muette et mystérieuse régnait, l'atmosphère ressentie était davantage celle d'une pose de néant où même l'air semblait s'être absenté ; les adolescents se sentaient oppressés et peu rassurés. Ils regrettaient presque d'être venus.

— À quoi ressemble l'arbre aux feuilles de lymorth ? demanda Zarya, à qui l'ambiance dans laquelle ils évoluaient rappelait étrangement son excursion dans la vallée maudite de Balaam.

— Il est très facile à reconnaître, répondit Olivier. C'est un arbre géant à trois troncs entremêlés.

Après avoir marché plus d'un kilomètre dans cette forêt parsemée d'obstacles naturels, tels de pestilentiels marécages et des sables mouvants, Abbie fit une petite remarque :

— Finalement, on n'a pas vu de Korrigans.

— De toute façon, répondit Olivier, qui marchait à côté d'elle, tu n'aurais pas pu les voir, car ils sont invisibles.

— Invisibles ! répéta Zarya, qui marchait juste derrière eux.

— Ils sont visibles seulement s'ils passent devant les rayons du soleil, précisa Olivier.

— Tu veux dire qu'ils pourraient être à côté de nous sans qu'on les aperçoive, dit Abbie, peu rassurée, en regardant partout, cherchant les rayons de soleil pratiquement inexistants en ces lieux.

— Exactement, intervint Jeremy.

— Mais, je ne crois pas qu'ils soient à côté de nous actuellement, dit Élodie en regardant autour d'elle.

— Qu'est-ce qui te fait dire ça, la sœur ?

— Regardez les feuilles mortes au sol. J'imagine que, si des Korrigans étaient près de nous, les feuilles bougeraient…

— Tu as raison, approuva Zarya, visiblement soulagée.

Zarya et ses amis arrivèrent près d'une étroite clairière tapissée de lierres et de vignes sauvages, d'où l'on apercevait un large ruisseau argenté s'écoulant d'est en ouest.

— Regardez, les amis ! fit remarquer Karine. Il y a un lymorth de l'autre côté du ruisseau.

— En effet, approuva Élodie, ravie d'avoir enfin trouvé. Mais comment ferons-nous pour franchir ce ruisseau ? Le courant est beaucoup trop fort pour le traverser à pied !

— Et il semble très profond, ajouta Abbie.

— Il y a un tronc d'arbre mort couché au-dessus du ruisseau, là-bas. Ça pourrait nous servir de passerelle, suggéra Jeremy, qui avait déjà pris les devants pour s'y rendre.

— Attends-nous, le frère !

D'un pas rapide, le petit groupe le suivit. Soudain, Jeremy s'arrêta brusquement !

— Qu'est-ce qui se passe, Jeremy ? Pourquoi t'arrêtes-tu ?

Jeremy ne répondit pas tout de suite. Il se contenta de regarder autour de lui, troublé par un bruit qu'il avait entendu de l'autre côté du ruisseau.

— Je crois que nous ne sommes plus seuls, chuchota-t-il, scrutant avec attention l'autre rive.

— Mais je ne vois rien, dit Zarya.

— Je ne vois rien non plus. Mais j'ai cru entendre des chuchotements, dit-il, très attentif.

— Allons-y, le frère ! dit Élodie, qui avait hâte de quitter ce lieu inquiétant. Il n'y a que le lymorth de l'autre côté de ce ruisseau !

Jeremy avança vers le tronc d'arbre qui servait de pont, mais s'arrêta de nouveau.

— Regardez ! s'écria-t-il.

Une petite silhouette sortit de l'ombre pour apparaître sous les éclats dorés du soleil. C'était un petit être d'à peine un mètre de haut avec de longs et magnifiques cheveux rouges brillants, des yeux en amande avec des pupilles extraordinairement dilatées et une petite bouche ourlée.

— C'est *ça*, un Korrigan ? demanda Abbie, surprise. Je le trouve plutôt mignon !

— *MIKATOUË IPONA DONKUTI !* dit le Korrigan d'une voix forte et offusquée.

— Que dit-il ? demanda Zarya.

— Je n'en sais rien, répondit Jeremy. J'avoue que j'ai un peu de difficulté avec son accent du Nord… Mais j'ai l'impression qu'il n'est pas très content de nous voir !

— Excusez-nous… monsieur ! dit Karine d'une voix douce et innocente. On veut juste prendre deux petites feuilles de cet arbre…

— *NICOTIA APINOU DONKUTI !*

— Je crois vraiment qu'il est en colère, dit Jeremy en reculant d'un pas sous ces menaçantes paroles ; à tout le moins, c'est ce qu'il semblait décrypter dans la voix très aiguë du Korrigan.

Sur ces paroles, quatre autres Korrigans apparurent, armés de petits javelots fort étincelants ; leur extrémité semblait être en or pur, remarqua Zarya.

— Les trouves-tu toujours aussi mignons avec leurs javelots ? demanda Jeremy à Abbie.

— Pas vraiment !

— Alors, les garçons, demanda Élodie, qu'est-ce que vous attendez ?

— Je te ferai remarquer qu'ils sont armés, dit Jeremy en regardant sa sœur avec de gros yeux.

— Ils sont armés de petits javelots de quelques centimètres, on dirait des jouets pour enfants...

Sur ces paroles, un long sifflement perçant traversa l'atmosphère, calme jusqu'alors, excluant le délire du Korrigan, bien entendu...

— Attention ! s'écria Olivier d'une voix forte.

Bang ! Le javelot de l'un des Korrigans frappa de plein fouet le mur télékinésique de Jeremy, qui, heureusement, avait eu le bon réflexe dans créer un.

— Des jouets pour enfants ! s'exclama le garçon en regardant sa sœur.

— Ils ont une force de lancer vraiment incroyable ! dit Olivier en reculant derrière un arbre pour se mettre à couvert.

Tous étaient maintenant à l'abri et observaient les cinq Korrigans montant la garde sur l'autre rive.

— Je crois qu'ils ne veulent pas qu'on traverse la passerelle, en déduisit Zarya.

— J'en ai bien l'impression, approuva Karine.

— Alors, qu'est-ce qu'on fait ? demanda Abbie en regardant Élodie.

— Pas question qu'on revienne bredouilles ! dit-elle, déterminée.

— Tu as parfaitement raison, approuva Karine, j'en connais une qui serait trop ravie de notre défaite...

— Cylia Ekin ! dirent-ils, tous de concert.

— Alors, il y a une seule solution, suggéra Karine, décidée. Les garçons vont faire diversion et les tenir occupés, et, nous, on va se procurer les deux feuilles de lymorth dont on a besoin pour la potion.

— Quoi! Pourquoi nous? demanda Jeremy, exaspéré. On fait toutes les sales besognes, et, vous, il ne vous reste qu'à touiller la potion!

Une fois de plus, Karine fit de beaux yeux craquants à Jeremy.

— Bon, d'accord! Viens, mon vieux, dit-il en regardant Olivier, allons *encore* sauver la mise!

Jeremy et Olivier sortirent précipitamment de leur abri pour se diriger en courant en amont du ruisseau. Le plan sembla fonctionner, car les Korrigans les suivirent en lançant leurs javelots dans leur direction. Olivier en profita pour leur catapulter des petits cailloux qui se trouvaient sur leur passage tandis que Jeremy s'occupait de créer un bouclier de protection.

— Ils sont vraiment stupides, dit Jeremy en courant vers un gros rocher pour se mettre à couvert.

— Heureusement, approuva Olivier qui regarda au loin les filles qui franchissaient la passerelle pour se diriger vers le lymorth.

— Il faut les tenir occupés maintenant, suggéra Olivier en bombardant des bouts de branches mortes sur les Korrigans, qui s'étaient dissimulés derrière un gros arbre, les filles sont rendues de l'autre côté.

Jeremy et Olivier catapultèrent tous les objets qui se trouvaient sur le sol à proximité d'eux …

Pendant ce temps, les jeunes filles arrivaient près du gigantesque arbre aux branches coudées de manière excentrique, couvert d'un feuillage luisant aux formes arrondies. Elles ne pouvaient malheureusement pas atteindre les feuilles, car les premières branches étaient à plus de cinq mètres au-dessus d'elles.

— Comment va-t-on faire pour se procurer les feuilles dont on a besoin? demanda Abbie.

— Je ne sais pas, répondit Karine en regardant les garçons au loin qui livraient un dur combat contre les Korrigans. Mais il faut faire vite, les garçons ne pourront pas les retenir bien longtemps.

— Essayons la télékinésie ! suggéra Élodie.

Elle se concentra et, après un effort plus que suffisant, une feuille s'arracha littéralement de l'arbre et tomba à ses pieds en trois morceaux dépourvus de la tige.

— Ça ne peut pas fonctionner, fit nerveusement remarquer Karine, la recette demande deux feuilles *intactes*.

— Malheureusement, la télékinésie ne semble pas être la solution idéale, dit Zarya en faisant un clin d'œil à Abbie. Mais je crois avoir une idée.

Abbie, comprenant le plan de Zarya, lui rendit son sourire…

— *Soune birdiass* ! dit Zarya.

Et, dans un formidable craquement qui fit trembler le sol et, par le fait même, alerta les Korrigans au loin, les trois troncs entrelacés du lymorth se plièrent d'élégante façon vers les jeunes filles qui reculèrent, les yeux écarquillés.

— *Gounie arpitiuss kyrotuss merucaus* ! ajouta alors Abbie.

Et, sur ces paroles totalement incompréhensibles pour Karine et Élodie, l'une des branches se déploya vers Abbie. Cette dernière tendit la main et extirpa deux feuilles de lymorth sous les yeux ébahis des deux garçons, qui regardaient, de loin, cet insolite spectacle.

L'inquiétude d'Olivier

Les jeunes filles s'engagèrent de nouveau sur l'étroite passerelle qui surplombait le ruisseau, mais, cette fois, en toute hâte, et avec raison, puisque les Korrigans étaient fous de rage ; malgré leurs courtes jambes, ils couraient dans leur direction à une vitesse surprenante. Pour être certaine qu'ils ne les rattrapent pas, Zarya fit demi-tour et utilisa son pouvoir télékinésique pour faire basculer le tronc d'arbre dans le ruisseau, sous les regards enflammés des Korrigans. Les quatre amies, maintenant rassurées, allèrent rejoindre les garçons.

Les adolescents marchaient à grands pas sur le tortueux chemin du retour. Élodie regardait fréquemment par-dessus son épaule pour s'assurer qu'ils n'étaient pas suivis. Au bout d'une quinzaine de minutes à se poser la question, elle demanda finalement à Zarya et Abbie :

— Mais, comment avez-vous fait pour ?...

— Pour demander à l'arbre de s'incliner ? compléta humblement Zarya qui se doutait bien de son interrogation.

— Oui, c'est ça, exactement.

Zarya et Abbie se regardèrent et devinèrent qu'elles ne devaient pas dévoiler, et sous aucun prétexte, l'existence de Martha.

— C'est mon grand-père qui nous a enseigné l'art de parler aux végétaux.

— Vraiment incroyable ! Parler aux plantes est une magie très ancienne. Une magie datant de l'époque des druides, si je ne me trompe pas, dit Karine, impressionnée, j'espère que vous allez nous l'apprendre ?

— Oui, bien sûr… on pourra essayer, pourquoi pas ! Mais ce ne sera pas évident, c'est un peu compliqué…, dit Zarya en regardant Abbie d'un air contrarié.

Elles n'avaient pas mesuré les conséquences du geste qu'elles avaient fait en parlant le langage des plantes devant leurs amis. Elles espéraient qu'ils oublieraient vite cette démonstration plutôt insolite, et pour cause ! C'était un pouvoir qu'elles ne pouvaient transmettre à leurs amis, puisque seule une sorcière aussi redoutable que Martha pouvait psalmodier ce genre d'incantation aussi puissante.

Au bout de quelque temps, c'est avec un grand soulagement qu'ils quittèrent la forêt interdite des Korrigans. Malgré l'anicroche avec ces derniers, l'angoisse ressentie dans l'atmosphère oppressante et le silence sépulcral régnant dans cette forêt, Zarya et ses amis avaient passé une belle journée mouvementée qu'ils n'étaient pas prêts d'oublier.

Ils étaient tous arrivés près de la Récré-A-Thèque lorsque Zarya demanda à Élodie :

— Doit-on fabriquer la potion maintenant ?

— Non, pas aujourd'hui, répondit son amie en montrant la feuille d'instructions à Zarya et à Abbie. Selon les directives, il faut seulement se procurer les ingrédients aujourd'hui, et la fabrication aura lieu demain, pendant la compétition.

— De toute façon, renchérit Olivier, on a suffisamment d'ingrédients pour faire une seule potion…

— Et surtout, le cristal pour activer la potion magique n'est pas en notre possession, ajouta Élodie. Ils vont sûrement nous le fournir demain, lors de la compétition.

— Bon, je crois qu'on devrait aller se coucher, suggéra sagement Jeremy en saluant Zarya et Abbie d'un signe de main chaleureux. On a une grosse journée qui nous attend.

— Tu as parfaitement raison, dit Zarya en les saluant à son tour, imitée par Abbie.

Par la suite, Abbie s'approcha timidement d'Olivier pour lui donner une douce étreinte suivie d'un chaste baiser sur ses lèvres frémissantes. C'est avec les jambes ramollies qu'Olivier franchit le rideau cristallin verdâtre du transmoléculaire.

Zarya et Abbie rentrèrent à la maison, là où madame Phidias les attendait, sûrement avec un bon repas, espéraient les jeunes filles. Effectivement, Zarya et Abbie avaient deviné juste, car elles remarquèrent une agréable odeur de nourriture flottant dans toute la maison.

— Bonjour, mesdemoiselles ! dit Mitiva avec un doux sourire. J'espère que vous avez aimé votre journée ?

— Oui, on a passé une très belle journée, madame Phidias, répondit Zarya, qui dissimulait, sous un sourire, l'assaut des Korrigans.

— Très bien, je suis contente pour vous, dit-elle. Le souper sera prêt dans quelques minutes.

— Très bien, madame Phidias, dit Abbie. On va aller prendre une douche rapide et changer de vêtements.

— Je crois que c'est une très bonne idée, dit Mitiva en regardant les vêtements souillés des jeunes filles.

Ce fut en un temps record que Zarya et Abbie se lavèrent et se changèrent. Par la suite, elles pénétrèrent dans la salle à manger, prêtes à déguster le bon repas.

— Vous avez été plutôt rapides, les filles, fit Mitiva, surprise.

— Oui, disons qu'on n'a pas beaucoup de temps pour manger et pour dormir, s'inquiéta Zarya. Si l'on veut rester alertes pendant les vingt-quatre heures de festivités…

— Ne vous en faites pas pour ce petit détail, mesdemoiselles, dit Mitiva en déposant les assiettes sur la table. Je vais vous arranger ça, mais en temps et lieu !

Zarya et Abbie se dévisagèrent, étonnées par ses paroles, mais elles faisaient confiance à madame Phidias. Zarya regarda la chaise inoccupée au bout de la table et devina que son grand-père devait être très accaparé par les diverses activités de prévention organisées par le gouvernement attilien durant les festivités de Noël. Le repas que madame Phidias avait préparé était vraiment exquis. Les jeunes filles engouffrèrent le tout en quelques bouchées : la journée emplie d'émotions avait eu pour effet de leur ouvrir l'appétit. Pendant le repas, Zarya et Abbie racontèrent à madame Phidias leur visite dans la boutique de madame Barsac, sans oublier leur fameuse excursion en forêt. Elles prirent soin, bien entendu, d'omettre certains détails qui auraient pu l'inquiéter inutilement. Après le souper, les jeunes filles aidèrent madame Phidias à desservir la table.

— Bon, je crois qu'il est l'heure d'aller vous coucher, mesdemoiselles !

— Oui, vous avez raison, approuva Zarya.

— Je ne sais pas pour vous, dit Abbie en rangeant les derniers ustensiles dans le tiroir, mais, pour ma part, je ne suis vraiment pas fatiguée.

— Pourtant, il faut tout de même aller vous reposer, dit Mitiva en posant sa main sur l'épaule de l'adolescente.

— Oui, c'est vrai, dit Zarya en regardant Abbie du coin de l'œil.

Elles se dirigèrent donc dans leur chambre à coucher et, curieusement, madame Phidias y pénétra également.

— Il ne vous reste que cinq heures de sommeil environ, fit remarquer Mitiva en restant debout près du bureau. Alors, je crois qu'il vous faut un petit coup de main pour que vous soyez détendues le plus possible afin que vous puissiez atteindre le sommeil profond.

— Avez-vous des somnifères pour nous ? la questionna Abbie.

— Non, mieux que cela, dit-elle en lui faisant un petit clin d'œil. Je vais vous envoyer au royaume du sommeil grâce au pouvoir de l'hypnose.

Après que Zarya et Abbie eurent enfilé leurs vêtements de nuit, elles s'étendirent sur leur lit respectif, couchées sur le dos comme madame Phidias le leur avait suggéré. Ce fut en l'espace incroyable de quelques secondes à peine que les jeunes filles entrèrent dans un sommeil profond.

◊ ◊ ◊

Driiing ! Le réveille-matin sonna sur le coup de 23 h 30. Zarya se réveilla complètement reposée, avec la sensation d'avoir été enveloppée d'une chape chaude et bienveillante. Elle se tourna en direction d'Abbie et lui demanda d'une voix encore somnolente :

— As-tu bien dormi, Abbie ?

— Comme un bébé, répondit cette dernière en s'étirant tout doucement. Et toi ?

— Même chose, dit-elle en s'arrachant à ses couvertures.

— Madame Phidias n'était pas rendue à cinq dans son décompte que déjà, je sombrais dans un sommeil de plomb.

— Elle est vraiment forte en hypnose, souligna Zarya tout en regardant par la fenêtre. Oooh ! Regarde, Abbie !

Celle-ci, curieuse comme toujours, sortit de son lit à toute vitesse.

— Waouh ! Que c'est magnifique, lança-t-elle, les yeux brillants. Crois-tu que c'est une vraie ?

— Je vous souhaite un joyeux Noël ! fit Mitiva en entrant dans leur chambre.

— Joyeux Noël, madame Phidias ! répondirent les jeunes filles.

— Vous avez bien dormi, j'espère ?

— J'ai l'impression d'avoir dormi une journée entière, dit Abbie.

— Regardez ! C'est sûrement commencé, il y a des lumières partout, dit Zarya en observant de nouveau par la fenêtre.

— Est-ce que c'est une vraie ? ...

— Étoile ! compléta Mitiva avec le sourire.

Zarya pouvait apercevoir, au loin, la pyramide d'Hélios éclairée par de puissants projecteurs qui diffusaient de belles couleurs chatoyantes qui changeaient du bleu au vert, en passant par le rouge cerise. Mais la chose qui attirait le plus l'attention de Zarya et d'Abbie, c'était cette boule de lumière scintillante au-dessus de la pyramide qui ressemblait étrangement à une étoile.

— Non, ce n'est pas une vraie étoile, dit Mitiva en la contemplant elle-même par la fenêtre. C'est une simulation de l'étoile qui a guidé Gaspard, Melchior et Balthazar vers le lieu de la naissance du Fils de Dieu.

— Les trois personnes que vous venez de mentionner, ce sont les Rois mages, n'est-ce pas ? demanda Zarya.

— Exactement... Bon ! Maintenant, vous devriez penser à partir, mesdemoiselles.

— Vous avez raison, approuva Zarya.

◊ ◊ ◊

Fin prêtes, les jeunes filles s'arrêtèrent sur le seuil de la porte d'entrée, et Zarya se retourna pour demander à madame Phidias :

— Vous ne venez pas ?

— Oui, bien sûr, répondit-elle, mais je dois aller rejoindre notre voisine, madame Penley. Nous nous occupons de la distribution des petits gâteaux près de la pyramide d'Hélios. J'espère que vous allez venir nous voir, mesdemoiselles.

— On n'y manquera pas, répondirent les jeunes filles d'une seule voix.

— Alors, je serai sous le grand chapiteau avec votre grand-père...

— Mon grand-père sera là ! s'exclama Zarya, étonnée et contente à la fois.

— Oui, bien sûr. Il viendra nous rejoindre après son travail et il sera affecté à la distribution du café et du thé.

Zarya et Abbie sortirent du transmoléculaire près de la pyramide d'Hélios, là où était leur point de rendez-vous avec leurs amis.

— Ils ne devraient pas tarder, dit Abbie en regardant sa montre. Il est 23 h 57, et ils ont dit qu'ils seraient ici vers minuit.

— Oui... sûrement, répondit Zarya, distraite, en regardant vers le haut.

Abbie regarda dans la même direction que son amie, et c'est avec la bouche grande ouverte qu'elle vit le magnifique spectacle s'offrant à elle. Elles observaient l'étoile qui flottait au-dessus de la pyramide : elle était suspendue dans le ciel, sûrement grâce à une magie très puissante, devinèrent les deux jeunes filles.

— Elle semble gigantesque vue d'ici, remarqua Zarya, les yeux brillants.

— Elle mesure cinquante mètres de diamètre, dit une voix familière derrière elles. Et elle lévite à cent trente mètres au-dessus de la pyramide, rajouta-t-elle.

Zarya et Abbie se tournèrent vers le transmoléculaire et virent Olivier accompagné de Karine, d'Élodie et de Jeremy.

— Vraiment incroyable ! dirent-elles, éblouies.

— Joyeux Noël ! lancèrent alors les adolescents.

— Joyeux Noël ! répondirent-elles avec un large sourire.

— Allons-y, les filles ! lança Jeremy avec sa bonne humeur habituelle, allons festoyer !

Partout, dans les ruelles étroites d'Attilia, Zarya pouvait contempler des décorations de Noël qui ressemblaient étrangement à celles de l'autre dimension. D'autant plus que, à sa grande surprise, elle constata que le sapin était aussi l'un de leurs symboles de Noël. En effet, elle pouvait voir des sapins joliment décorés partout où son regard portait. De plus, elle devina que des haut-parleurs avaient été disséminés partout dans la ville, car elle pouvait entendre une musique festive jouer de douces notes de mélodies de Noël. Le tout créait une ambiance féerique incroyable !

— Allons au parc d'Argos, près de la rue Phénix, suggéra Olivier. Il y a de beaux spectacles à ne pas manquer qui y sont présentés.

— Très bonne idée, approuva Élodie.

Zarya fut légèrement bousculée par des enfants qui s'amusaient à courir après des papillons scintillant de feux prismatiques qui volaient de gauche à droite. « Sûrement des jouets attiliens », pensa-t-elle.

— Nous y sommes, dit Olivier.

C'était un parc qui s'étendait sur près d'un kilomètre avec un lac en son centre. Zarya était déjà venue, malgré elle, en ces lieux… C'était là où le mage noir l'avait emmenée pour entrer en contact avec elle ; à la suite de cette rencontre, elle l'avait surnommé « le mystérieux inconnu du parc ». Heureusement, Zarya était venue pour une tout autre raison aujourd'hui ; elle était ici pour s'amuser ! Zarya n'avait jamais vu autant d'Attiliens rassemblés au même endroit depuis qu'elle connaissait leur existence.

— Regarde, Abbie ! fit remarquer Olivier avec les yeux brillants comme un enfant. Une plate-forme antigravitationnelle, c'était mon jeu préféré quand j'étais jeune…

— Quand tu étais jeune ! s'esclaffa Jeremy, qui courait dans la direction de ce jeu. Moi, je l'aime encore… Youpi !

— Parfois, il me fait honte, lança Karine, découragée.

— Après tout, c'est Noël, dit Olivier en suivant Jeremy dans ses folies.

Zarya et Abbie pouvaient voir Jeremy et Olivier s'en donner à cœur joie et flotter, grâce à une technologie attilienne, dans l'air, au-dessus d'une plate-forme sise au niveau du sol, laquelle était de la grandeur de la chambre de Zarya. Les enfants qui s'y trouvaient avant l'arrivée de Jeremy et d'Olivier regardèrent ces deux grands fanfarons exécuter des virtuosités acrobatiques vraiment surprenantes…

— N'essayez surtout pas de nous imiter, mes jeunes amis, dit Jeremy en regardant, la tête en bas, les enfants qui avaient de grands yeux emplis d'admiration.

— Venez, les gars ! insista Élodie. On n'y passera quand même pas la soirée !

Il n'y eut aucune amélioration notable dans le comportement des garçons dans les heures qui suivirent, au grand désespoir de Karine. Par contre, Abbie aimait bien qu'Olivier, toujours sérieux jusqu'à présent, lâche un peu son fou.

— À quelle heure est ta compétition de donar-ball, Olivier ? demanda Jeremy, qui regardait un homme jongler, grâce à la télékinésie, avec une quarantaine de boules de lumière multicolores qu'il propulsait très haut dans les airs.

Olivier, qui s'amusait comme un petit gamin jusqu'à maintenant, se sentit soudainement envahi par l'anxiété.

— Dans vingt-cinq minutes, marmonna-t-il en regardant sa montre.

— Dans vingt-cinq minutes ! répéta Abbie, qui était à ses côtés. Il faudrait peut-être penser à s'y rendre pour te préparer !

— Oui… sûrement, dit Olivier d'une voix traînante.

— Je suis sûre que tout va bien se passer, dit Zarya, qui sentait la nervosité de son ami.

— J'aimerais être aussi confiant que toi, répliqua Olivier, qui n'osait pas regarder cette dernière dans les yeux ; il se contentait de fixer le jongleur qui exécutait ses impeccables performances relevant de la magie.

— Ben voyons ! lança Jeremy, tu te sous-estimes… Nous, on a confiance en toi.

— C'est bien ça ma plus grande inquiétude, se confia-t-il, j'ai peur de vous décevoir…

— La seule déception que tu peux nous infliger, dit Jeremy, c'est de ne pas essayer.

Un léger sourire apparut alors sur les lèvres d'Olivier. Il sentait l'appui de ses amis ; un regain d'énergie et de confiance surgit au fond de lui-même.

— Très bien, dit-il en regardant ses amis, mais je ne vous promets rien.

— Ne sois pas aussi modeste, mon vieux. J'ai joué contre toi au moins une dizaine de fois depuis quelques semaines et j'ai remporté une seule victoire, avoua Jeremy, fier de son ami, et on peut dire que j'ai gagné de justesse.

Olivier eut un petit sourire…

— Nous, on a entièrement foi en tes aptitudes pour ce sport, ajouta Zarya en déposant sa main sur l'épaule du garçon sous le regard entendu d'Abbie et de ses amis.

Essayant de toutes ses forces de conserver son calme malgré son estomac noué par une angoisse insupportable, Olivier décida de suivre ses amis sans en ajouter davantage. Son appréhension était attribuable au fait que le tournoi auquel il était inscrit serait sans aucun doute le tournoi le plus difficile de toute sa vie. Depuis qu'il avait obtenu ses pouvoirs, il avait participé à de nombreux tournois sans envergure à la Récré-A-Thèque, mais, cette fois, c'était différent : il n'avait jamais pris part à une compétition de ce calibre !

Après avoir marché dans les ruelles bondées d'une foule remuante avec de joyeux brouhahas incessants, le groupe d'amis arriva tout près de la pyramide d'Hélios, là où se déroulait le championnat. Zarya remarqua un bon rassemblement de gens. « Sûrement des amateurs de donar-ball », pensa-t-elle en voyant la frénésie autour d'un terrain qui ressemblait à celui qu'elle avait déjà vu à la Récré-A-Thèque. Elle s'approcha et essaya de regarder par-dessus l'épaule d'un homme de grande taille. Aussitôt qu'elle réussit à se placer dans une position confortable, la partie se termina.

— Je me suis informée au préposé, et il m'a dit que nous sommes arrivés juste à temps, dit Élodie en regardant Olivier, qui sembla perdre des couleurs à ces paroles. Le prochain affrontement est dans dix minutes, et c'est le tien, Olivier !

— Très… très bien ! balbutia Olivier en regardant la foule surexcitée autour de lui.

— Tout va bien se passer, dit Jeremy en le prenant par le bras. Viens, mon ami, on va aller te réchauffer.

Abbie se sentit tout à coup très nerveuse en posant ses yeux sur Olivier qui s'éloignait vers l'arrière de l'estrade.

— Ne t'en fais pas, dit Zarya en pressentant la nervosité d'Abbie.

— Je ne l'ai jamais vu aussi anxieux, avoua Abbie en se tournant vers Zarya, qui semblait partager son point de vue.

— Ça va bien se passer, l'encouragea-t-elle avec un petit sourire.

Zarya se tourna en direction de Karine et d'Élodie et leur demanda :

— Quelles sont les règles du jeu ?

— Les règlements sont fort simples ! expliqua Karine en regardant Zarya et Abbie. Le but du jeu est de faire le plus de points possible avec les quatre balles qui sont posées dans la boîte, dit-elle en la montrant du doigt. À tour de rôle, les adversaires doivent les lancer dans les trous de la cible située de l'autre côté du terrain, celle que tu vois là-bas. Cependant, les joueurs doivent se servir exclusivement de la télékinésie ; aucun contact physique avec les balles n'est permis.

Zarya pouvait constater que le terrain était d'une longueur de dix mètres sur deux mètres de largeur. À une extrémité de l'aire de jeu, il y avait une table où étaient posées, dans une boîte en bois rouge vif avec des motifs d'étoiles argentées, quatre balles rouges et quatre balles bleues en caoutchouc de la grosseur d'une balle de tennis. À l'autre extrémité, il y avait une cible représentant une rose des vents dorée avec ses quatre points cardinaux percés d'un trou. De plus, en plein centre de la cible, il y avait un trou à peine plus gros que les balles. Le trou du haut, qui était le plus gros des cinq, était identifié par *10 points* ; celui de gauche, plus petit, donnait *15 points* ; celui de droite donnait *20 points* ; celui du bas donnait *25 points* ; et le dernier, celui situé au centre de la cible et également le plus petit et le plus difficile des cinq, accordait *50 points*. Un tableau indicateur au-dessus de la cible affichait le pointage ; pour l'instant, il indiquait *0 à 0*. Et, sous le tableau indicateur, il y avait un cadran horizontal affichant les lettres *km/h*.

— Le cadran sous le tableau du pointage, demanda Zarya à Karine, indique-t-il la vitesse ?

— Oui, exactement, répondit-elle. La vitesse est très importante à ce jeu. Si tu atteins une vitesse plus haute que 200 km/h, tu as droit à des points supplémentaires.

— 200 km/h ! dit Abbie, impressionnée, c'est très rapide !

— Oui, très rapide, approuva Karine avec le sourire. Chaque kilomètre à l'heure excédant les 200 km/h te donne un point supplémentaire.

Jeremy s'approcha des jeunes filles…

— Où est Olivier ? demanda Abbie en regardant par-dessus l'épaule de Jeremy.

— Il est parti rejoindre les officiels pour se faire expliquer les règlements à suivre. C'est la procédure habituelle.

Quelques minutes s'écoulèrent pendant lesquelles Zarya, Abbie, Karine, Élodie et Jeremy ne prononcèrent aucune parole en fixant la tente dressée pour les officiels. Abbie sentait son cœur sauter dans sa poitrine : l'espoir qu'Olivier gagne mêlé à la crainte qu'il perde occasionnait des battements désordonnés. « Il faut que je me calme, se dit-elle, visiblement nerveuse et fébrile, ce n'est qu'un jeu, après tout ! »

Tout à coup, l'arbitre sortit, accompagné d'Olivier et de son adversaire. Les acclamations fusèrent à l'arrivée des deux joueurs. Zarya et ses amis encouragèrent l'entrée d'Olivier sur le terrain. Il jeta un coup d'œil à Abbie, puis esquissa un petit sourire nerveux. Selon les règlements, l'arbitre lança une pièce de monnaie en l'air pour déterminer la personne qui devait commencer. La pièce tomba sur le sol, et l'officiel prononça le nom de la personne qui devait s'exécuter la première :

— Tom Beddok !

Zarya, Abbie et ses amis observaient avec attention la partie de donar-ball qui était sur le point de débuter. Tom Beddok était concentré. Il fixa la balle rouge dans la boîte et la fit s'élever par la seule force de sa pensée. À présent, la balle flottait en face de ce jeune garçon à cinq centimètres au-dessus de sa main. De sa main, il fit le geste de lancer la balle, mais sans toutefois avoir un contact physique avec elle : la balle fut projetée à une vitesse surprenante. Il loupa cependant le trou de gauche de peu, à la grande déception de la foule. C'était le tour d'Olivier.

— Son adversaire a manqué sa première balle, chuchota Jeremy aux jeunes filles. En principe, il devrait essayer d'atteindre le trou du haut, qui est le plus grand. Comme ça, il va avoir 10 points d'avance sur Tom...

— En plus des points pour sa vitesse, ajouta Zarya, qui commençait à comprendre la stratégie du jeu.

— Oui, exactement.

La balle bleue flottait à présent en face d'Olivier et, tout comme son adversaire, il fit un mouvement de propulsion, et elle pénétra à une vitesse folle dans le trou du bas, ce qui lui procura une avance de 25 points. Abbie lâcha un cri tellement aigu que même l'arbitre tourna la tête dans sa direction. Avec une vitesse de 234 km/h, le tableau indicateur au-dessus de la cible affichait à présent *59 à 0*.

— Je ne comprends pas, dit Karine en regardant Jeremy, pourquoi avoir risqué le trou du bas quand il aurait pu facilement atteindre celui du haut ?

— Je l'ignore !

Tom prit la deuxième balle et la propulsa dans le trou de gauche, ce qui lui valut 15 points, avec une vitesse de 226 km/h. Maintenant, le tableau indicateur affichait *59 à 41*.

Les spectateurs de l'autre côté du terrain extériorisaient leur appréciation en agitant leur casquette pour leur compère même si Tom avait 18 points de moins qu'Olivier.

— Vas-y, Olivier ! crièrent ses amis tous en chœur.

Malgré les encouragements de ses amis, Olivier restait stoïque, son visage n'affichait aucune émotion ; il était très concentré. La foule criait d'excitation, mais Zarya remarqua que les gens ne prenaient ni pour l'un ni pour l'autre en particulier. C'était à présent au tour d'Olivier, qui était toujours concentré. Il répéta l'exploit sous les acclamations de ses amis ainsi que du public. En effet, il avait de nouveau réussi à faire pénétrer la balle dans le trou du bas, ce qui lui donna 25 points supplémentaires, et, en ajoutant sa vitesse d'exécution de 231 km/h, ça lui accordait 56 points de plus.

Tom prit une position confortable, puis il propulsa sa troisième balle ; il réussit à obtenir 54 points de plus en incluant sa vitesse d'exécution.

— Là, Olivier devrait jouer intelligemment, dit Jeremy. Il lui reste encore deux balles et, s'il les lance dans le trou du haut, qui est le moins risqué, il devrait avoir une confortable avance.

Olivier s'installa à son tour, sous les encouragements soutenus de ses amis. Pour son avant-dernier lancer, Olivier propulsa sa balle avec une force incroyable dans le trou du centre, ce qui lui donna 50 points de plus, avec une vitesse de 242 km/h.

— Waouh ! lança Abbie, heureuse pour Olivier.

— C'est incroyable ! dit Zarya, qui était aussi excitée qu'Abbie. C'est maintenant 207 à 95… C'est certain qu'il remporte la victoire…

— Attendez un peu ! fit remarquer Jeremy en observant Olivier, qui regardait les résultats des pointages antérieurs de la journée sur le panneau principal. Il ne se bat pas contre Tom Beddok, mais plutôt contre Mathis Manssy !

Zarya examina le panneau et vit que le meneur de la journée était Mathis Manssy avec un pointage impressionnant de 307. Elle se tourna de nouveau vers le terrain et vit Tom qui lançait sa dernière balle dans le trou du bas, ce qui lui donna un total de 88 points incluant ses 232 km/h. Ce qui le plaçait au sixième rang sur le panneau principal avec un résultat de 152 points.

Maintenant que ses amis comprenaient le but d'Olivier, ils l'encouragèrent de plus belle.

— Vas-y, Olivier, tu peux y arriver ! lança Abbie d'une voix qui surpassait celle des autres.

Olivier en était à sa dernière balle lorsqu'il se prépara mentalement pour son dernier lancer. Il savait qu'il n'avait pas le choix de viser le trou du centre pour gagner le tournoi, mais il devait propulser sa balle à une vitesse qu'il n'avait encore jamais atteinte jusqu'à aujourd'hui.

— S'il veut battre le pointage de Mathis Manssy, il doit atteindre une vitesse de 250 km/h, dit Élodie.

— Peut-il y arriver ? demanda Zarya à Jeremy.

— La plus grande vitesse qu'il a déjà réussi à atteindre, c'est 246 km/h, répondit Jeremy, un peu sceptique quant aux chances de son ami.

— Mais… mais, qu'est-ce qu'il fait ? demanda Zarya en voyant Olivier reculer de trois pas…

— Il essaye de se donner un élan supplémentaire, comprit Jeremy. Mais c'est impossible ! Il va manquer de précision pour le trou du centre !

Un silence de plomb régnait dans le public. Olivier se concentra encore quelques secondes, puis il lança sa dernière balle. Elle émit un strident sifflement en déchirant l'air et elle pénétra dans le trou du centre à la vitesse ahurissante de 253 km/h ! Abbie sauta de joie, imitée par ses amis qui n'en croyaient pas leurs yeux ; même Tom Beddok applaudissait après avoir vu le coup de maître exécuté par Olivier. Ayant obtenu un surprenant pointage de 310, Olivier fut déclaré grand champion de donar-ball pour cette année.

Une voix du passé

La victoire de la coupe Milford — c'était le nom qu'on lui avait donné en l'honneur du fondateur du donar-ball — avait plongé Olivier et ses amis dans un état euphorique, et Zarya remarqua que, tout comme eux, le public avait grandement apprécié la performance de son ami. De toute évidence, tous ces gens qui s'agglutinaient autour du vainqueur afin de le féliciter à la suite de son brillant triomphe en lui donnant des tapes dans le dos étaient fiers de leur nouveau champion !

Lorsque Zarya et ses amis eurent réussi à s'extirper de la foule ravie, ils décidèrent d'aller rejoindre madame Phidias et son grand-père Gabriel, tel que promis.

À proximité de la grande pyramide se dressait un immense chapiteau à l'allure baroque. En y pénétrant, Zarya entendit une douce musique de Noël jouée avec une maîtrise époustouflante par l'Orchestre symphonique d'Attilia. Elle évoluait avec émerveillement parmi les longues tables dressées avec des nappes de coton toutes colorées. La tente était joliment décorée avec toutes ces guirlandes multicolores et ces lanternes suspendues aux poutrelles qui jetaient une lumière rougeâtre sur les têtes des personnes attablées. En progressant vers l'arrière du chapiteau, Zarya aperçut, derrière un vaste comptoir improvisé, une dizaine de personnes toutes vêtues d'un tablier blanc. Parmi eux, madame Phidias et Gabriel servaient des boissons ainsi que de bons gâteaux à un jeune couple et leurs enfants. C'est d'un geste de la main que Zarya leur fit part de leur arrivée.

— Bonsoir et joyeux Noël à tous ! dit Gabriel en déposant sa cafetière et en s'approchant des adolescents.

Gabriel fut immédiatement attiré par la coupe dorée qu'Olivier tenait fièrement entre ses mains.

— Corrigez-moi si je me trompe, mon cher Olivier, demanda poliment Gabriel, mais n'est-ce pas la coupe Milford que vous tenez entre vos mains ?

— Oui, monsieur ! répondit-il avec un petit sourire timide.

— J'ignorais que vous étiez doté d'aptitudes techniques dans ce sport, dit-il, très fier de son commissionnaire.

— Et il est très bon, c'est lui le grand champion de cette année ! lança Zarya, très contente de son ami.

— Je suis très impressionné, Olivier… Mes félicitations ! dit Gabriel en lui serrant la main, imité par Mitiva qui venait de se joindre à eux avec un plateau empli de bons gâteaux qu'elle tenait en lévitation derrière elle.

Zarya et ses amis engouffrèrent avec appétit quelques petits gâteaux aux fruits des champs que madame Phidias leur avait donnés. Après quoi, madame Phidias et Gabriel s'assirent avec les adolescents, le temps d'une petite pause bien méritée ; Abbie en profita pour leur narrer la remarquable performance d'Olivier sur le terrain de donar-ball.

— À quelle heure est votre compétition de potions magiques ? demanda Mitiva, intéressée.

— On doit être présentes à 4 h 45 du matin près de la Récré-A-Thèque, répondit Élodie.

— À défaut d'avoir pu assister à la compétition d'Olivier, cette fois, nous serons présents à la vôtre, mesdemoiselles, affirma Gabriel avec conviction.

Avant le tournoi des jeunes filles, il restait suffisamment de temps aux adolescents pour qu'ils puissent se promener, de long en large, dans les rues d'Attilia afin de contempler les nombreux spectacles insolites et merveilleux qui y étaient présentés. Ils assistèrent à une prestation de marionnettes géantes manœuvrées grâce à la télékinésie ainsi qu'à la traditionnelle parade de chars allégoriques tirés par des chevaux ailés que Zarya reconnut sur-le-champ : c'étaient des sleipnirs blancs. Ces magnifiques bêtes trottaient allègrement dans les rues bondées de monde en tirant fièrement les chars allégoriques chargés de nombreux danseurs aux costumes extravagants, formant ainsi un lumineux cortège très apprécié par les milliers d'Attiliens présents.

C'était la première fois que Zarya se rendait près de la Récré-A-Thèque sans l'aide du transmoléculaire. Selon son estimation, elle devait avoir marché plus ou moins cinq kilomètres à travers les petites rues animées d'Attilia.

— Regardez, les amis… C'est ici ! fit remarquer Abbie en regardant une grande banderole aux couleurs jaune et rouge sur laquelle on pouvait lire *Compétition de potions magiques*.

Zarya pouvait apercevoir une trentaine de tables disposées en demi-cercle face à la table des juges, et, sur chacune d'elle, il y avait ces fameux chaudrons de cuivre et autres instruments pour concocter la potion. Déjà, des adolescents s'étaient installés à certaines tables et vérifiaient leur inventaire en étalant soigneusement tous les ingrédients de leur liste devant eux.

Zarya leva les yeux pour regarder l'heure indiquée sur l'horloge tout en haut du pignon de la Récré-A-Thèque : il était

4 h 25. Il restait donc encore vingt minutes avant le début de leur compétition.

— On devrait se choisir une table rapidement si on veut être bien placées, proposa Karine en essayant d'en localiser une.

— Vous pourriez prendre celle-là, suggéra Olivier en montrant du doigt une table près des gradins. De cette façon, on va pouvoir vous observer de plus près…

— Et, de cette position, on va également pouvoir vous souffler la bonne manière de procéder ! lança Jeremy avec humour.

— J'ai l'impression que tu n'as pas confiance en nous, le frère…, dit Élodie avec un air de défi.

— Je ne veux pas te décourager, la sœur, mais il ne faut pas oublier que vous avez choisi une catégorie plus avancée, dit-il en la regardant, et, pour une fois, ses yeux étaient empreints d'inquiétude. Par le fait même, vous devrez affronter des adolescents qui ont plus d'expérience que vous.

Malgré l'humour pince-sans-rire de Jeremy, son affirmation était tout à fait juste. Les jeunes filles se regardèrent, visiblement préoccupées par la constatation que venait de faire Jeremy…

— Je crois qu'il n'a pas tort, dit Élodie, je ne sais pas si on a bien fait de s'inscrire au niveau 2.

— On a juste à faire de notre mieux, suggéra Abbie, convaincue. Moi, j'ai confiance en nous !

— Tu as raison, Abbie, dit Zarya, qui partageait son attitude positive.

— Il ne faut surtout pas oublier cette *Cylia Ekin*, lança Karine, les yeux rétractés et les lèvres tordues par un rictus méprisant à la prononciation de ce nom.

— Ekin ! Oh non ! Il ne faut *surtout pas* qu'elle nous dame le pion, dit Élodie, qui partageait le dédain de Karine.

— En parlant du loup ! lança Zarya, qui employa une expression de l'autre dimension en regardant le groupe de Cylia s'approcher d'eux.

Ce n'était certes pas une simple coïncidence si le groupe de Cylia se plaça volontairement près du groupe de Zarya. L'adolescente voulait probablement être voisine du groupe à battre pour les voir perdre et les humilier par la suite. Mais, de toute évidence, Zarya et ses amis ne se laisseraient pas vaincre aussi facilement.

Comme les garçons le leur avaient suggéré, elles s'installèrent à la table près des gradins ; de cette façon, ils pourraient mieux les observer. Un court laps de temps passa, et Olivier sentit une main légère sur son épaule ; il se tourna et vit madame Phidias accompagnée de Gabriel qui s'assoyaient près d'eux en les gratifiant d'un aimable sourire.

Élodie sortit les ingrédients de son sac à dos et les étala précieusement sur la table tandis que Karine commençait à lire les instructions, aidée de Zarya et d'Abbie, afin de s'assurer qu'elles avaient tout en main. Sur la table, on retrouvait évidemment les ingrédients, mais aussi le chaudron de cuivre, la louche pour touiller la potion, un pilon et d'autres objets hétéroclites qui serviraient à la conception de la potion. Il ne fallut qu'un instant pour que les participants de la compétition fussent tous placés à leur table respective. C'est alors qu'une petite dame aux cheveux bleutés s'installa au microphone afin de s'adresser aux adolescents ; c'était la professeure de potions du Temple des Maîtres Drakar qui était chargée de superviser la compétition.

— Chers participants, chères participantes ! commença la professeure Vaena Molidor d'une voix chaude et mielleuse rappelant une grand-mère parlant à ses petits-enfants. Bienvenue à la deux cent cinquante-sixième compétition de potions magiques d'Attilia…

Pendant que la professeure Molidor expliquait les règlements et les procédures à suivre pour que le concours se déroule de façon sécuritaire, Zarya, tout en écoutant les consignes, jeta un regard discret à son grand-père. Elle lui serait éternellement reconnaissante pour toutes les choses qu'elle vivait depuis qu'il lui avait fait découvrir cette dimension fantastique. Pas seulement pour ses magnifiques bâtiments de pierres et sa fameuse pyramide d'Hélios, mais pour lui avoir permis de se faire de nouveaux amis, des amis qu'elle chérissait. Zarya ne s'était jamais sentie aussi heureuse de toute sa vie !

Puis elle reporta son regard sur la professeure Molidor.

— ... Si vous sentez qu'une anomalie survient lors de la fabrication de votre potion, vous devez impérativement le mentionner à l'une des personnes qui portent un dossard orange, expliqua la professeure Molidor. Finalement, j'aimerais vous souhaiter bonne chance à tous !

Pendant que les juges circulaient entre les tables, Zarya et ses amies commencèrent en allumant le brûleur sous leur chaudron. Après quoi, Karine entreprit la première étape en s'emparant de la pointe du trivaniculuste pour en extirper un liquide jaunâtre extrêmement odorant qu'elle déposa dans le chaudron contenant déjà de l'eau. Les jeunes filles furent stupéfaites de constater à quel point une chose aussi petite pouvait dégager une odeur aussi nauséabonde.

Bien qu'elles en fussent à leur deuxième expérience, Zarya et Abbie étaient complètement suffoquées et en même temps très excitées devant le mystère entourant la magie puissante des potions magiques. Cette magie était pratiquée et transmise par les plus grands druides, sorciers et mages de leur Histoire. Originellement, cette magie au service de la médecine faisait appel à des techniques rituelles, incluant des fines herbes, des plantes médicinales et des pierres magiques. Pendant les siècles qui suivirent, le champ d'action des potions magiques s'élargit. Après les potions médicamenteuses, il y eut les conceptions de philtres d'amour, de fidélité et même de mort. Plusieurs potions de combats furent également créées pour les Maîtres

Drakar. Parmi ces sortilèges de combats, notons entre autres l'Élixir du Céléritas, l'Indestructible Scutum Abdominal et, bien sûr, le Sortilège de l'Oblonguïturum…

Les participants étaient tous très concentrés, et le seul bruit que l'on pouvait entendre, c'était de sourds chuchotements et les crachotements des potions au point d'ébullition.

— La couleur de la potion devrait être légèrement plus foncée, fit remarquer Élodie en consultant les instructions sur la feuille.

Abbie prit à son tour la pointe du trivaniculuste.

— Je vais tenter d'en extraire quelques gouttes supplémentaires, dit-elle en la pressant de toutes ses forces.

— Ça fonctionne ! s'exclama Zarya en regardant le liquide dans le chaudron. La potion devient plus foncée.

— Excellent, Abbie ! la félicita Karine en prenant la louche afin de touiller avec soin la potion sept fois dans le sens des aiguilles d'une montre, comme la recette l'exigeait.

— Et maintenant, que doit-on faire ? demanda Zarya.

Élodie jeta un rapide coup d'œil aux directives, puis prit le petit pot qui contenait le venin du serpent médèsen des eaux…

— Karine, tu dois créer un vortex avec la louche et toi, Zarya, tu dois verser six gouttes au centre du vortex pour que le venin se propage au fond du chaudron, énonça Élodie en remettant le venin à son amie.

Olivier et Jeremy, en bons spectateurs, regardaient alternativement les tables de l'équipe de Zarya et de celle de Cylia. Ils remarquèrent qu'une réelle complicité s'était établie dans le groupe de Zarya, contrairement au groupe de Cylia. Cette dernière prenait la direction de toutes les opérations sans laisser de responsabilités à ses coéquipières. Jeremy souriait des remarques « rigolotes » qui fusaient du côté de Cylia :

— Cylia, dit timidement l'une de ses équipières, je crois que tu devrais brasser de l'autre côté…

— À gauche ou à droite, répliqua Cylia en regardant l'équipe de Zarya du coin de l'œil, il n'y a pas de différence. L'important, je t'assure, c'est qu'elle soit bien mélangée...

— Tu es certaine, Cylia ? osa la jeune fille. Parce que la couleur ne ressemble en rien à ce qui est mentionné dans la recette.

Sur ces mots, l'un des juges s'approcha et eut le réflexe de reculer d'un pas devant l'étrange texture de leur potion, sous le fou rire de Jeremy et d'Olivier. À la suite de quoi, le même juge s'avança près du groupe de Zarya et s'étira le cou pour mieux voir la potion :

— Le Sortilège de l'Oblonguïturum, n'est-ce pas ? devina le juge sans se départir de son air impassible.

— Oui, monsieur, répondit timidement Zarya.

Le juge s'éloigna du groupe en les gratifiant d'un petit sourire.

Après avoir broyé les graines de mistol et déposé la salive de troll dans le chaudron, les jeunes filles se tournèrent en direction d'une légère explosion à la table voisine de celle de Cylia Ekin. Bien que cette dernière fût légèrement éclaboussée par le liquide bleuté, elle s'esclaffa d'un rire qui ressemblait étrangement au cri d'une hyène, remarqua Zarya. Cylia savait très bien que ce groupe était automatiquement éliminé, cela expliquait son enthousiasme ! Ça lui donnait une chance de plus.

Zarya et ses amis reprirent le travail en sachant pertinemment que le temps jouait contre elles. En effet, le temps était un facteur très important dans la conception d'une potion et, dans le cas présent, cela pouvait influencer la note finale. Elles étaient maintenant rendues à la toute dernière étape, et non la moindre. Une opération très compliquée et dangereuse : elles devaient prendre les feuilles de lymorth et les réduire en poussière à l'aide d'un échantillon d'haleine de dragon et, finalement, insérer la poudre dans le chaudron en ébullition.

Après une dernière vérification afin d'être bien certaines que toutes les opérations avaient bien été complétées, elles levèrent leurs mains. Zarya remarqua qu'elles étaient la sixième équipe à terminer. Olivier, Jeremy, Mitiva et Gabriel applaudirent discrètement afin de ne pas déranger les autres équipes qui travaillaient encore. Les jeunes filles croyaient, avec une certaine fierté, que leur potion magique était réussie : la couleur et l'odeur semblaient similaires à la description indiquée sur la feuille d'instructions. Il restait encore cinq minutes aux autres équipes pour terminer leur potion. Le groupe de Cylia semblait très nerveux. Étant donné le peu de temps qu'il leur restait, Cylia jeta littéralement le reste des ingrédients dans la marmite sans se préoccuper de la recette. En conséquence, le chaudron se mit à trembler et il émit un son sourd qui fit reculer les jeunes filles apeurées. Livide, Cylia regarda, les yeux hagards et la bouche convulsée en un rictus désespéré, leur potion qui commençait à déborder. L'un des juges s'approcha promptement pour jeter une poudre blanche, fine comme de la farine, dans le chaudron sur le point d'exploser. Cette panacée eut pour effet de neutraliser l'évolution dangereuse que prenait la potion. Cylia, folle de rage, rejeta tous les blâmes sur le reste de son équipe et quitta la table sans oser regarder vers celle de Zarya.

— Je lui avais dit aussi de ne pas prendre le niveau 2, commenta tout bas l'une des jeunes filles de l'équipe de Cylia.

Zarya et ses amies ne firent aucun commentaire par respect pour le reste de l'équipe.

Le temps alloué pour la compétition était maintenant écoulé, et un coup de sifflet retentit alors. Sur trente-sept équipes, six n'avaient malheureusement pas réussi à compléter leur potion.

— Félicitations aux équipes qui ont pu terminer à temps, dit la professeure Molidor. Maintenant, nous allons vous distribuer les pierres magiques afin que vous puissiez activer vos potions.

Un des juges leur apporta une magnifique pierre lustrée ; on l'appelait la calcite orange.

— Personnellement, Abbie, je serais d'avis de te laisser le soin d'utiliser la pierre… Après tout, c'est toi la grande spécialiste, dit Zarya en regardant Élodie et Karine, qui étaient entièrement d'accord avec elle.

Abbie leur décocha un sourire, heureuse de la confiance qu'elles lui accordaient.

— Selon les instructions, dit Élodie, tu dois insérer la calcite orange dans la potion et dire la formule que tu vois ici, dit-elle en lui montrant la feuille.

— D'accord !

Abbie prit la pierre magique dans sa main, hésita quelques secondes puis la reposa sur la table en regardant ses coéquipières. Elle prit une profonde inspiration puis se lança :

— Si vous le voulez, je vais tenter quelque chose, les filles, dit-elle avec assurance.

— Vas-y, Abbie, l'encouragea Zarya en regardant ses amies, on te fait confiance.

Abbie leva ses deux mains au-dessus de la calcite orange et se concentra pour en extirper la shaïman, comme le professeur Razny le lui avait si bien enseigné, sous le regard attentif des jeunes filles et du juge qui s'approcha pour mieux observer. Quelques secondes passèrent, et Abbie, toujours bien concentrée sur la jolie pierre lustrée, remarqua une chaleur s'en irradier et se répandre dans les paumes de ses mains, tout comme la première fois où elle en avait fait l'expérience. Et soudain, de minces filaments dorés sortirent de la calcite orange et flottèrent sous ses mains. Par la suite, les longs filaments formèrent une boule translucide tournoyant sur elle-même, sous les yeux abasourdis des garçons ainsi que de Gabriel et de Mitiva. Dans un dernier effort, Abbie fit pénétrer les derniers filaments dans le chaudron, leur destination finale, en prononçant la formule magique :

— *Activas fluditarium inaspurinius !*

Le liquide dans le chaudron rougeoya quelques secondes puis se stabilisa. La potion était devenue plus consistante, comme la recette l'indiquait. Dès que toutes les équipes eurent activé leur potion, les juges allèrent soustraire un échantillon de chaque chaudron afin de l'analyser.

Après une courte, mais complexe analyse, la professeure Molidor s'approcha de nouveau du micro pour s'adresser aux participants :

— Encore une fois, félicitations à toutes les équipes ! dit-elle, fière de leur performance. Vous avez obtenu de très belles notes, et je suis très impressionnée par la réalisation délicate de vos potions. Malheureusement, les juges ont eu la difficile tâche de sélectionner cinq équipes pour le test final…

Zarya et Abbie se regardèrent en se demandant quel pouvait être ce test final.

— Je vais donc nommer les équipes qui participeront au test final, et vous vous avancerez, ici, en avant. L'équipe des tables cinq, neuf, treize, vingt-deux et, finalement, la table trente.

— Trente ! Mais… mais, c'est nous ! balbutia Abbie en regardant ses amies, qui étaient tout aussi excitées qu'elle.

Toutes les équipes s'avancèrent sous les chauds applaudissements des spectateurs. Zarya, qui était actuellement debout devant la professeure Molidor, avait peur d'avoir deviné la dernière étape. Elle voulut en faire part à Abbie, mais la professeure Molidor s'avança de nouveau devant le micro :

— Maintenant que toutes les équipes se sont approchées, nous allons procéder.

La professeure Molidor se tourna vers les participants.

— Avez-vous tous votre volontaire pour essayer votre potion ? demanda-t-elle avec le sourire.

Zarya regarda ses coéquipières qui fixaient les gradins…

— Bon, je crois que je vais aller au petit coin, dit Jeremy en se levant discrètement.

— Et moi, je crois que les filles veulent te dire quelque chose, dit Olivier avec un grand sourire en regardant Jeremy qui tentait, tant bien que mal, de déguerpir des lieux.

Gabriel et Mitiva se regardèrent avec un petit rire.

— Elles ne me feront pas boire cette mixture à base de bave de troll, dit Jeremy à Olivier.

— J'en ai bien l'impression ! lui répondit son ami en voyant Jeremy rebrousser chemin pour finalement se diriger vers les jeunes filles d'un pas traînant.

Il s'arrêta près de Karine, et cette dernière lui chuchota :

— Merci, chéri !

— Ai-je vraiment le choix ?

— Pas vraiment !

C'est par ordre numérique que la professeure Molidor demanda aux participants de démontrer le bon fonctionnement de leur potion. Trente étant le numéro de l'équipe de Zarya, Jeremy serait donc le dernier à s'exécuter.

Zarya observa un homme dans la quarantaine, sûrement le père de l'une des filles du groupe cinq, qui buvait leur potion en faisant une horrible grimace. C'est alors qu'une chose étrange se passa, l'homme, qui était d'une taille normale, gonfla à vue d'œil, sous les yeux satisfaits du groupe cinq. Zarya trouva que l'homme en question ressemblait à présent à un gros lutteur de sumo japonais ! Heureusement pour lui, l'effet de la potion durerait seulement une trentaine de minutes. Après que l'effet se serait dissipé, il devrait aller changer sa belle chemise, car ses boutons avaient littéralement éclaté.

À la suite des démonstrations réussies des équipes neuf, treize et vingt-deux, ce fut finalement au tour du groupe de Zarya. Jeremy prit le gobelet empli à ras bord d'un liquide rougeâtre extrêmement gluant et odorant. Sans aucun doute, cette potion était la plus nauséabonde de la soirée. En effet, on pouvait la sentir à cinq mètres à la ronde. Jeremy regarda une dernière fois les jeunes filles.

— Vous allez me le payer ! dit-il sous les rires du public.

Il se pinça le nez et prit une profonde gorgée sous le regard dédaigneux d'Olivier. Jeremy déposa ensuite le récipient vide sur la table…

— Tu es meilleur que moi, le frère, dit Élodie avec un petit rire. Moi, je ne l'aurais jamais bue !

— Très drôle, la sœur ! dit-il avec une légère contorsion du visage, démontrant ainsi le goût répugnant de la potion.

Les filles se regardaient d'un air inquiet ; rien ne se passait ! C'est alors que la professeure Molidor s'approcha de Jeremy :

— Veuillez vous détendre, mon cher monsieur, lui dit-elle avec un léger sourire, vous semblez un tantinet tendu.

Jeremy s'exécuta, et cela eut pour effet de provoquer un torrent de rires en provenance du public. Les jeunes filles le regardèrent et s'esclaffèrent à leur tour. Pour cause, Jeremy, en voulant se détendre comme la professeure Molidor le lui avait suggéré, avait relâché ses muscles tout naturellement. À présent, ses bras touchaient le sol, sous les yeux satisfaits des juges ainsi que de la professeure Molidor. Aucun doute : les filles avaient réussi le Sortilège de l'Oblonguïturum !

Les juges se retirèrent un moment sous la tente des officiels. Durant la délibération, Jeremy en profita pour essayer sa nouvelle faculté sous les yeux amusés du public. Le Sortilège de l'Oblonguïturum avait pour effet de rendre le corps d'une élasticité illimitée. C'était avec des doigts allongés comme des tuyaux d'arrosage que Jeremy taquinait légèrement sa sœur en lui tripotant les oreilles.

Quelques instants plus tard, les juges sortirent de la tente des officiels avec les résultats en main. La professeure Vaena Molidor prit connaissance des scores finals et s'installa au microphone pour annoncer les résultats.

— Le choix des vainqueurs a été sans contredit très difficile étant donné la qualité des participants de cette année, dit-elle avec un enthousiasme sincère et une grande admiration pour la relève. Ç'a été une lutte très serrée selon les juges...

Au milieu d'un profond silence, Zarya et ses amies attendaient les résultats avec les mains fortement enlacées.

— La troisième place revient au groupe numéro neuf.

De vifs applaudissements se firent entendre provenant des gradins et des autres participants. Les membres du groupe en question se félicitaient entre eux, très fiers, et avec raison, de leur belle performance.

— La deuxième place revient au groupe numéro trente.

— C'est nous ! Oui, c'est nous ! lança Abbie d'une voix enjouée.

C'était avec une grande fierté que Gabriel, Mitiva, Olivier ainsi que Jeremy se levèrent en applaudissant les jeunes filles qui étaient très contentes d'avoir remporté la deuxième place. Il ne fallait pas oublier que les équipes adverses étaient plus expérimentées qu'elles.

— Et, finalement, j'aimerais qu'on applaudisse l'équipe gagnante de cette année, déclara la professeure Molidor avec le sourire. L'équipe treize !

Après que les officiels eurent remis les trophées aux gagnants de la soirée, Zarya et ses amies, ainsi que Jeremy, allèrent rejoindre Gabriel, Mitiva et Olivier près des gradins. C'est Olivier qui les félicita le premier.

— Bravo, les filles ! C'est vraiment incroyable… Vous avez réussi ! dit Olivier, très fier de leur performance.

— Oui, félicitations, mesdemoiselles ! dirent Gabriel et Mitiva en s'approchant des jeunes filles.

— Bonsoir et joyeux Noël, monsieur le directeur, et joyeux Noël à vous aussi, Mitiva ! dit une voix derrière Zarya.

Zarya se tourna et vit la professeure Vaena Molidor s'approcher d'eux.

— Joyeux Noël, professeure Molidor ! dit Gabriel en lui serrant la main, imité par Mitiva. Ç'a été une très belle compétition, je dois l'admettre, professeure.

— Merci beaucoup, mais je n'y suis pour rien, dit-elle en regardant les jeunes filles. C'est grâce à ces filles talentueuses que la compétition a été digne d'intérêt, monsieur le directeur.

— Bien entendu ! dit-il avec un sourire approbateur. J'aimerais profiter de cette occasion pour vous présenter ma petite-fille Zarya ainsi que ses charmants amis…

— Je me doutais bien qu'il y avait un lien de parenté avec vous en apercevant le nom « Adams » sur la liste et en vous voyant ici, dans les gradins.

— Excellente déduction, professeure.

La professeure Molidor se tourna en direction des jeunes filles et leur dit :

— Je vous félicite pour votre belle performance, les filles.

— Merci ! dirent-elles en chœur.

— Je connais la plupart des participants de ce soir, dit la professeure, mais, vous, c'est la première fois que vous preniez part à une concours de potions magiques, n'est-ce pas ?

— Oui, c'est la première fois, professeure Molidor, répondit Zarya.

— Nous devions nous inscrire au niveau 1. Mais, pour une raison un peu particulière, ajouta Élodie en regardant ses amies avec un petit sourire en coin, nous nous sommes finalement inscrites au niveau 2.

— Quel cran de votre part, dit-elle. J'aime bien les personnes qui ont votre audacieuse témérité, les filles !

Les coéquipières se regardèrent avec fierté.

— Deuxième position pour des novices, reprit-elle, c'est un exploit en soi.

— Si je ne me trompe pas, le sortilège a bien fonctionné, demanda Abbie, curieuse comme pas une. Mais sur quels aspects avons-nous perdu des points, professeure Molidor ?

— En fait, vous avez perdu seulement quatre points pour vous dire la vérité, répondit-elle avec un sourire aimable. C'est un très bon résultat ! Tout d'abord, je dois vous mentionner que vous avez obtenu un point de plus grâce à la transition shaïma-natique de cette demoiselle, dit-elle en déposant la main sur l'épaule d'une Abbie, souriante. Cependant, vous avez perdu trois points sur la vitesse de la fabrication de la potion et, finalement, un autre point sur l'opération qui consistait à réduire les feuilles de lymorth en poussière à l'aide d'un échantillon d'haleine de dragon.

— Ah oui ! Mais elle était en poussière comme la recette l'indiquait, fit remarquer Karine, surprise.

— Oui, bien remarqué, mademoiselle. Mais la recette exigeait trois pincées de poussière seulement…

— Oups ! On a mis tout le contenu ! dit Élodie, mal à l'aise.

— Mais… est-ce grave, professeure ? demanda Jeremy en proie à l'inquiétude, et avec raison.

— Tu risques d'avoir de légers petits boutons sur la figure, dit-elle, compatissant avec ce dernier, mais ce ne sera que pour quelques jours, ne t'en fais pas, jeune homme. Et il est fort probable que le sortilège dure une partie de la matinée, un peu plus longtemps que prévu…

Après avoir salué la professeure Molidor ainsi que Zarya et ses amies, Gabriel et Mitiva prirent le transmoléculaire pour retourner à leurs occupations premières, soit la distribution de gâteaux et de boissons. Les adolescents, pour leur part, poursuivirent leur flânerie nocturne. Ils parcoururent la ruelle des Pactoles. Comme son nom l'indiquait si bien, c'était une ruelle emplie de boutiques d'art, d'antiquités et d'autres innombrables trésors artisanaux. Zarya remarqua que l'une des boutiques était spécialisée en magie de protection : sa vitrine était emplie d'amulettes magiques antimaléfices, mais aucune d'entre elles ne pouvait égaler celle que Martha lui avait donnée.

Jeremy, qui avait toujours la faculté de s'allonger le corps comme il le désirait, s'amusait à toucher le dessus des réverbères et à frapper aux fenêtres des étages supérieurs des maisons en rangées, au grand plaisir d'Olivier.

— Et si on allait au pub *Le Bartiméus*, suggéra Élodie.

— Mais ne faut-il pas être majeur pour aller dans ce bar ? fit remarquer Karine.

— Non, non… Pas du tout, pas pour le temps des fêtes à tout le moins, dit Olivier. Ils ont même des boissons sans alcool spécialement pour cette période ; je l'ai lu dans *Le Journal d'Attilia*.

— Alors, qu'est-ce qu'on attend ? Allons-y ! lança Abbie d'un ton joyeux.

Zarya, Jeremy, Karine et Élodie accélérèrent le pas pour réussir à suivre Abbie et Olivier, qui se dirigeaient en toute hâte vers ce lieu de rencontres tant apprécié des jeunes gens attiliens. Zarya, en marchant dans une petite ruelle pavée bordée de maisons soigneusement décorées, regardait Abbie marcher de concert avec Olivier. Elle était très heureuse pour sa meilleure amie. Sans malice, elle l'enviait pour ce qu'elle vivait aujourd'hui et espérait de tout son cœur que, dans un avenir très proche, elle aussi pourrait marcher main dans la main avec Jonathan.

Pour l'instant, elle était très heureuse d'être accompagnée de ses amis et de se diriger vers l'un des pubs les plus branchés d'Attilia. Mais, elle ne se doutait pas qu'une surprise de taille l'y attendait !

◊ ◊ ◊

Au bout d'une longue marche, ils arrivèrent enfin à destination. Ils avaient opté pour ne pas prendre le transmoléculaire pour ainsi parcourir les quartiers très animés. Et, de cette façon, ils eurent la chance d'écouter et de voir un vieux farfadet à la barbichette toute grise chanter des cantiques de Noël avec sa voix cristalline pendant que deux jeunes farfadets, déguisés en lutins du père Noël, dansaient une valse avec une virtuosité rythmique incroyable malgré leurs petites jambes courbées et leurs souliers à la poulaine.

Lorsque les adolescents parvinrent en face du pub, ils constatèrent que *Le Bartiméus* était, pour ainsi dire, plein à craquer. Zarya et ses amis se faufilèrent entre les tables qui étaient étalées à l'extérieur pour accueillir le plus de gens possible. Ce n'était pas de la musique de Noël que l'on pouvait y entendre, mais un mélange de musique populaire et de rock, à la grande satisfaction des adolescents.

Après avoir trouvé une table libre et commandé de la boisson bleu azur sans alcool, communément appelée un sammael, ils se dirigèrent sur la piste de danse érigée spécialement pour le temps des fêtes. Zarya et ses amis chantèrent, dansèrent, hurlèrent de joie sur une musique endiablée.

Après s'être dandinée joyeusement pendant plus de vingt-cinq minutes sans interruption, Zarya s'approcha d'Abbie :

— Je vais aller me poudrer le nez, dit-elle avec un air sous-entendu.

— D'accord, dit Abbie en continuant de se trémousser d'aise.

Zarya quitta le groupe momentanément pour se diriger à l'intérieur du pub. En entrant, elle distingua, au passage du vestibule, le vif contraste d'ambiance qu'il y avait entre la musique trépidante qui jouait à tue-tête à l'extérieur et celle de l'intérieur. C'était l'atmosphère plus posée de cette belle musique traditionnelle de Noël.

En sortant des toilettes, Zarya longea le long couloir pourvu d'un éclairage tamisé. Son regard fut attiré par une chose qu'elle n'avait pas notée en entrant dans le pub. Des tablettes étaient encastrées dans l'un des murs de pierres et à larges verrières, sur lesquelles on pouvait voir une multitude de trophées et de médailles. Zarya regardait de tous ses yeux l'une des photos posée près d'un trophée, l'image d'un jeune homme tenant son gain avec un sourire radieux. Son cœur bondit dans sa poitrine : c'était Jonathan. Et il était accompagné d'une jeune fille d'une dizaine d'années. Zarya se rappela que Jonathan lui avait parlé de sa jeune sœur qui se prénommait Livia ; c'était sûrement elle sur la photo.

Zarya, toujours clouée sur place avec son sourire de madone, fut légèrement bousculée par un homme élégamment vêtu de noir escorté par un autre homme de taille gigantesque, bouffi et chauve ; on aurait dit un troll. Les deux hommes, sans s'excuser, continuèrent leur conversation en se dirigeant vers le bar. Zarya, en se tournant dans leur direction, se figea au son de cette voix grave, une voix qui lui rappelait une journée particulièrement sombre. Elle n'aurait pu le jurer, mais elle crut reconnaître la voix du mystérieux inconnu du parc, l'homme qui avait participé à l'enlèvement d'Abbie ! C'était le mage noir que les autorités d'Attilia recherchaient depuis cette nuit sanglante. Son grand-père Gabriel lui avait confié qu'il donnerait n'importe quoi pour lui mettre la main au collet. Zarya décida donc de s'approcher du bar subtilement pour l'identifier, à tout le moins, pour avoir une bonne description de son visage.

Elle était à trois mètres de l'homme, mais son visage était entièrement dissimulé derrière l'impressionnante silhouette du colosse. Zarya fit trois pas de côté lorsque l'homme mystérieux, qui faisait face au miroir derrière le bar, aperçut le reflet d'une jeune fille toute vêtue de noir qui l'observait. Abasourdi, il la reconnut ! Le mage noir, hébété, se leva discrètement, fit volontairement dos à Zarya et sortit du bar d'un pas lent sans donner d'explication à son partenaire. Zarya, qui n'avait pas remarqué que l'homme l'avait reconnue, décida de le suivre clandestinement. Elle franchit le vestibule, sortit à l'extérieur et vit l'homme accélérer légèrement le pas. Zarya jeta un regard en direction de ses amis, mais décida délibérément de continuer sa poursuite sans les avertir : elle ne voulait surtout pas le perdre de vue. L'homme se faufila entre les tables et prit la direction d'une ruelle sans se retourner. Zarya le suivit en longeant les bâtiments pour se faire plus discrète. Elle espérait qu'il l'emmènerait à l'endroit où il habitait. Plus elle progressait dans sa filature, plus les ruelles devenaient désertes. L'homme, qui était à présent à cinquante mètres devant elle, tourna le coin dans une petite ruelle, là où se trouvait une immense bâtisse désaffectée. Zarya s'empressa pour ne pas le perdre. Elle tourna le coin à son tour et s'arrêta subitement. Un silence horrible suivit : l'homme mystérieux lui faisait face !

Il était là, sans dire un mot. Sa longue silhouette était plongée dans une pénombre envahissante, et les couleurs irréalistes du paysage architectural des édifices voisins rendaient son visage quasi inexistant à cause des reflets perfides. Zarya n'osait pas remuer d'un cil et ne voulait surtout pas céder à la panique. Le silence du mage noir et la forte odeur d'humidité du vieux bâtiment désaffecté n'avaient rien pour la rassurer. C'est alors qu'il brisa le silence :

— Mademoiselle Adams, dit-il d'une voix placide qui n'avait rien de sécurisant. Quelle belle surprise ! Mais, que me vaut l'honneur de votre belle visite ?

Zarya resta silencieuse, ne sachant pas quoi répondre.

— Je ne sais pas comment vous m'avez reconnu, mais…

— Vous ne pourrez pas fuir les autorités attiliennes éternellement, l'interrompit-elle en faisant un pas à reculons.

— Vous ne partez pas déjà, mademoiselle Adams ? Connaissant bien vos traditions des fêtes, vous ne me quittez pas sans me laisser un petit cadeau de Noël !

— Un cadeau ? Non, pas vraiment. Mais mon grand-père aimerait bien vous en donner un !

— Ce cher Gabriel… Quelle attention, c'est très gentil de sa part, fit-il avec un petit rire sarcastique. J'irai récupérer mon cadeau aussitôt que vous me donnerez le vôtre, je vous en fais la promesse solennelle.

— Que voulez-vous de moi ?

— Vous le savez très bien, dit-il en faisant un pas vers Zarya tout en prenant bien soin de rester dans l'obscurité. J'aimerais que vous me transmettiez… le Fortitudo.

— Le Fortitudo… connais pas !

— Ne faites pas l'innocente, dit-il. J'étais là, dans les gradins, lors de votre magistrale démonstration, l'été dernier.

— Vous n'obtiendrez rien de moi et vous le savez ! dit la jeune fille d'une voix frémissante attribuable au regret tardif de ne pas être avec ses amis sur le plancher de danse à l'instant présent.

L'homme demeura silencieux quelques secondes et, d'une façon discrète, mit sa main dans sa poche pour récupérer un objet en lui disant :

— Alors, connaissant bien vos traditions de Noël, comme je vous l'ai mentionné tantôt, laissez-moi au moins vous offrir un petit cadeau…

D'un mouvement souple, il lança un objet aux pieds de Zarya. Cette dernière fit un pas à reculons. Elle fut abasourdie de voir que l'objet en question était un œil. Sans qu'elle ait le temps de le prévoir, Zarya fut prise d'étourdissement, ses jambes devinrent chancelantes et lourdes, sa vision devint floue...

— On l'appelle l'œil de l'elfe noir, dit-il, ne démontrant aucune pitié pour Zarya. C'est un objet que j'adore tout particulièrement. Et, comme vous pouvez le constater, mademoiselle Adams, c'est de la magie noire très efficace ! Le secret pour qu'il soit le plus infaillible possible, en fait, c'est de l'extraire alors que l'elfe est encore vivant. De cette façon, une partie de son âme reste imprégnée dans son œil, et ç'a pour effet de le rendre encore plus puissant.

— Vous êtes ignoble ! dit-elle en mettant un genou sur le sol, très ébranlée.

— Ben voyons, mademoiselle Adams, ce n'est qu'un elfe après tout !

Des secousses musculaires brutales commencèrent à se manifester dans les bras et dans les jambes de Zarya ; elle devait faire quelque chose avant de perdre connaissance. Avait-elle la force de communiquer par télépathie avec ses amis ? Péniblement, elle leva la tête en direction du mage noir. « Mais, que manigance-t-il ? » se demanda-t-elle. Il avait les bras levés vers le ciel et prononçait des paroles sacramentelles d'une voix qui arrivait floue aux oreilles de Zarya ; elle devinait que ce n'était pas de bon augure. Elle profita de son absence d'esprit pour essayer de communiquer avec Abbie.

— *Abbie... Abbie, aide-moi !* dit-elle télépathiquement.

◊ ◊ ◊

Au pub *Le Bartiméus*...
— *... bie... ad... moi...!* reçut Abbie en arrêtant instantanément de danser.

— Qu'est-ce qui se passe, Abbie ? lui demanda Olivier, surpris de la soudaine immobilité de sa partenaire.

— Zarya… C'est Zarya qui essaye de communiquer avec moi… Je crois qu'elle a un problème ! Je n'ai pas bien compris ce qu'elle me disait…

— Mais, au fait, où est-elle ? s'enquit Karine.

— Elle est partie aux toilettes, lui répondit Abbie. Mais ça fait déjà un bon moment…

— Elle est sûrement malade, l'interrompit Jeremy. Elle a ingurgité, coup sur coup, deux verres de sammael. Vous devriez aller la voir, les filles.

— Oui, tu as sûrement raison, mais restez ici, je vais y aller et je reviens tout de suite, dit précipitamment Abbie en s'élançant vers le pub.

Quelques instants à peine s'étaient écoulés que, déjà, Abbie revenait d'un pas rapide.

— Elle n'est pas à l'intérieur, leur annonça-t-elle en commençant à s'inquiéter sérieusement ; elle se souvenait fort bien des menaces lancées par les Erliks de la part du démon Malphas.

Effectivement, ce dernier avait promis à Zarya qu'il lui arracherait lui-même son cœur !

— Ce n'est pas dans ses habitudes de disparaître ainsi, poursuivit-elle. J'ai tenté de lui transmettre un message télépathique, mais je n'ai plus aucun contact !

— Alors, ne perdons pas de temps, suggéra Jeremy, et partons à sa recherche.

◊ ◊ ◊

Zarya, assise au sol et adossée au mur du vieux bâtiment, était paralysée de haut en bas. Elle examinait l'œil de l'elfe noir qui se trouvait à environ un mètre de sa position et elle remarqua qu'une force très puissante émanait de la pupille extraordinairement dilatée. « Et si j'essayais de changer l'axe de son regard, l'emprise sur moi serait sûrement neutralisée », pensa-t-elle astucieusement. Elle jeta un dernier regard en direction du mage noir qui, étrangement, ne se préoccupait plus d'elle, mais scrutait plutôt le ciel de long en large, semblant chercher quelque chose. Elle en profita donc pour mettre en œuvre son plan. Elle se concentra avec le peu de force qui lui restait et, heureusement pour elle, ce fut suffisant pour faire bouger l'œil de quelques centimètres. Comme prévu, l'œil avait roulé, mais, curieusement, la pupille pointait toujours dans sa direction ; cet œil maléfique agissait comme un aimant !

Découragée, elle baissa les yeux et remarqua alors une petite fissure au bas du bâtiment, près d'elle. N'ayant plus rien à perdre, elle décida de faire une dernière tentative. Au même moment, elle entendit de puissants battements d'ailes provenant du ciel ! Elle devina que le mage noir avait appelé des renforts et qu'ils arrivaient. De quelle nature étaient ces renforts ? Elle n'en savait rien et ne tenait pas à le savoir pour le moment. Elle n'avait plus de temps à perdre et elle devait impérativement faire pénétrer l'œil dans cette petite cavité afin de neutraliser le maléfice. Zarya avait si peu de force qu'elle eut de la difficulté à simplement lever son index pour se servir de son pouvoir télékinésique. L'œil de l'elfe noir se mit doucement à rouler en direction de la bâtisse, mais avec une lenteur consternante.

C'est alors qu'il y eut un coup de vent attribuable à un second battement d'ailes, le tout suivi d'une secousse au niveau du sol. Zarya n'osait pas regarder la source de cet inquiétant tremblement ; elle était toujours concentrée sur l'objet de ses préoccupations, et il n'était pas question qu'elle lâche prise. Elle y était presque, l'œil était maintenant à peine à quelques centimètres de la cavité. Au bout d'un effort désespéré, l'œil pénétra dans la fissure. Ça fonctionnait ! Zarya sentit immédiatement un regain d'énergie, mais aussi un nouveau battement d'ailes suivi d'une seconde secousse ! Elle se tourna vers le mage noir et constata, avec horreur, une scène qui échappait à son entendement...

— Il est trop tard pour vous, mademoiselle Adams, dit l'homme au regard machiavélique debout entre deux bêtes monstrueuses.

Zarya, qui s'était relevée, vit une chose qui ne pouvait être qu'une scène irréelle. Elle discerna, malgré la grisaille environnante, deux bêtes ailées, debout sur deux longues pattes griffues, avec de formidables crocs acérés étalés de façon aléatoire dans leur large gueule ouverte ; les crocs brillaient à la lueur flottante des réverbères de l'autre côté de la rue. Zarya baissa les yeux et remarqua une ombre confuse glissant au sol. Elle dirigea un regard craintif vers le ciel pâlissant et aperçut, avec effroi, une autre bête ailée qui survolait l'endroit ; elle semblait monter la garde de là-haut.

— ATTRAPEZ-LA ! ordonna alors le tortionnaire. Et surtout, je la veux *vivante*, ajouta-t-il avec un sourire extatique.

Les deux bêtes bondirent sur Zarya avec une effarante rapidité. Instantanément, elle créa un bouclier invisible sur lequel elles se butèrent violemment. Sans aucune perte de temps, Zarya tourna les talons pour prendre la fuite, mais elle heurta, à son tour, un mur invisible que le mage noir avait érigé. Emprisonnée par une clôture imperceptible, elle fit demi-tour pour faire face aux deux bêtes qui chargeaient de nouveau sur elle. Aussitôt, elle esquiva leur attaque en faisant un pas de côté tout en aspergeant l'une des bêtes avec une brume glacée qui eut pour effet de la faire tomber, dans un grand fracas, face contre terre. En revanche, l'autre bête agrippa Zarya par les épaules et la leva littéralement du sol, comme un vulgaire pantin de bois !

Contrainte à un corps à corps désespéré, elle lutta énergiquement à coups de pied sur la bête colossale. Mais elle n'était pas de taille à se battre à mains nues contre une bête qui ressemblait étrangement à un loup-garou ailé pourvu de puissantes pattes d'aigle. L'odeur fétide et insupportable de la bête poilue et l'écume salée qui lui coulait lentement dans le cou la répugnaient au plus haut point ; elle avait le cœur au bord des lèvres.

— Emmène-la au manoir et enferme-la au cachot !

Ses bras emprisonnés dans une formidable étreinte, elle était soumise à une poigne de fer à laquelle elle ne saurait se soustraire d'aucune façon. C'en était terminé pour elle... Le mage noir avait eu raison de la jeune gothique aux pouvoirs exceptionnels.

La bête s'apprêtait à s'envoler lorsqu'elle fut dérangée par un sifflement aigu provenant d'un objet qui lui tournait autour de la tête à une vitesse incroyable. C'est alors qu'une voix intérieure, familière, communiqua télépathique avec Zarya :

— *Tiens bon, Zarya !* l'encouragea le Rodz, *je vais aller chercher de l'aide.*

Zarya reconnaissait très bien son petit compagnon ailé.

— *Dépêche-toi, Mitoïd, je t'en prie !*

C'est alors que Mitoïd fit une chose qui n'était pas dans ses fonctions. Il s'efforça de le faire pour son amie humaine : il s'arrêta net et s'élança en dardant l'œil de la bête de son corps allongé, tel le dard d'un moustique vorace. Au moment du douloureux impact, la bête lâcha prise sur Zarya pour porter sa patte sur son œil tuméfié par la violence du coup subit.

La jeune fille tomba aux pieds de la bête, envahie par un nouvel espoir.

— *Merci, Mitoïd,* dit Zarya avec gratitude. *Maintenant, va chercher de l'aide !*

Dans un sifflement perçant, Mitoïd se précipita donc à une vitesse vertigineuse vers le ciel.

— RATTRAPE-LA !... Imbécile !

Zarya recula précipitamment de quelques pas, refermant ses bras en croix sur elle-même, et prit une grande inspiration. En déployant ses bras vers l'affreuse bête, des éclairs bleus sortirent de ses dix doigts et, avec un bruit fracassant, allèrent frapper le loup-garou ailé en plein cœur de son torse poilu sous les yeux exorbités du mage noir qui ignorait tout de l'incroyable force de Torden qui émanait de la jeune fille.

L'homme ordonna à la créature qui survolait les lieux de venir en aide à son égal.

— Je la veux, oh ! oui... *JE LA VEUX !* hurla le mage noir en extase devant ce pouvoir ultime.

◊ ◊ ◊

Abbie, Olivier, Jeremy, Élodie et Karine étaient partis chacun de leur côté pour maximiser leurs chances dans les recherches. Étant tous liés télépathiquement entre eux, le premier qui trouverait Zarya communiquerait avec les autres.

Jeremy marchait d'un pas rapide dans l'une des ruelles désertes non loin du lieu de l'insolite combat entre Zarya et les bêtes cauchemardesques. Brusquement, il entendit un bruit étrange, quelque chose d'analogue à un coup de tonnerre lointain. Ressentant toujours les effets du Sortilège de l'Oblonguïturum, Jeremy s'allongea démesurément le corps à la hauteur d'un réverbère et distingua, par-dessus le toit d'une boulangerie située sur le coin d'une rue marchande, des lueurs bleutées provenant d'une petite ruelle à trois cents mètres de sa position. Avant d'alerter ses amis et de créer de faux espoirs, il préféra aller constater l'étrangeté de la chose de plus près. En effet, ces lueurs et le bruit sec et saccadé pouvaient être tout simplement des adolescents qui festoyaient en produisant des feux d'artifice.

C'est avec de longues enjambées qu'il se rendit près de l'endroit en question. Jeremy était au coin du bâtiment lorsqu'il aperçut, avec stupéfaction, Zarya qui livrait un combat sans merci contre d'horribles bêtes. La première chose qu'il fit fut de transmettre ses coordonnées à ses amis. À la suite de quoi, sans perdre une seconde, il alla aider son amie. En arrivant près d'elle, Jeremy remarqua un homme au fond de la ruelle qui contemplait le combat avec un sourire démoniaque.

— ZARYA ! cria Jeremy en catapultant sur l'une des bêtes, à l'aide de la télékinésie, tous les objets qui se trouvaient à proximité. Mais qu'est-ce qui se passe ici ?

— C'est le mystérieux inconnu du parc, l'informa-t-elle en projetant toujours des éclairs bleutés sur l'autre bête, soulagée de voir Jeremy arriver.

Le loup-garou ailé glapit à fendre l'âme sous l'atroce douleur que lui infligeait Zarya et il essaya de fuir la virulente attaque, mais le mage noir le retenait sous hypnose, et il devait rester sur les lieux sans en avoir le choix. Après avoir reçu son lot de projectiles, la bête bombardée par Jeremy décida finalement de s'envoler, et le jeune homme put ainsi aller aider Zarya malgré le fait que cette dernière était sur le point d'avoir raison du loup-garou ailé. En s'approchant de son amie, Jeremy aperçut une troisième bête couchée au sol et recouverte d'une mince couche de glace, mais baignant dans une mare d'eau attribuable à une fonte rapide. Pour mettre toutes les chances de leur côté, il projeta de nouveau une brume glacée sur ladite bête. Du côté de Zarya, la bête, maintenant enduite de lambeaux de chair ensanglantés, tomba sur le sol et mourut dans un dernier soubresaut. Fou de rage, le mage noir envoya, avec une extrême violence, une boule télékinésique sur Jeremy, qui fut durement propulsé sur le mur de briques, sous les yeux stupéfiés de Zarya. En voulant se diriger vers son ami, elle fut agrippée par-derrière par le loup-garou ailé qui s'était envolé quelques secondes plus tôt. La bête reprit donc son envol, mais cette fois, en tenant fermement sa proie entre ses puissantes pattes, sous les yeux enfin satisfaits du mage noir. Jeremy se releva quelque peu déséquilibré et lâcha un cri de consternation :

— ZARYA… *Noooon !*

Il entendit le mage noir se réjouir de sa glorieuse victoire et le vit lui adresser un signe de la main, parodie cynique d'un *au revoir*, puis il tourna les talons pour prendre la fuite. Jeremy réagit instantanément en saisissant avec détermination un poteau de clôture près de lui et, grâce à la faculté de l'Oblonguïturum qu'il possédait toujours, il s'étira l'autre bras d'une dizaine de mètres afin d'attraper le loup-garou ailé. Il enroula son bras autour du cou de la bête en plein vol. Captant l'appel de détresse de sa bête démoniaque, le mage noir s'arrêta aussitôt et la vit, tenant toujours Zarya entre ses pattes, voletant de gauche à droite tel un cerf-volant malmené par des vents tumultueux, heurtant le haut de l'immeuble avec sa tête : le bras de Jeremy l'étouffait partiellement. L'homme revint sur ses pas pour s'approcher de la bête toujours emprisonnée dans la glace. De sa main gauche, il sortit de sa poche une citrine tandis qu'il levait la droite en direction de la bête et *PPSSHH !* Un jet de feu orangé jaillit de sa main tendue, ce qui fit instantanément fondre la glace restante. Le loup-garou se releva péniblement, s'ébrouant pour se remettre. L'homme, toujours dans la pénombre du bâtiment, s'approcha à quelques mètres de Jeremy et lui dit d'une voix menaçante :

— Si tu ne la lâches pas, j'ordonnerai à ma bête de te dévorer… *lentement.*

— *JEREMY ! LAISSE-MOI PARTIR ! ET SAUVE-TOI !*

— Suis les conseils de ton amie, jeune homme… Lâche prise si tu tiens à la vie, insista le mage noir en commençant sérieusement à perdre patience.

Jeremy regarda simultanément la bête, l'homme puis Zarya et répondit avec fermeté :

— *JAMAIS!*

— Alors, tu l'auras voulu !

Le mage noir se tourna en direction de son loup-garou ailé et lui ordonna de se jeter sur Jeremy et de s'en délecter sans retenue. Jeremy regarda avec effroi la bête cauchemardesque s'approcher de lui avec, au fond des yeux, l'infâme désir de le dévorer férocement. Il savait qu'il ne pourrait retenir Zarya bien longtemps encore et qu'il devait faire quelque chose, mais quoi ? Il ne restait que quelques secondes avant que la bête lui saute dessus. Zarya le suppliait de la lâcher, mais, pour Jeremy, c'était hors de question ! Il cherchait désespérément un objet pointu autour de lui. Il savait que, tôt ou tard, il devrait les laisser partir. Il voulait attendre à la toute fin pour libérer la bête. « Et si je lâchais non pas la bête qui tient Zarya, mais plutôt la clôture, je m'envolerais alors avec Zarya et… »

D'une manière imprévisible et surprenante, Jeremy entendit une chose fendre l'air avec force. Un cordon longitudinal très mince et d'un rouge éclatant jaillit de nulle part et vint enlacer le loup-garou ailé qui venait de s'élancer pour sauter sur l'adolescent. Celui-ci se retourna et aperçut, avec grand soulagement, des dizaines de Maîtres Drakar, tous vêtus de noir, qui venaient à leur rescousse.

Un puissant battement d'ailes sortit Jeremy de son enthousiasme, et le jeune homme reporta son regard au-dessus de sa tête. La bête qui le survolait avec Zarya entre ses pattes venait de décider de la laisser tomber. Jeremy lâcha donc la bête et s'apprêta à attraper son amie en plein vol. Elle fit une chute inattendue de cinq mètres, et Jeremy eut le bon réflexe de lui tendre les bras, ce qui atténua considérablement son affaissement sur le sol.

— Tu m'as sauvé la vie, partenaire !

— Ce fut un réel plaisir, partenaire, répondit-il ironiquement en lui faisant un petit clin d'œil.

Zarya vit le mage noir s'enfuir avec ardeur au fond de la ruelle. La bête qui venait de la lâcher saisit son maître par les épaules, et ils disparurent tous les deux derrière un épais nuage, haut dans le ciel pâle du matin levant.

Zarya se leva dans un geste de colère qu'elle ne chercha pas à dissimuler, attribuable à la fuite du mage noir, et fut attirée par les hurlements hystériques de la bête qui essayait de se dégager de la formidable prise du lasso magique. Le loup-garou ailé était fou de rage. Quatre Maîtres Drakar supplémentaires équipés, eux aussi, de lassos magiques furent nécessaires pour le maîtriser. Zarya aperçut alors son amie Abbie courir dans sa direction.

— Zarya ! Mais qu'est-ce qui s'est passé ici ?

— Je t'expliquerai plus tard, si tu veux bien, dit-elle, épuisée.

— Et toi, Jeremy, ça va ? dit Karine en s'approchant de son copain tout ébouriffé.

— Oui, très bien, étant donné que l'on vient d'affronter trois de ces charmantes bestioles…

Élodie, Karine, Olivier et Abbie regardèrent alors la monstrueuse bête qui hurlait plaintivement, le cou étiré, la tête à la renverse et de l'écume plein la gueule.

— Mais… c'est quoi, ça ? demanda Élodie, sous le choc.

— Je n'en sais rien, répondit Zarya.

Les Maîtres Drakar avaient de la difficulté à immobiliser la bête qui se débattait vigoureusement tel un diable dans l'eau bénite. De ses dents tranchantes, elle essayait de couper les lassos, mais c'était peine perdue, les lassos étant pratiquement indestructibles.

Zarya, qui se tenait près d'Abbie, serra l'épaule de son amie lorsqu'elle vit son grand-père Gabriel fendre le groupe des Maîtres Drakar pour se diriger vers elles avec une allure distinguée et calme, mais un regard furieux.

En passant tout près du lieu de combat, là où se trouvait la bête enlacée par les Maîtres Drakar, cette dernière bondit sur Gabriel, mais les Maîtres Drakar la retinrent de justesse. Gabriel, conservant sa placidité olympienne malgré la colère intérieure qui bouillonnait en lui, se tourna en direction de la bête et la fixa droit dans les yeux, à quelques centimètres de son hideux museau. Il la fixa sans broncher, concentrant toute sa fureur dans son regard... Une chose étrange se produisit alors... La bête commença à écumer de la bave rougeâtre et à suffoquer par le fait même. Et, sous les yeux de tous, la bête mourut subitement et s'écroula aux pieds de Gabriel !

— Ça alors, chuchota Abbie en regardant Zarya, inquiète. Je crois que ton grand-père est furieux !

L'abîme

Quelque part aux abords du mont d'Hésiode

Les deux agents de sécurité du château de Sakarovitch, Steve Arvon et Edmond Dohan, étaient partis à la recherche du mystérieux survivant de l'équipe du professeur Hubert K. Bibolet.

Pendant ce temps, Jonathan et Didier avaient hérité de la lourde tâche de remonter les corps inanimés du reste de l'équipe. Jonathan était dans le gouffre et faisait léviter les corps, un à un, grâce à la télékinésie, jusqu'à Didier. Après quoi, ce dernier s'en emparait, également à l'aide de la télékinésie, et les déposait, avec le plus grand respect, sur le sol enneigé, près du couple de fenris blancs attelés au traîneau.

— Il n'en reste plus que quatre, fit remarquer Jonathan à son partenaire.

— Malheureusement, il ne semble pas y avoir de survivant parmi ces sept personnes, nota Didier en regardant les trois corps étendus tout près de lui.

— Non, en effet, répondit son compagnon avec désolation. Mais je dois d'abord sortir les deux corps qui sont toujours dans cette profonde cavité avant de constater officiellement leur décès. Et, pour l'instant, je ne peux les atteindre pour prendre leur pouls...

Jonathan faisait maintenant léviter le corps sans vie de Simon D'hanens, le spécialiste en champs magnétiques, vers Didier qui, à son tour, le prit à l'aide de son puissant pouvoir lorsque...

— Attention ! cria Jonathan, les yeux écarquillés.

Didier tomba tête la première dans le gouffre, accidentellement ou non ! Jonathan le rattrapa de justesse par lévitation, le corps de son ami flottant dangereusement au-dessus d'une stalagmite pointue, puis il le déposa sur le sol.

— Mais que s'est-il passé ? s'enquit Didier en se massant le poignet.

Bang ! Une explosion se fit entendre...

— Protectum ! cria Jonathan en sautant vers sa gauche et en saisissant Didier par le bras.

Ils furent instantanément recouverts d'une lueur vert émeraude. Jonathan avait créé un protectum juste à temps ! Un gigantesque amoncellement de roches, de glace et de neige durcie s'écroula sur Jonathan et Didier au fond du gouffre.

C'était le noir total. Après avoir lentement abaissé son protectum, Jonathan sortit une pierre de sa poche, un petit cristal transparent qu'il frotta de la main et qui, aussitôt, se mit à éclairer ; Didier l'imita, malgré sa douleur lancinante au poignet. Une épaisse poussière tourbillonnante rendait l'atmosphère très opaque ; on n'y voyait plus rien. Le Maître Drakar ainsi que son néophyte ne bougeaient point : ils attendaient patiemment que la poussière retombe.

Après quelques minutes, qui parurent interminables aux deux jeunes hommes, l'atmosphère se dégagea enfin pour faire place à une complète obscurité ; seules les deux lueurs blanchâtres de leur cristal étaient perceptibles dans cette cavité maintenant obstruée par plusieurs tonnes de roches éboulées : ils étaient pris au piège !

— J'étais trop concentré sur le sortilège de lévitation pour m'apercevoir d'une présence derrière moi, Maître. Mais j'ai senti qu'on m'a poussé.

— Effectivement, Didier. J'ai vu des hommes masqués de cagoules blanches faire leur apparition juste avant l'explosion. Qu'as-tu à ton poignet ? demanda Jonathan en regardant son partenaire se frictionner sans relâche cette articulation. Es-tu blessé ?

— Je crois me l'être foulé en frappant la stalagmite avec ma main. Mais, heureusement, vous avez minimisé les dégâts en m'attrapant au vol, sinon je ressemblerais davantage à une grosse brochette au poulet, dit Didier avec un brin d'humour dans la voix, malgré leur situation précaire. J'ai la forte impression qu'on ne veut pas de notre présence ici...

— Tout à fait d'accord avec toi ! Et j'en suis même convaincu.

— Pour ce qui est du reste de l'équipe qui se trouve maintenant sous ces tonnes de pierres, je peux vous affirmer qu'ils sont officiellement morts...

Avec un petit sourire bénin, Jonathan lui fit un signe approbateur.

— Maintenant, Maître, demanda Didier en regardant partout autour de lui, que suggérez-vous ?

Jonathan constata l'ampleur des dégâts avant de lui répondre :

— Nous allons tenter de combiner notre pouvoir de lévitation pour bouger ce gros rocher, dit-il en le montrant du doigt.

— D'accord, essayons.

Ils se concentrèrent…

— Allons-y !

C'était une immense pierre grise provenant de la paroi verticale qui s'était détachée sous la puissance de la déflagration que les hommes cagoulés avaient créée. La pierre bougea légèrement, mais créa un nouvel éboulis.

— Arrêtons !… Finalement, je crois que ce n'est pas une très bonne idée.

— Sans aucun doute… Je crois qu'il y a un amas de pierres considérable sur le dessus, avança Didier.

— Oui, tu as probablement raison.

Le dernier éboulis avait provoqué l'apparition d'une fine poussière. Jonathan remarqua que la poussière qui tourbillonnait au-dessus de leur tête était portée par un courant ascensionnel vers le fond du gouffre.

— Je crois qu'il y a un passage, constata Jonathan avec espoir.

Didier regarda la petite excavation naturelle au fond du gouffre. Il se pencha et vit qu'il y avait effectivement un courant descendant vers ce tunnel sans fond.

— Ton poignet, ça va aller ?

— Oui, ne vous en faites pas pour moi.

— Très bien. Alors, je vais y aller le premier, si tu me le permets, suggéra Jonathan.

— Mais bien sûr, allez-y, Maître. Je vais vous suivre de près, répondit-il, peu rassuré par cette descente dans un abîme obscur et cintré.

Après maintes contorsions, ils réussirent à entrer dans l'étroit tunnel. Ils progressèrent lentement dans cette petite cavité en tâtant l'ombre devant eux, en rampant à genoux et parfois même sur le ventre à certains endroits. L'étroitesse du passage leur permettait à peine de bouger la tête de droite à gauche.

Après avoir franchi une cinquantaine de mètres dans ce périlleux passage resserré, une désagréable sensation s'empara peu à peu de nos deux jeunes hommes.

— Je crois que je commence à avoir un peu de difficulté à respirer, Maître, dit Didier d'un ton anxieux.

Jonathan comprit immédiatement de quoi souffrait son partenaire : de claustrophobie. Lui-même commençait à en éprouver les symptômes caractéristiques.

— Que désirerais-tu faire lorsque tes trois années de cours au Temple des Maîtres Drakar seront terminées ? demanda-t-il à son compagnon pour essayer de détendre l'atmosphère, aussi petite soit-elle ! As-tu l'intention de devenir Maître Drakar ou préférerais-tu enseigner au Temple ?

Jonathan tentait de lui changer les idées afin qu'il oublie un peu l'exiguïté de leur prison.

— En ce moment, j'opterais pour devenir Maître Drakar, dit-il en crachant par terre, incommodé par la fine poussière en suspension. Je trouve qu'on ne s'ennuie jamais ! poursuivit Didier en continuant de ramper comme un vulgaire ver de terre.

— Tu as parfaitement raison. Même moi, je ne me doutais pas que je serais ici, aujourd'hui, en train de me *promener paisiblement* vers… je ne sais trop où !

— Vous avez raison, Maître. Ce métier est plein de rebondissements, conclut-il en ricanant.

Dans les minutes qui suivirent, Didier se sentit mieux. L'interminable passage longitudinal semblait peu à peu s'agrandir ; les deux jeunes hommes marchaient à présent debout, un peu penchés vers l'avant. Selon l'estimation que se faisait Jonathan, ils avaient parcouru plus ou moins un kilomètre sur une pente légèrement descendante et abrupte par endroits.

Ils arrivèrent finalement au bout du long tunnel…

— C'est un cul-de-sac ! s'exclama Didier avec dépit.

— Non… c'est impossible, dit Jonathan en regardant le mur de pierre qui lui faisait face. Il y avait un courant d'air. Mais d'où pouvait-il bien venir ?

Il se pencha pour ramasser une poignée de poussière et la lança au-dessus de sa tête. Elle monta en tourbillonnant, comme une silhouette fantomatique, vers le haut plafond où elle évolua sans contrainte vers une petite brèche.

— Regarde, Didier, il y a une petite ouverture tout en haut du mur.

— Oui, je la vois. Et je peux même sentir le léger courant d'air qui vient d'aspirer la poussière de l'autre côté de ce petit trou.

— Tu as raison, constata Jonathan après s'être concentré quelques instants. Je vais aller voir de plus près. Pourrais-tu me faire léviter jusque là-haut, à proximité de la fissure ?

— Mais bien sûr, aucun problème, Maître.

Didier s'installa dans une position confortable et exécuta le sortilège de lévitation. Jonathan s'éleva de deux mètres au-dessus de sa tête.

— Et puis, Maître, que voyez-vous ?

— Étrange… vraiment étrange en fait ! dit-il en regardant Didier. Fais-moi redescendre, s'il te plait.

Didier obéit…

Jonathan, maintenant les deux pieds au sol, regarda Didier dans les yeux et lui dit :

— Il y a effectivement quelque chose de l'autre côté, et de très vaste.

— Très vaste ! Comment avez-vous pu voir quelque chose avec toute cette obscurité ?

— Tu as parfaitement raison, Didier. Il devrait régner une obscurité abyssale dans ce trou. Et surtout que, selon mon estimation, nous sommes à environ deux ou trois cents mètres sous terre…

— Oui, environ, approuva-t-il.

— Mais, aussi invraisemblable que cela puisse paraître, il y a une faible lumière de l'autre côté... C'est ce qui m'a permis de bien voir.

Didier et Jonathan reculèrent, et ce dernier lança une boule télékinésique vers l'orifice. *Bang !* Une bonne partie du mur s'écroula sous les yeux satisfaits des deux jeunes hommes.

Ils sortirent enfin, et sans regret, de l'étroit tunnel qu'ils avaient traversé pour un endroit beaucoup plus spacieux. Les deux hommes virent alors une chose qui les subjugua.

— Mais, c'est une rivière ! s'exclama Didier.

— As-tu remarqué, Didier, qu'il fait plus chaud ici ?

— Ben, ça alors ! C'est bien vrai, mais on est sous terre à plus de deux cents mètres et dans le pôle Nord en plus... C'est vraiment incroyable !

— Suivons le courant de la rivière, suggéra alors Jonathan.

Ils marchèrent côte à côte vers l'inconnu, mais cette fois, sans leur pierre pour les éclairer, car ils n'en avaient nullement besoin. En effet, Jonathan avait fait observer à son apprenti que des milliers de cristaux d'une extrême rareté tapissaient le haut plafond voûté et dégageaient une lumière artificielle. En regardant autour d'eux, les deux compagnons furent surpris de voir que de la végétation poussait dans un endroit pareil. « Ça n'a aucun sens », pensèrent-ils. La mousse verdâtre qui recouvrait les pierres lisses et unies près de la rivière était parsemée de petites fleurs jaune canari aux scintillations phosphorescentes, ce qui embellissait cette gigantesque grotte souterraine. De toute évidence, tout cela était plutôt étonnant !

Après avoir marché une trentaine de minutes, ils décidèrent de se reposer un peu. Didier s'assit sur un gros rocher tandis que Jonathan s'avança vers la rivière afin de s'y abreuver.

— Didier, viens voir.

Celui-ci s'approcha et, avant même que Jonathan ne prononce un seul mot, il entendit de légers clapotis provenant de cette eau calme d'un bleu foncé qui scintillait comme des brisures d'astres grâce aux cristaux lumineux du plafond.

— Eh ben ! Il y a même du poisson… on aura tout vu ! lança Didier, totalement abasourdi par cet endroit.

Tout à coup, Jonathan et Didier se tournèrent, déconcertés par un bruit de grognement amplifié par la répercussion souterraine voûtée, suivi de cris lointains répétés par cent échos confus. Sans la moindre hésitation, les deux hommes se précipitèrent à la rescousse de la personne qui avait poussé ce cri de désespoir. Un cri d'enfant, selon Didier, qui courait derrière son mentor. D'autres cris se firent entendre, suivis encore une fois d'horribles grognements, si terribles qu'ils auraient fait fuir même les plus braves… Mais, pour le jeune Maître Drakar et son apprenti, nul danger ne pouvait les arrêter, tel était leur devoir : combattre le mal au péril de leur vie.

Pour faciliter leur course, Jonathan et Didier s'étaient débarrassés de leur manteau, qui ne faisait que les encombrer et ralentir leur allure. Ils devaient faire vite, car les lamentations s'intensifiaient et les grognements se faisaient de plus en plus voraces.

Ils arrivèrent près d'un étroit vallon entouré de rochers escarpés et couvert d'arbrisseaux rampants vraiment bizarroïdes qui ressemblaient davantage à des araignées géantes qu'à des végétaux. Dans le creux de la combe, une bête se tenait sur le bord de l'eau et frappait vigoureusement le sol de sa patte écailleuse tandis que deux enfants s'accrochaient l'un à l'autre, juchés sur un rocher au centre de la rivière. Jonathan et Didier portèrent automatiquement leur attention sur l'animal. Ils dévalèrent la pente abrupte pour venir en aide aux enfants, qui avaient cessé de crier en voyant les deux étrangers, tout vêtus de noir, venir à leur rescousse. La bête se tourna en direction des deux nouveaux venus, qui s'étaient positionnés de façon stratégique, face à l'animal. La bête, au corps serpentin squameux et uniformément blanc, regardait les deux jeunes hommes avec un appétit terrible, aiguisé de toute sa fureur.

— Je crois que c'est un dragon des glaces, dit Jonathan.

— Un dragon, répéta Didier. Est-ce qu'il peut cracher du feu ?

— Non. De toute façon, celui-ci est trop jeune, dit-il en observant ses petites ailes sur son dos courbé. En fait, le dragon des glaces adulte mange ses proies après les avoir gelées en utilisant son puissant souffle glacé.

Sur ces paroles, le dragon des glaces bondit avec une rage inouïe sur Didier, mais ce dernier créa un bouclier invisible sur lequel la bête se buta.

— Didier, les enfants, bouchez-vous les oreilles !

Ce qu'ils firent…

Jonathan fit face à la bête et, très concentré, il frappa dans ses mains avec une force étonnante. L'onde de choc atteignit le jeune dragon en pleine figure, et la bête tomba sur le sol, inconsciente.

— Waouh ! s'exclama Didier. J'aime bien ce truc.

— Oui, moi aussi. Ce truc, comme tu dis, on l'appelle la Vague de la Mégère. Tu l'apprendras pendant ta troisième année d'études.

Jonathan se tourna en direction des enfants et leur dit d'une voix bienveillante :

— Il n'y a plus rien à craindre, vous pouvez venir nous rejoindre, nous sommes vos amis.

Didier les regarda avec un doux sourire lui aussi ; ils se tenaient toujours dans une étreinte angoissée.

— Ne vous en faites pas pour la bête, dit Jonathan pour les rassurer, elle dort profondément.

Les enfants regardèrent successivement la bête et les deux hommes, puis ils dénouèrent leur enlacement. Ils sautèrent prestement à l'eau et nagèrent jusqu'au rivage, là où Jonathan et Didier les accueillirent. Ils sortirent de l'eau fraîche sans frissons apparents. Didier regarda Jonathan d'un air stupéfait en voyant les enfants de près.

— Ce sont des elfes hyperboréens, expliqua Jonathan en devinant l'interrogation dessinée sur le visage de son apprenti.

Didier fut subjugué en voyant ces enfants aux oreilles pointues, pourvus d'une peau d'une blancheur presque irréelle.

— Que faites-vous ici ? Et où sont vos parents ? demanda Jonathan avec la plus grande délicatesse.

De son regard argenté, l'un des enfants, qui semblait être le plus vieux des deux, dévisagea les deux étrangers et leur dit :

— Nous habitons à Sÿrast.

— Est-ce loin d'ici ? demanda Didier.

— Non, pas tellement… c'est par là-bas, dit le plus jeune en montrant du doigt la direction.

— On aimerait bien voir vos parents, serait-ce possible ? s'enquit gentiment Jonathan.

— Je ne sais pas… je crois que oui, hésita le plus jeune en regardant son frère ; ce dernier haussa les épaules en signe d'acquiescement.

Les deux jeunes elfes exécutèrent un demi-tour et prirent la direction de leur demeure, accompagnés des deux étrangers. Ils marchaient quelques mètres devant les deux hommes, main dans la main, et chuchotaient entre eux. Toutes les dix secondes, le plus jeune jetait un regard par-dessus son épaule pour examiner les deux étrangers à l'allure insolite qui les suivaient de près. Chaque fois qu'il se tournait vers lui, Didier lui faisait un petit clin d'œil espiègle.

Lors d'un regard du plus jeune des deux elfes, Jonathan se présenta :

— Mon prénom est Jonathan, et, lui, c'est Didier.

— Didier ! répéta le jeune elfe en s'esclaffant.

Jonathan fixa son partenaire et pouffa à son tour.

— Tu trouves qu'il a un drôle de prénom ? lança Jonathan en le regardant.

Cette fois, ce fut au tour de l'aîné de rire, mais sans répondre à Jonathan.

— Et vous, jeunes hommes, questionna Didier avec un petit sourire en coin, pourrions-nous connaître vos prénoms ? Pour que je m'amuse moi aussi, ajouta-t-il en chuchotant à l'intention de Jonathan.

— Moi, je m'appelle Waël. Et lui, c'est mon frère Helmi.

— Finalement, mon nom n'est pas si pire que ça, dit-il en dévisageant Jonathan avec le fou rire.

Plus les minutes s'écoulaient, plus le paysage rocailleux parsemé de minuscules bosquets d'arbrisseaux poussiéreux faisait place à un panorama nettement plus spectaculaire. Ils marchèrent entre de gigantesques champignons deux fois plus grands qu'eux et des fleurs tubulées dégageant un parfum suave. Jonathan balaya des yeux les alentours et remarqua la présence d'autres d'enfants. À la vue des étrangers, les enfants s'immobilisaient. Certains d'entre eux les observaient avec une irrésistible curiosité, scrutant le moindre mouvement des deux hommes aux oreilles rondes, au teint foncé et aux vêtements uniformément noirs. D'autres les regardaient avec une certaine appréhension. Et certains prirent même la fuite à toutes jambes, sans se retourner ! Waël et son frère Helmi continuaient de marcher la tête haute devant leurs amis, fiers d'étaler leur courage et d'avoir réussi à attirer l'attention de leurs semblables grâce à leurs mystérieux visiteurs inattendus. Jonathan et Didier suivaient toujours les deux jeunes elfes hyperboréens, tout en jetant des regards aux autres enfants qui les talonnaient de près.

En émergeant de l'antre profond que Jonathan et Didier venaient tout juste de quitter, ils pénétrèrent sans résistance dans l'endroit où vivaient Waël et Helmi. Devant cette magnificence incomparable, ils restèrent muets pendant de longues secondes. Didier, debout, la bouche béante, contemplait ces beautés, et Jonathan, qui en avait vu des choses étonnantes dans sa vie, était à présent subjugué à l'apparition de Sÿrast, la cité des glaces. D'une blancheur éclatante, avec ses toits bleuâtres et ses coupoles ovoïdes taillées dans un immense bloc de glace éternelle, la cité, construite à l'intérieur d'un immense volcan éteint depuis des milliers d'années, se présentait à eux dans toute sa splendeur !

En longeant la rivière qui, après un dernier méandre, s'évasa au centre de Sÿrast, Jonathan et Didier reprirent leur marche en dévalant un escalier monumental taillé dans la pierre et orné de balustres de glace. C'est alors qu'il y eut un bruit tonitruant de corne qui déferla partout dans la ville. Jonathan devina que les adultes étaient déjà au courant de leur arrivée. En effet, Didier et lui aperçurent des elfes hyperboréens adultes armés qui couraient dans leur direction. Le Maître Drakar et son apprenti restèrent placides malgré le fait qu'ils étaient à présent entourés d'une vingtaine d'elfes hostiles et armés d'arcs. Didier remarqua que les flèches pointées vers eux étaient curieusement constituées de glace. Un elfe, qui semblait être leur chef, se détacha du groupe et s'approcha des deux hommes.

— Que faites-vous en ces lieux, étrangers ?

— Nous sommes perdus et nous voulons retrouver la surface, monsieur, dit Jonathan avec politesse.

— C'est une chose impossible. Sÿrast est un lieu secret depuis toujours et elle se doit de le rester perpétuellement !

Sur ces paroles, Jonathan vit un elfe, plus âgé cette fois, s'avancer vers eux d'un pas chancelant. Il s'arrêta près du général de la garde et prit la parole.

— Comme vous pouvez le constater, dit-il d'une voix calme et autoritaire, les étrangers ne sont pas les bienvenus à Sÿrast.

Nous vivons en paix depuis plus trois mille cinq cents ans et nous tenons à le demeurer.

— Nous comprenons très bien, monsieur, et nous respectons cela. Nous vous promettons de garder le secret…

— Nous ne pouvons pas prendre ce risque, chancelier Van-Noor, fit remarquer le général à son supérieur.

— Merci, général Kauss, je comprends votre inquiétude et je la partage, soyez sans crainte, dit-il en regardant les deux hommes.

— Je suis désolé de vous contredire, messieurs, reprit Jonathan en restant d'une extrême politesse, mais nous ne pouvons nous attarder en ces lieux plus longtemps, nous avons une mission à accomplir…

— Une mission ? l'interrompit le chancelier Van-Noor. Je crains fort que vous ne puissiez terminer votre mission, *soldats* ! Quelle qu'en soit l'importance. Car, pour nous, rien n'est plus prioritaire que notre clandestinité.

— Nous le comprenons fort bien, répéta Jonathan avec calme et détermination. Mais, de notre côté, nous ne pouvons annuler cette mission, ce n'est pas une chose envisageable. Et, pour votre gouverne personnelle, nous ne sommes pas des soldats, monsieur.

— Alors, qu'êtes-vous ?

— Nous sommes des Maîtres Drakar en service.

Sur ces paroles, et d'un geste parfaitement synchronisé, les elfes abaissèrent leurs armes sous les regards étonnés de Jonathan et de Didier.

— En ce cas, Maîtres Drakar, suivez-moi, dit le chancelier.

Les deux hommes, en suivant le vieil elfe, se tournèrent en direction de Waël et son frère Helmi pour les gratifier d'un sourire.

— Je suis le chancelier Van-Noor de Sadek, se présenta alors ce dernier.

— Moi, je suis Maître Jonathan et je suis accompagné de mon partenaire, Didier.

— Didier ! répéta le chancelier avec un petit sourire en coin.

— Oui, je sais, dit l'interpellé en regardant Jonathan, c'est un drôle de prénom !

Après avoir franchi une passerelle piétonnière suspendue au-dessus d'une petite venelle pavée de pierres, ils longèrent une étroite ruelle dans laquelle se précipita une foule de curieux. Des hommes, des femmes et des enfants les observaient avec une curiosité étonnée, épiant les moindres mouvements des deux étrangers aux oreilles rondes. Jonathan devina qu'ils ne devaient pas avoir vu souvent des êtres comme eux à Sÿrast.

Jonathan sentit sur son visage un souffle d'air frais agréable, et une délicieuse sensation de fraîcheur l'envahit. « Surprenant qu'il ne fasse pas plus froid avec toute cette glace », pensa-t-il. À l'endroit où se trouvaient le Maître et son compagnon, les reflets dorés du soleil atteignaient le sol dallé de pierres noires et blanches. Les deux hommes levèrent les yeux en direction de cette agréable lueur ambrée qu'ils croyaient ne plus jamais revoir. Ils aperçurent l'ouverture titanesque du volcan, qui était recouverte d'une fine couche de glace indestructible sans doute conçue par les elfes hyperboréens. Jonathan comprit alors que ce peuple maîtrisait parfaitement la technique de cryogénie.

— Comment va ton poignet, Didier ? s'enquit Jonathan en regardant son ami se frotter le bras avec insistance.

— J'ai l'impression qu'il est cassé, dit-il en faisant une grimace douloureuse.

— Êtes-vous blessé ? demanda le chancelier.

— Oui, je crois m'être brisé le poignet en faisant une terrible chute.

— Alors, je vais donc vous conduire à l'infirmerie immédiatement afin de soigner votre blessure.

— C'est très gentil de votre part, monsieur le chancelier, dit Jonathan.

Ils suivirent le chancelier Van-Noor, qui avait bifurqué de sa trajectoire pour se diriger vers un bâtiment circulaire que perçaient quantité de petites fenêtres rectangulaires. Le chancelier entra dans l'établissement suivi de Jonathan et de Didier. Ils pénétrèrent dans une pièce spacieuse et silencieuse, peinte en bleu pâle et égayée par un mur de mosaïque de blocs de verre dans les tons jaune-orangé. Cette pièce voûtée était meublée de confortables fauteuils dans l'un desquels était assise une vieille dame aux yeux fixés sur les deux étrangers. Au bruit du claquement de la porte, une jeune femme sortit d'une pièce adjacente.

— Bonjour, chancelier Van-Noor, dit la jeune femme en regardant les deux étrangers.

Didier se figea instantanément devant la beauté de cette jeune elfe aux yeux argentés et aux longs cheveux ivoirins qui lui longeaient les omoplates jusqu'au bas du dos.

— Bonjour, Raïa, comment vas-tu ?

— Très occupée, dit-elle en épiant les deux hommes du coin de l'œil.

— Alors, je crois que tu le seras un peu plus, dit-il avec un sourire. J'ai un blessé qui a besoin de tes prodigieux talents...

Elle se tourna instinctivement en direction de Didier et lui dit d'une voix douce :

— Il est cassé ? J'en ai bien l'impression.

— Euh... oui... je crois que oui, balbutia-t-il en se tenant fermement le poignet.

— Alors, veuillez me suivre, monsieur, je vous prie.

Jonathan regarda son partenaire s'éloigner et se retourner vers lui en lui faisant de gros yeux. Jonathan lui lança un sourire et lui dit télépathiquement :

— *N'abuse pas des bonnes choses !*

— *Je ne te promets rien,* répondit-il en lui rendant son sourire.

— Pendant l'absence de votre compagnon, dit le chancelier, j'aimerais vous montrer quelque chose. Une chose, qui, je crois, pourrait vous intéresser !

Sur ces paroles, les deux hommes quittèrent l'infirmerie.

Arrivé au coin d'une petite ruelle, Jonathan vit un haut bâtiment dominer la place, à la fois simple et majestueux avec ses dômes à la texture de glace cristalline. Avant même que Jonathan ait eu le temps d'assimiler ce qu'il venait de voir en entrant dans le petit musée, le chancelier Van-Noor lui dit :

— Je crois que vous connaissez bien ce personnage légendaire ?

Jonathan regarda la statue de trois mètres au centre de la pièce représentant un guerrier à l'allure athlétique debout sur un petit piédestal de marbre. Sur cette base, il était gravé en lettres d'or :

Une nation que seul un héros humain, tourmenté comme nos semblables, a pu sauver de l'affreuse calamité et supporter, sans murmure, les événements des plus douloureux. Qu'à jamais soit béni celui qui nous a arrachés à la puissance des ténèbres.

Pour l'éternité, nous te rendons grâce, Joshua Drakar.

Un drôle de frisson parcourut le corps tout entier du jeune Maître Drakar. Ce n'est certes pas la fraîcheur des lieux qui lui donna cette vague sensation, mais plutôt le regard hypnotique de Joshua Drakar qui semblait le fixer.

— Suivez-moi, Maître Drakar. Je vais vous montrer autre chose.

Jonathan, qui avait de la difficulté à détacher son regard de la statue de Joshua, poursuivit tout de même sa visite guidée dans le musée en admirant une collection impressionnante d'armes à double tranchant et de vieilles armures.

— Ces armes appartenaient à la légion menée par nul autre que Joshua Drakar, lui révéla le chancelier Van-Noor. Venez... Venez voir par ici, je vous prie, poursuivit-il, tout excité de montrer une chose qui pourrait subjuguer son illustre visiteur.

Ils s'approchèrent d'une armoire vitrée enrichie de sculptures dorées. Il y avait un magnifique plastron noir abîmé par des coups de griffes. En voyant l'état de ce plastron, Jonathan songea que le propriétaire de cette armure devait avoir livré un combat sanguinaire.

— Il appartenait à Joshua Drakar...

◊ ◊ ◊

Dans l'infirmerie, Didier était assis sur un tabouret. Raïa lui faisait face et examinait son poignet en mauvais état. Didier n'était qu'à quelques centimètres de sa magnifique chevelure et il pouvait sentir son riche parfum odoriférant, pur, sûrement composé de fruits exotiques. Lui qui avait toujours le nez planté dans des bouquins sur le parapsychisme et naviguant sur Internet à la recherche de phénomènes paranormaux, il n'avait jamais porté une attention particulière à la gent féminine. Mais, cette fois, c'était différent : Raïa était d'une beauté pure, d'une douceur remarquable et elle était tout, sauf normale ! Toutes ces choses suscitaient l'attention de Didier. Il se sentait bien à ses côtés, mais, en même temps, il avait mal ! Non pas à cause de son poignet cassé, mais à cause de leurs si grandes différences. Deux races complètement distinctes, deux mondes les séparaient. Le jeune homme n'avait jamais connu quelque chose d'aussi intense, d'aussi terrible et d'aussi magnifique à la fois. Il ne pouvait le nier ; il était tombé amoureux.

— Est-ce que ça vous fait mal quand je vous touche ici, monsieur ?

— Oui, un peu, répondit-il en plongeant son regard dans ses yeux argentés. Et vous pouvez m'appeler Didier.

— Didier ! Vraiment ? C'est votre prénom ? demanda-t-elle avec le sourire.

— Euh, oui…

Elle garda le silence quelques secondes en le regardant avec un doux sourire, puis…

— Mistye ! Viens ici, ma belle.

Une boule de poils toute blanche passa au travers d'une petite ouverture de la porte arrière. Elle tournoya comme une boule de quille dans la pièce pour finalement s'arrêter en face de Raïa. Cette dernière lui tendit les bras et, sous les yeux stupéfaits de Didier, la boule se déploya et bondit dans les bras de sa maîtresse ! Didier aperçut alors un petit minois aux yeux globuleux, doté d'un minuscule nez et avec des oreilles camouflées sous son épaisse fourrure blanche.

— Elle est vraiment jolie, dit Didier en étirant son seul bras valide pour la caresser. Quel est le nom de cet animal ? demanda-t-il, curieux.

— C'est Mistye, répondit-elle, c'est une didiée !

◊ ◊ ◊

Jonathan était en admiration devant le plastron du légendaire Joshua Drakar.

— Il a fait beaucoup pour vous ?

— Beaucoup ! répondit le chancelier Van-Noor avec de l'émotion dans la voix. Il a sauvé notre peuple d'un génocide certain. Méphistophélès et son armée de démons régnaient dans le pays du Nord. Ils ont anéanti plus d'un demi-million d'elfes, en grande majorité, des femmes et des enfants innocents. Ils ont exterminé le tiers de notre peuple. Nous n'avions aucune chance devant cette force diabolique. Nous n'étions pas de grands combattants. En fait, les elfes étaient tout simplement des chasseurs et des pêcheurs.

— Que s'est-il passé par la suite ? demanda Jonathan, attristé par cette tragique histoire.

— Nous avons entendu parler d'un grand guerrier qui vivait dans le Sud et qui avait anéanti une quantité phénoménale de démons, répondit le chancelier Van-Noor. Alors, mes ancêtres ont envoyé un messager lui porter une lettre de détresse.

— Et il est venu à votre rescousse.

— Oui. Et, avec lui, un millier de guerriers qui lui obéissaient au doigt et à l'œil ! Ils débarquèrent près du château maudit, qui est aujourd'hui le château de Sakarovitch, et livrèrent un combat sans merci pendant des jours et des nuits. Une lutte sanglante, des pertes énormes pour les deux partis.

— Et je connais la fin de l'histoire, dit Jonathan. Joshua Drakar mit fin au règne de Méphistophélès.

— Exactement.

— Je comprends pourquoi vous avez une telle admiration pour cet homme.

— Et c'est pourquoi nous vous laisserons partir en vous faisant entièrement confiance, lui dit le chancelier. Vous êtes les descendants directs des guerriers qui ont sauvé mon peuple, il y a de cela trois mille cinq cents ans !

19

Un crime infâme

Zarya n'arrivait pas à fermer l'œil ; le sommeil la fuyait malgré les heures matinales qui passaient. Elle était étendue sur son lit, perdue dans les pensées tumultueuses qui lui agressaient l'esprit comme la foudre enflammée éclairant brusquement un ciel chargé de cumulo-nimbus. C'est alors que son regard fut attiré par le reflet d'un arbre qui se découpait à travers l'opaque rideau de sa chambre. Cette ombre chinoise arborait étrangement la silhouette cauchemardesque du loup-garou ailé ; rien pour l'aider à s'endormir ! Zarya n'avait jamais autant regretté un geste comme celui qu'elle avait fait : suivre un dangereux malfaiteur, toute seule, sans assistance… Elle aurait pu y laisser sa peau !

Abbie dormait à poings fermés ; sa lèvre inférieure produisait un léger clappement dans son sommeil, comme celui d'un petit veau qui tète. Zarya ne put s'empêcher d'afficher un petit sourire en coin, malgré son angoisse intérieure. Elles avaient parlé pendant une heure entière avant que le sommeil ne gagne

Abbie. Leurs sujets de conversation avaient naturellement été le mystérieux inconnu du parc et les bêtes monstrueuses.

Les yeux fixés au plafond, une désagréable pensée obsédait Zarya à propos de son grand-père… Elle aurait tant voulu lui expliquer la raison de sa filature ! Lui faire comprendre que, en aucun cas, elle n'avait voulu se faire sa propre justice ! Si elle avait suivi le mage noir, c'était dans le seul but d'obtenir des informations sur son identité ou, encore, de trouver son domicile. Malheureusement, elle n'avait pas eu la chance de lui raconter son horrible aventure. Pour cause, dès l'instant où Gabriel s'était approché de sa petite-fille pour lui parler, le ministre de la Sécurité publique, Hamas Sarek, était inopinément arrivé sur les lieux de l'attaque, accompagné de ses agents. Leur conversation avait été particulièrement animée, et il y avait eu des échanges de propos offensants, totalement irrespectueux pour Gabriel et ses Maîtres Drakar.

En conséquence, les adolescents avaient décidé de quitter les lieux du crime pour laisser les Maîtres Drakar ainsi que les investigateurs attiliens faire leur boulot. En se dirigeant vers le transmoléculaire, Zarya songea avec une inexprimable tristesse à la vanité de cette poursuite abracadabrante qui avait mis en danger la vie de Jeremy et de ses amis. D'une part, elle regrettait amèrement, certes, mais, d'autre part, elle devait s'avouer qu'elle souhaitait de tout cœur l'arrestation du mystérieux inconnu du parc.

En voyant et en reconnaissant ce dangereux criminel, il est vrai qu'elle aurait pu tout simplement donner un coup de télépat à son grand-père ; ça lui aurait fait un plaisir incommensurable de lui mettre enfin la main au collet. Après quoi, elle aurait pu aller rejoindre ses amis sur le plancher de danse et continuer de festoyer pendant que les Maîtres Drakar auraient tout bonnement fait leur travail. Cependant, elle avait suivi son instinct, sans savoir que le danger était omniprésent.

Maintenant, il était trop tard : elle devait rendre des comptes à son grand-père. Ce fut d'ailleurs la première chose qu'elle sut en mettant les pieds dans la maison familiale après l'incident. En effet, madame Phidias l'informa que son grand-père voulait impérativement lui parler dans son bureau, au Temple des Maîtres Drakar, en début d'après-midi. Bien que madame Phidias ne fût pas au courant des événements — Gabriel ne voulait pas l'inquiéter inutilement —, Zarya sentit une certaine appréhension dans sa voix. Elle avait fait part à Abbie de son appréhension concernant la rencontre avec son grand-père, mais son amie lui avait dit de ne pas s'alarmer outre mesure ; Olivier lui avait mentionné que c'était les procédures normales et qu'un rapport d'enquête devait être rédigé à l'intention de la C.C.A.F, la Commission du contrôle des animaux fantastiques. Bien que cette explication fût tout à fait logique, Zarya avait tout de même perçu une certaine inquiétude dans la voix de son amie.

Après avoir réussi à mettre ses préoccupations de côté, Zarya était finalement parvenue à dormir quelques heures bien méritées ; elle en avait bien besoin après cette nuit *endiablée* !

◊ ◊ ◊

Zarya se réveilla d'un sommeil très agité et peuplé d'affreux cauchemars. Ses neurones se remettaient tranquillement en état de marche. Elle s'assit sur le bord de son lit, la figure altérée, repensant à ce qui l'attendait… La crainte qu'elle avait quant à cette rencontre la reprit de plus belle, ce qui eut pour effet de lui serrer le cœur. Zarya se tourna vers Abbie et constata que celle-ci était plongée dans le manuscrit que ses parents lui avaient légué. Toute concentrée, Abbie essayait, tant bien que mal, de le déchiffrer. Elle regarda dans la direction de Zarya et lui fit un beau sourire.

— As-tu bien dormi, Zarya ?

— Oui, très bien, mentit-elle pour ne pas l'inquiéter inutilement.

Abbie la regarda d'un air dubitatif.

— Ne t'en fais pas. Ça va super bien aller avec ton grand-père, crois-moi ! affirma-t-elle, autant pour se persuader elle-même que pour rassurer son amie.

— J'aimerais te croire…

Abbie ne sut que répondre.

— J'espère que Jeremy ne m'en veut pas…, reprit alors Zarya.

— Jeremy ! l'interrompit immédiatement Abbie avec un petit gloussement amusé. Tu le connais mieux que moi ! Je suis sûre qu'il aimait mieux se battre contre ces affreuses bestioles que de danser au pub.

Zarya répondit par un petit sourire fugace.

— Alors, crois-tu que mon grand-père m'en veut ?

— Ne dis pas de bêtises…

Abbie arrêta subitement de parler en remarquant le regard bouleversé de Zarya.

— À vrai dire, je n'en sais rien…

— As-tu vu ses yeux quand il m'a fixée ? dit-elle avec un trémolo dans la voix. Et comment il a tué cette monstrueuse bête ? D'un seul regard !

— Oh oui ! Ça, je l'ai vu. Et je peux te confirmer que tout le monde l'a vu, dit-elle, visiblement impressionnée.

Abbie déposa son manuscrit sur sa table de chevet et lui dit :

— Pourquoi le prends-tu si… personnel ?

Zarya se leva, hébétée par la question incisive d'Abbie.

— Pardon ? Je ne suis pas sûre de comprendre… Que me reproches-tu exactement ? répliqua-t-elle d'un ton ferme.

Abbie s'approcha lentement de son amie, prenant soin de mesurer ses paroles pour ne pas la brusquer davantage et lui dit d'une voix douce :

— Le mystérieux inconnu du parc, comme tu l'appelles si bien… Tu devrais laisser les Maîtres Drakar s'en occuper.

Les paroles sortant de la bouche d'Abbie étaient humbles et sincères, mais, malgré cela, elles eurent l'effet d'une bombe !

— Oui ! Je le prends personnel ! explosa Zarya en haussant la voix. Et… et je suis la seule personne qui ait eu un contact direct avec… et j'ai reconnu sa voix… et c'est pour cette raison que je l'ai suivi !

— Tu sais, Zarya, l'interrompit son amie en conservant une voix douce, on aurait pu t'aider…

— Je ne voulais mettre personne en danger…

— Mais tu l'as quand même fait !

Dès que ces paroles eurent franchi ses lèvres, Abbie en éprouva immédiatement un profond regret : elle avait trop parlé. Elle ne voulait surtout pas troubler davantage son amie. Mais cet énoncé, frappant de vérité, fit baisser les yeux de Zarya, et celle-ci rougit de honte ; vraisemblablement, elle ressentait un grand sentiment de culpabilité.

— Tu as raison, Abbie, dit-elle d'une voix blanche en s'assoyant sur le bord de son lit. Il aurait été plus simple de vous demander de l'aide.

— Tu devais agir rapidement. Tu n'aurais sûrement pas eu le temps de prendre contact avec nous, dit Abbie en s'efforçant d'excuser Zarya et de la consoler en lui mettant une main aimante sur l'épaule.

— Ce n'est pas une bonne raison. J'aurais pu vous avertir télépathiquement, tu le sais très bien.

— Peu importe, Zarya. La chose la plus importante, c'est que tout le monde soit sain et sauf.

— Oui, tu as raison… c'est ça, l'essentiel. Si tu savais, Abbie, j'aurais tant aimé voir son visage pour l'identifier. Il est très malin, tu sais ? Il se tenait toujours dans l'obscurité.

— Oui, je sais… Jeremy m'a dit la même chose : il n'a jamais réussi à voir ses traits lui non plus.

Après avoir rangé leur chambre, Zarya et Abbie allèrent rejoindre madame Phidias dans la salle à manger. Comme à son habitude, elle avait préparé avec soin un repas sain et équilibré.

— Bonjour les filles, dit Mitiva d'une voix chaleureuse. J'espère que vous avez passé un bon Noël.

Zarya hocha béatement la tête sans prononcer un mot et porta son regard sur la belle table. Le peu d'enthousiasme qu'elle avait manifesté devant madame Phidias n'avait en rien ébranlé la bonne humeur de leur « mère de remplacement ».

— Tout a l'air succulent, madame Phidias, la complimenta Abbie d'un air jovial en s'assoyant à sa place habituelle.

— Merci, mademoiselle Abbie, c'est très gentil. Après le repas, il ne faudra pas oublier d'aller préparer vos valises pour votre voyage à Vonthruff. Vous êtes censées partir vers la fin de l'après-midi.

Zarya éprouva subitement un profond remords quant à son humeur plutôt maussade ; madame Phidias ne méritait pas ça… Elle se secoua pour sortir de sa léthargie puis leva la tête de son assiette et regarda madame Phidias pour lui poser une question :

— Êtes-vous déjà allée à Vonthruff, madame Phidias ?

— Oui, bien sûr, mademoiselle Zarya, répondit-elle en déposant sa fourchette près de son assiette. Plusieurs fois, en fait. J'ai justement de la famille qui réside là-bas. Ma cousine Sabryne habite près du château de Sakarovitch.

— Le château de Sakarovitch ! Mon grand-père nous en a mentionné l'existence.

— Olivier nous a également dit que c'était un château légendaire. Est-ce vrai, madame Phidias ? Est-il énorme ?

— Oh oui ! Il est immense. Comme vous l'avez sûrement constaté, le Temple des Maîtres Drakar est une ville intérieure en soi ; les jeunes filles approuvèrent d'un signe de tête. Soit dit en passant, le Temple est le deuxième plus gros bâtiment d'Attilia ; le premier étant le colisée d'Amphitryon. Alors, imaginez un instant, le château de Sakarovitch est presque aussi grand que ce colisée.

Les jeunes filles se regardèrent, les yeux écarquillés. Elles n'avaient pas vu ce colisée, cependant, elles s'imaginaient mal qu'une construction fut plus impressionnante que le Temple des Maîtres Drakar.

— Olivier avait raison quand il vous a signalé que le château de Sakarovitch est légendaire. Je peux vous avouer que c'était l'un de mes sujets préférés dans mes cours d'histoire. Une fois par année, il y avait un voyage organisé pour aller le visiter.

— Que s'y est-il passé pour qu'il soit aussi légendaire ? demanda Zarya.

— Oh ! Beaucoup de choses se sont passées dans cet endroit, dit Mitiva avec les yeux agrandis. De bonnes et de *très* mauvaises choses !

— Pouvez-vous nous en relater une ? la questionna Abbie, curieuse comme pas une.

— Mais bien sûr ! Alors… par quoi vais-je commencer ? Ah oui ! je vais vous parler de son premier propriétaire.

Les jeunes filles la regardèrent avec attention. Zarya avait heureusement retrouvé sa bonne humeur. En parlant ainsi du voyage à Vonthruff, elle ne pensait plus à l'ultime rendez-vous avec son grand-père, une rencontre qui l'inquiétait beaucoup. Ses pensées s'étaient tournées vers ses retrouvailles avec Jonathan, à Vonthruff. Son cœur était subitement devenu plus léger.

— Il s'appelait Vadim Marliak, raconta l'aïeule avec une intonation lugubre à glacer le sang.

Les jeunes filles devinèrent qu'il ne devait pas être le cousin du père Noël…

— C'était le chef d'une puissante armée constituée de mages noirs, de loups-garous, de cyclopes géants, de redoutables stryges et d'autres bestioles du mal.

— Un stryge ! Mais qu'est-ce que c'est, madame Phidias ?

— On dit *une* stryge… Ce sont des vampires, mi-femme mi-animal ; d'effroyables machines à tuer. Elles adorent s'amuser avec les corps d'humains mutilés gisant à moitié morts, abandonnés en plein champ de bataille. Elles dévorent lentement leurs pauvres victimes encore palpitantes ; ce sont des êtres vraiment barbares !

Abbie regarda Zarya, les yeux exorbités telle une grenouille, les lèvres molles, terrorisée par la description évocatrice de ces stryges.

— Et, un jour, Vadim Marliak signa un pacte avec Méphistophélès…, poursuivit madame Phidias d'une voix basse.

— Méphistophélès… le démon ! s'exclama Zarya, les yeux écarquillés de stupeur.

— Exactement ! Lui-même, le bras droit de Satan, précisa Mitiva. Le pacte conclu par les deux parties consistait à rallier l'armée de Vadim Marliak à celle de Malphas…

— Malphas vivait à ce moment-là ? Et il avait une armée… à lui ? demanda Zarya, mal à l'aise ; elle repensait à la promesse que Malphas lui avait faite de lui arracher lui-même le cœur.

— Oui, il ne faut pas oublier que ce Malphas est immortel, c'est un démon. Et, pour ce qui est de son armée, étant le président des enfers, il a quarante légions qui lui obéissent aveuglément.

— Et pourquoi Malphas n'avait-il pas son armée avec lui lorsqu'il est venu à Attilia ? s'enquit Abbie.

— Parce qu'il était venu en astral et non en chair et en os. Seulement son âme maudite avait franchi notre monde à cause d'une invocation satanique.

Zarya frissonna à ces paroles : c'était son père qui avait invoqué Malphas.

— Mais la faille qui subsiste toujours aujourd'hui dans le Temple des Maîtres Drakar et qui, soit dit en passant, est bien gardée par ton grand-père et ses Maîtres Drakar, était ouverte et laissait s'échapper des démons par milliers dans ces temps reculés.

— Pourquoi les Maîtres Drakar ne ferment-ils pas cette faille maudite pour toujours ? demanda Abbie avec émotion.

— Malheureusement, on ne peut pas… Nous n'avons pas le savoir-faire pour la refermer.

Madame Phidias reprit alors son histoire :

— Alors, pour récompenser Vadim Marliak pour ses loyaux services, Méphistophélès lui fit construire un énorme château. Des milliers d'esclaves, condamnés par ce démon sans pitié, travaillèrent sans relâche pendant deux longues années. Il put ainsi régner sur la ville de Vonthruff pendant une décennie… Jusqu'à l'arrivée de Joshua Drakar !

— Waouh ! Joshua Drakar ! lança Abbie. J'en ai des frissons !

— Alors, si je comprends bien, madame Phidias, le château de Sakarovitch serait damné ?

— En effet, il y a de nombreux événements étranges qui se seraient produits pendant plusieurs siècles dans ce château. Des meurtres bizarres, jamais élucidés, qui ont alimenté les ragots des cancaniers du royaume durant de nombreuses années. Des disparitions inexpliquées se seraient également produites en ces lieux. Mais ne vous en faites pas, les filles, dit-elle en remarquant qu'elles étaient devenues perplexes, cela fait bien longtemps qu'aucun phénomène de ce genre n'est survenu !

◊ ◊ ◊

Un vieux mage à la barbichette grise venait de se transmoléculer près de la rue Adams ; il passa à côté de Zarya en la saluant par une douce inclinaison de tête. Elle lui répondit d'un sourire timide avant de disparaître dans le transmoléculaire.

Elle réapparut dans le transmoléculaire non loin du Temple. Elle chemina sur l'étroite chaussée ombragée par endroits par de majestueux arbres centenaires. Un léger vent rendait leur feuillage frémissant, aussi tremblotant qu'elle-même : sa nervosité croissait à l'approche de l'entrée principale. Après avoir salué les Maîtres Drakar qui montaient la garde à l'extérieur, elle pénétra dans l'immense hall d'entrée. Marchant dans le long couloir et étant concentrée sur l'impressionnante collection d'armures damasquinées se trouvant sur le mur de pierres, Zarya ne vit pas Jeremy foncer droit sur elle.

— Salut, Zarya !

— Mais que fais-tu ici, Jeremy ?

— J'ai été convoqué au bureau de ton grand-père pour donner ma version des faits concernant l'attaque de ce matin.

— Ah oui !

Bien qu'elle fût surprise par la présence de Jeremy en ces lieux, elle comprenait parfaitement que son grand-père doive corroborer sa version des faits.

— Ça s'est bien passé, j'espère ?

— Oui, très bien !

Zarya ne comprenait pas très bien l'enthousiasme extatique de son ami.

— Eh bien ! Tu as l'air très content d'avoir rencontré mon grand-père...

— Oh oui ! Il m'a dit qu'il allait appeler mes parents aujourd'hui... n'est-ce pas formidable, Zarya ? dit Jeremy, qui avait de la difficulté à refréner sa fougue.

— Et pourquoi veut-il les appeler ?

— Il m'a trouvé très courageux d'être allé à ton secours...

— Et il a parfaitement raison, approuva-t-elle en posant une main reconnaissante sur l'épaule de Jeremy, je te remercie infiniment d'être venu à mon aide.

— Il n'y a pas de quoi, partenaire ! Je te disais donc que ton grand-père veut appeler mes parents pour les convaincre de m'inscrire à la formation des Maîtres Drakar... cet été !

— Waouh ! Félicitations, Jeremy ! C'est ton rêve qui prend forme. C'est fantastique !

Zarya vit Jeremy tourner son regard en direction des armures, et il sembla tout à coup contrarié.

— Ça va, Jeremy ?

— Il y a un hic dans tout ça... Tu as parfaitement raison quand tu mentionnes que c'est le rêve de ma vie, mais ce n'est certainement pas celui de mes parents...

— Ne dis pas de bêtises ! Tes parents veulent sûrement ton bonheur. Ne t'en fais pas, Jeremy, ils vont certainement approuver.

— Tu ne les connais pas, dit-il en devenant de plus en plus perplexe. Mon père veut que je devienne agriculteur tout comme lui, comme mon grand-père et comme mon arrière-arrière-grand-père.

— Tu as parfaitement raison. Je ne connais pas tes parents, mais, toi, tu ne connais pas mon grand-père ! Il peut se montrer très persuasif.

Une lueur d'espoir apparut alors dans les yeux de Jeremy, qui retrouva le sourire et décocha un léger coup de poing amical sur l'épaule de Zarya.

— Tu as raison ! Je dois garder espoir !

Après avoir salué Jeremy, Zarya se dirigea vers le bureau de son grand-père. Elle était contente pour l'avenir de son ami et espérait que ses parents lui donnent leur approbation. Elle arriva devant le bureau et constata que la porte était grande ouverte. Elle entra d'un pas indécis en voyant son grand-père lui tourner le dos ; il regardait par la fenêtre.

— Bonjour, grand-père, dit-elle d'une voix timide.

Il se tourna vers elle.

— Bonjour, Zarya. Excuse-moi, je ne t'ai pas entendu arriver, j'étais perdu dans mes pensées. J'espère que tu n'es pas trop fatiguée après cette nuit mouvementée ? lui demanda-t-il avec un doux sourire.

Elle ne savait pas si c'était un reproche ou tout simplement une délicate et affectueuse attention d'un grand-père envers sa petite-fille ; elle se contenta donc de lui retourner son sourire.

— Je t'en prie, assois-toi. Je vais aller droit au but, Zarya, lui dit-il en s'assoyant sur le coin de son bureau et en regardant sa petite fille directement dans les yeux. Je dois t'avouer que l'incident de ce matin m'a rendu très anxieux.

Elle sentit une chaleur lui monter au visage.

— Je suis désolée, grand-père. Je ne voulais pas… Si, je voulais, mais…

— Non, ne sois pas désolée, Zarya. Je ne t'en veux pas, et je ne t'en voudrai jamais. Ton instinct prédominant t'a guidée vers la poursuite de ce mage noir. Une hérédité à laquelle tu ne peux échapper, à mon grand désespoir, dit-il en lui faisant un petit sourire contrit.

— Je croyais que tu étais en colère contre moi !

— En colère contre toi ! Bien sûr que non, voyons. Je le suis contre cet infâme individu.

Zarya sentit alors un grand soulagement la submerger et un énorme poids quitter ses épaules.

— En tant que directeur du Temple des Maîtres Drakar, je dois rester impassible, peu importe la nature du crime perpétré. Mais là, c'est tout à fait différent, puisque ce n'est pas le directeur de ce Temple qui est furieux, mais le grand-père !

La jeune fille pouvait lire une épouvantable colère dans ses yeux.

— Jeremy m'a confié que tu avais reconnu cet homme grâce aux intonations de sa voix ?

— Oui, mais, malheureusement, je n'ai pas pu voir son visage. J'aurais tant aimé te donner une description, grand-père ! La seule chose que je peux affirmer, c'est qu'il est subtil et très rusé.

— Oui, c'est bien l'impression qu'il me donne… Mais il ne faut pas désespérer, Zarya, un jour, on le capturera.

— J'en suis convaincue, grand-père.

Zarya prit le temps d'une inspiration avant de lui avouer :

— Il m'a vue me servir de mon pouvoir de Torden…

— Oui, je m'en suis douté en constatant l'état d'une des bêtes que nous avons récupérées. Maintenant, je crains que l'individu en question soit davantage intéressé par toi, puisqu'il connaît l'étendue de tes pouvoirs.

— Mais je n'avais pas le choix de m'en servir, grand-père. Ces bêtes étaient d'une férocité inouïe.

— Et tu as bien fait de l'utiliser, Zarya, je t'assure.

— Mais d'où proviennent ces *choses* ignobles, grand-père ? Sont-ils des démons ? Proviennent-ils de l'enfer ?

Sur ces paroles, Gabriel se leva, prit sa canne et lui dit :

— Viens avec moi, Zarya, je connais quelqu'un qui pourra répondre à toutes tes questions.

Tout en marchant côte à côte et en bavardant de choses et d'autres dans le couloir qui n'en finissait plus, Zarya souleva un point qui l'intriguait :

— Les gens qui étaient avec toi, ce matin, dans la ruelle…

— Le ministre Hamas Sarek et son équipe ?

— Exactement. Le ministre Sarek avait l'air plutôt furieux, non ?

— Le ministre Sarek est toujours furieux, dit-il avec un petit sourire en coin. Je vais t'expliquer la raison de son accès de colère de ce matin. Moi et mes Maîtres Drakar sommes arrivés sur les lieux du crime avant lui et son équipe d'agents. Cela a eu pour effet de le mettre en colère. Selon la procédure régie par le gouvernement attilien, les agents de la sécurité publique sont les premiers intervenants. Pour une raison que nous ignorons, le Rodz qui était en service est venu directement m'avertir sous le chapiteau…

— Mitoïd !

Gabriel s'arrêta subitement et regarda sa petite-fille d'un air surpris.

— Tu connais le nom de ce Rodz ?

— Oui, bien sûr ! C'est moi qui lui ai demandé d'aller chercher de l'aide.

— Et à qui pensais-tu lorsque tu as fait ta demande ?

— À toi, bien sûr !

— Alors, tout s'explique ! gloussa-t-il. C'est sûrement pour ce motif que ce cher Mitoïd est venu immédiatement me voir. Après quoi, de toute évidence, il est allé prévenir ce cher ministre Sarek comme la procédure l'exige.

Gabriel et Zarya pénétrèrent dans une pièce bien éclairée à l'allure d'un laboratoire expérimental. En entrant, la jeune fille fut frappée par une odeur de chair brûlée. Elle se sentit mal à l'aise en voyant la multitude de pots emplis d'un liquide bleuté dans lesquels trempaient des organes d'origine animale ou humaine, elle n'aurait su le dire. Elle vit des ossatures aux allures très étranges, les uns avec six bras et d'autres avec trois crânes démesurés. Au centre de la pièce, il y avait une femme et deux hommes vêtus de blouses d'une blancheur immaculée et portant des gants tachés de sang. Gabriel s'approcha d'un des scientifiques qui semblait être le responsable de l'équipe.

— Bonjour, professeur Biafora. J'aimerais vous présenter ma petite-fille Zarya. Zarya, je te présente le professeur Marius Biafora, c'est un grand spécialiste des créatures fantastiques.

— Bonjour, professeur.

— Enchanté de faire enfin votre connaissance, mademoiselle Adams.

— Zarya m'a posé une question concernant l'origine de ces bêtes, professeur Biafora. Elle se demande d'où elles proviennent ainsi que le nom donné à leur espèce.

Zarya pouvait apercevoir deux tables de métal accolées l'une près de l'autre ; couchés dessus se trouvaient les deux loups-garous ailés. L'un était en lambeaux, tandis que l'autre avait le thorax ouvert ; la jeune scientifique en retirait des morceaux pour les analyser à l'aide de son microscope binoculaire très sophistiqué.

— Disons que ce n'est pas une bête que vous voyez ici, mademoiselle Zarya, répondit le professeur en tâtant l'avant-bras poilu de la bête, mais plutôt un mélange de deux espèces distinctes.

— J'en étais presque sûr, professeur. Vous parlez de clonage, n'est-ce pas ? demanda Gabriel.

— Oui, monsieur le directeur. Ils auraient cloné un loup-garou et un grype pour arriver à cet étonnant résultat.

— Vois-tu, Zarya, expliqua Gabriel en voyant l'interrogation se dessiner sur le visage de sa petite-fille, le clonage est très fréquent dans notre monde, pour des motifs comestibles ou médicaux. Mais, concernant le fait de cloner deux bêtes pour leur donner cet aspect, c'est un crime infâme, impardonnable dans notre monde. On ne peut, en aucun cas, inventer d'autres espèces animales. Nous ne sommes pas Dieu !

— C'est une arme de guerre que vous voyez ici, mademoiselle Zarya, ajouta le professeur Biafora. Imaginez un instant, si on clonait un dragon des glaces avec un béhémoth, la bête mons-trueuse qui en résulterait !

Les boucs émissaires

Lorsque Jonathan se réveilla le lendemain matin, il mit un certain temps à se rappeler pourquoi il avait le cœur si léger. Il était étendu dans un lit douillet et tiède, les yeux démesurément agrandis par la hâte de quitter les lieux. Non pas qu'il était mal reçu à Sÿrast, bien au contraire, mais c'est plutôt l'arrivée imminente de Zarya à Vonthruff qui le rendait fébrile. En effet, c'était aujourd'hui le grand jour, et il tenait à être présent lors de l'arrivée de la jeune fille.

Pendant une fraction de seconde, Jonathan crut entendre des bruits de pas de l'autre côté de la porte.

Toc ! Toc !... Jonathan se leva pour ouvrir.

— Bonjour, Didier, mais entre, voyons.

Ce dernier entra avec un sourire radieux.

— Comment va ton poignet ?

— Ça va mieux.

— Je l'espère ! dit-il avec un sourire espiègle en s'assoyant sur le bord de son lit. La docteure t'a sûrement examiné de haut en bas. Douze heures pour examiner un simple poignet, il doit effectivement aller beaucoup mieux.

— Disons que... oui, il va mieux... Elle avait terminé sa journée de travail, et, comme vous m'avez informé télépathiquement que le chancelier nous avait gentiment invités à passer la nuit ici, j'ai pris la liberté de lui offrir de la raccompagner chez elle. Et puis... on a discuté de tout et de rien, vous voyez le scénario ?

— Oui, oui, je vois très bien le scénario !

Gêné, Didier tenta maladroitement de changer de sujet :

— Le poisson qu'elle avait préparé ! Waouh ! Il était vraiment délicieux !

— Tu vas la revoir, j'imagine ?

— Elle veut me revoir... Enfin, je crois.

— Et toi ?

— J'aimerais bien, mais... puis-je vous poser une question, Maître ?

— Oui, bien sûr.

— Les Maîtres Drakar peuvent-ils avoir des relations normales avec... une femme ?

— Naturellement ! Nous ne sommes pas des moines ! répondit Jonathan en s'esclaffant.

L'heure de partir était venue pour le Maître Drakar et son apprenti. Le chancelier Van-Noor, le général Kauss avec l'un de ses soldats ainsi que la docteure Raïa les raccompagnaient à la sortie de Sÿrast. Ils étaient à présent dans une immense grotte et ils s'arrêtèrent à quelques mètres d'un mur de glace. Jonathan regarda simultanément son partenaire et cet obstacle infranchissable qui bloquait l'issue. Le chancelier avança alors de quelques pas, leva les deux bras en direction du mur bleuté et psalmodia une incantation d'une voix suraiguë ; cela ressemblait étrangement à un chant d'oiseau. Grâce à cette étonnante magie, même pour un mage, le mur fondit à une rapidité surprenante. C'est alors qu'un vent déchaîné s'engouffra par l'entrée ainsi créée et tourbillonna parmi les gens présents. Cet effluve glacial rappela aux deux étrangers qu'ils se trouvaient toujours loin dans le nord.

— Alors, nous y voilà, dit Jonathan en se tournant vers le chancelier. Nous vous sommes très reconnaissants de votre généreuse hospitalité et nous vous promettons de préserver votre secret, n'ayez crainte.

— Nous en sommes certains, Maître Jonathan, et, de votre côté, soyez assurés que vous serez toujours les bienvenus à Sÿrast, dit-il en leur serrant la main.

Pendant que le chancelier Van-Noor discutait avec Jonathan, Didier se tourna en direction de Raïa.

— Tu as entendu le chancelier, dit-elle en fixant de ses yeux argentés le regard très doux de Didier, vous serez toujours les bienvenus.

Ce dernier, déboussolé par ce regard perçant, enleva ses lunettes et lui dit :

— Et pour toi, Raïa, serai-je toujours le bienvenu ?

— Toujours !

— Alors, je reviendrai. Je ne sais pas comment… mais je reviendrai.

— Tu te rappelles hier soir, lorsque je t'ai parlé d'un vieil homme vivant à Vonthruff que je connais très bien ?

— Oui, je m'en souviens.

— Alors, il saura comment t'amener ici, dit Raïa en lui donnant un bout de papier. Ceci est son adresse.

— D'accord, alors je reviendrai très bientôt, dit-il en lui serrant la main.

Le tirant par le bras, elle se plaqua contre lui et lui déposa un tendre baiser sur les lèvres, loin des regards ; ce baiser trouva écho dans leur cœur !

Une vibration au niveau du sol se fit soudain sentir, suivie de bruits de pas très lourds qui venaient dans leur direction.

Jonathan et Didier se retournèrent vivement et virent une chose qui les fit reculer de quelques pas. Deux dragons des glaces adultes leur apparurent. D'un blanc immaculé et aux yeux bleutés, ils marchaient en se dandinant lourdement de droite à gauche, laissant traîner leur longue queue écailleuse sur le sol enneigé.

— Le général Kauss et son sous-officier vont vous raccompagner aux abords de la ville de Vonthruff, précisa le chancelier Van-Noor.

— C'est très gentil, nous vous en sommes très reconnaissants ! lança Jonathan en regardant furtivement la selle de cuir fixée sur le dos du dragon blanc.

— On va faire une entrée très discrète à Vonthruff, remarqua ironiquement Didier en fixant son mentor.

Jonathan lui fit un sourire complice.

— Ne vous en faites pas, mon cher ami, dit le chancelier qui avait entendu le sous-entendu amusant de Didier, les dragons des glaces savent être très discrets.

Sur ces paroles, le ciel, qui était jusqu'alors d'un bleu sans nuages, se chargea d'un brouillard qui s'épaissit rapidement pour devenir très dense. Constatant ce phénomène météorologique plutôt insolite, Jonathan se rappela avoir appris, dans l'un de ses cours sur les créatures fantastiques, que l'une des propriétés magiques des dragons des glaces est leur faculté de contrôler l'humidité ambiante et ainsi de former des bancs de brouillard afin qu'ils puissent se déplacer en toute discrétion.

Aussitôt que le général Kauss s'installa sur son dragon, il tendit la main à Jonathan et lui dit :

— Il est temps de partir.

Après avoir enfourché la bête deux fois plus grosse qu'un éléphant, Jonathan et Didier prirent leur envol dans un puissant battement d'ailes. Raïa regarda Didier, assis derrière le sous-officier, s'éloigner et elle le perdit de vue lorsqu'il pénétra dans l'épais brouillard. Ils filaient à une vitesse ascensionnelle, de plus en plus haut dans le ciel obscurci par la magie des dragons.

Survolant à haute vitesse les plaines enneigées des contrées nordiques, Jonathan et Didier grelottaient des pieds à la tête. En effet, contrairement aux elfes hyperboréens qui ne semblaient pas contrariés par ce froid des plus rigoureux, nos deux acolytes gelaient : un vent glacial tentait, tant bien que mal, de s'infiltrer sous leur manteau trop court. Il était difficile d'évaluer l'altitude à laquelle ils voyageaient et d'autant plus difficile de s'orienter. Cependant, le général Kauss semblait parfaitement connaître la région et savoir où ils allaient.

Quelques kilomètres plus loin, Jonathan remarqua qu'ils perdaient peu à peu de l'altitude, au grand soulagement de Didier, qui ne pouvait plus remuer ses lèvres blêmissantes. Les dragons atterrirent discrètement derrière une petite colline avec une souplesse et une légèreté qui surprirent Jonathan.

— Nous y sommes, messieurs, dit le général Kauss, la ville de Vonthruff est à un kilomètre devant vous.

— Merci, mes amis, dit Jonathan en leur serrant la main, imité par Didier. J'espère qu'on se reverra un jour.

— Nous l'espérons aussi, et soyez très prudents !

◊ ◊ ◊

Après une bonne marche qui les avait réchauffés, Jonathan et Didier entrèrent dans une charmante petite auberge, *Le Ripailleur*. C'était un endroit réputé pour son hospitalité, sa fine cuisine biarnoise ainsi que ses spécialités locales. Jonathan se dirigea vers la dame souriante derrière le comptoir, vêtue d'une robe bleue et portant une paire de lunettes en forme de demi-lune sur le bout de son nez.

— Bonjour, madame, j'ai une réservation pour une chambre.

— Bien sûr, et à quel nom est votre réservation, monsieur ? demanda-t-elle en ouvrant son registre.

— Thomas… Jonathan Thomas.

La dame regarda simultanément les deux hommes par-dessus ses petites lunettes avec une curiosité indiscrète.

— La chambre 6, oui, c'est bien ça… la chambre 6, monsieur Thomas, dit-elle en lui remettant la clef. Et je vous souhaite un bon séjour à Vonthruff, messieurs !

Pendant que les deux hommes se rendaient dans leur chambre, la dame s'empressa de prendre son télépat d'une main tremblante.

Jonathan entra le premier dans la chambre, suivi de Didier. Ce dernier constata que leurs valises étaient déjà déposées près de leur lit respectif.

— Maintenant, Maître, quel est votre plan ?

Jonathan ouvrit son bagage et en sortit des vêtements de rechange avant de répondre :

— Lorsque nous nous serons changés, nous partirons pour le château de Sakarovitch. J'aimerais poser quelques questions à ce *cher* monsieur Kruta !

◊ ◊ ◊

Jonathan et Didier sortirent de l'auberge et traversèrent la rue fourmillante de passants et de vendeurs de poissons. On avait de la difficulté à croire que la fête de Noël était déjà terminée, avec toutes ces façades encore magnifiquement décorées et cette agitation parmi les gens de Vonthruff. Les deux hommes aperçurent la haute silhouette du château de Sakarovitch se dessiner au loin. Selon leur estimation, il devait y avoir une dizaine de kilomètres qui les en séparaient.

Ils décidèrent donc de se rendre par transmoléculation. Jonathan sortit la carte transmographique de cette ville que la dame de l'auberge leur avait gentiment fournie.

— Le château de Sakarovitch est le numéro 98, précisa Jonathan à son apprenti.

Ils pénétrèrent dans le transmoléculaire et disparurent dans un léger crépitement.

Ils réapparurent dans un sous-sol sombre, humide et, surtout, inquiétant !

— Je crains fort que nous nous soyons transmoléculés à la mauvaise place, devina Didier.

— Nous sommes effectivement au mauvais endroit. Mais je ne crois pas qu'on ait fait une erreur de déplacement, dit-il en regardant le numéro du transmoléculaire. On nous a volontairement détournés. Le numéro de ce transmoléculaire est le 3. On doit rebrousser chemin, et vite !

Les deux hommes pénétrèrent de nouveau dans le transmoléculaire et...

— Il ne fonctionne plus ! constata Didier. Nous sommes tombés dans un piège.

— J'en ai bien l'impression. Alors, restons vigilants, mon ami.

Jonathan et Didier suivirent prudemment un long couloir étroit aux murs de pierres poussiéreux sur lesquels étaient accrochées des torches enflammées. Jonathan devina que cet endroit devait être une construction très ancienne en voyant l'état de dégradation avancée des colonnes. Pourtant, les flambeaux étaient allumés depuis peu ! Cet endroit était sans aucun doute fréquenté, devinèrent les deux hommes. Ils arrivèrent dans une antichambre abritant de lugubres cachots inutilisés depuis très longtemps. La pièce était dépourvue de fenêtres, et des chaînes rouillées pendaient des murs lézardés ; Didier pouvait ressentir les atroces souffrances d'un passé lointain.

— Ce vieux bâtiment, serait-ce le château de Sakarovitch ? demanda Didier.

— Je ne sais pas, peut-être. À Vonthruff, il y a plusieurs bâtisses qui peuvent contenir des cachots. Il ne faut pas oublier que cette ville a été fondée par des démons…

Jonathan s'arrêta subitement de parler et se tourna en direction d'un léger bruit de pas qui retentissait en écho comme dans une cathédrale.

— Nous ne sommes pas seuls, chuchota Didier.

— Allons nous cacher dans cette cellule, dit précipitamment Jonathan.

Ils se cachèrent derrière un bloc de pierre rectangulaire qui avait sûrement déjà fait office de table de torture ; c'était le coin où l'obscurité était la plus complète. Pierre de combat en main, ils étaient prêts à toute éventualité. C'est alors que trois hommes firent leur apparition et s'approchèrent dangereusement des cachots. L'un d'eux regarda vers les deux agents, et, au même moment, un mince cordon longitudinal et d'un rouge éclatant jaillit en fendant l'air avec force, et enlaça l'homme pris au dépourvu. Ce dernier tomba sur le sol en luttant désespérément, face contre terre. Ce bruit sourd alerta les deux autres hommes, et l'un d'eux se dirigea vers Didier d'un pas menaçant, une pierre de combat en main. Didier s'élança de sa cachette pour bondir sur sa trajectoire ; très concentré, il frappa dans ses mains avec puissance. L'onde de choc atteignit l'homme en pleine figure, et le résultat fut immédiat : son chapeau de feutre tomba sur le sol ! Déboussolé par le geste de Didier, l'homme figea sur place.

— Oups ! Désolé, j'ai encore besoin d'entraînement, dit Didier, qui avait essayé la Vague de la Mégère, sans succès !

Faute de recommencer, il lui décocha un coup de pied dans l'estomac. Des jets de lumière rouge fusèrent en direction de Jonathan, et ce dernier les esquiva en faisant un pas de côté. Puis il lança une boule télékinésique sur son adversaire, laquelle le frappa en plein ventre ; l'homme fut projeté avec force sur le mur de pierres. Très ébranlé, celui-ci chercha à tâtons sa pierre de combat tombée sur le plancher déjà jonché de débris accumulés depuis des siècles. Peine perdue, il se secoua la tête, se releva, et c'est avec une rage effrénée qu'il se rua, tête baissée, vers le Maître Drakar. Ce dernier, avec un geste d'une étonnante simplicité, le fit léviter à un mètre au-dessus de son comparse toujours ligoté sur le sol.

— Viens voir, Didier, dit-il en regardant l'homme courir dans le vide sans relâche.

Didier s'approcha, observa l'homme et se retourna vers Jonathan.

— Ses yeux… sont laiteux ! constata l'apprenti. On dirait qu'il a été envoûté.

— Exactement. Ils sont tous sous l'emprise de quelqu'un.

Jonathan et Didier quittèrent la salle des cachots accompagnés de leurs prisonniers ligotés ; ces derniers, toujours envoûtés par une puissante magie noire, grognaient comme de véritables bêtes.

Ils marchèrent vers un escalier abrupt conduisant à une porte voûtée munie de barreaux de fer grillagés. En franchissant le seuil, les pieds de Jonathan touchèrent le sol enneigé. C'est alors qu'il vit le mont Évina surplombant la mer, avec le château de Sakarovitch et ses tours sveltes pointant vers le ciel d'un bleu magnifique ; les hommes en étaient à quinze minutes de marche.

— En fin de compte, nous n'étions pas dans ce fameux château, fit remarquer Didier en se tournant vers le vieux bâtiment délabré qu'ils venaient de quitter.

— On dirait un vieux manoir abandonné depuis deux cents ans. Maintenant, Didier, rendons-nous au château.

Après avoir longé l'escarpement côtier couronné par des forêts de sapins et des rochers gigantesques, les deux agents d'Attilia ainsi que leurs prisonniers arrivèrent finalement près du château. C'est alors que Jonathan aperçut Steve Arvon et Edmond Dohan, serrés de près par les gardes de la sécurité, qui se dirigeaient à pas de course dans leur direction.

— Seigneur, merci, vous êtes vivants ! lança Steve, soulagé.

— Lorsque nous avons vu les fenris blancs revenir sans vous, nous avons immédiatement envoyé une équipe pour vous chercher, dit Edmond, encore tout essoufflé. C'est alors que l'un de nos agents nous a informés qu'il y avait eu une terrible avalanche.

— En partie, c'est la vérité, dit Jonathan d'un ton flegmatique. Il y a effectivement eu une avalanche. En fait, c'est ce qu'ils ont voulu vous faire croire !

— Une avalanche créée par une charge explosive, précisa Didier.

— Et vous croyez que ce sont eux les coupables ? demanda Steve en regardant les trois prisonniers ligotés.

— Non, ce ne sont pas eux, répondit Jonathan avec assurance. Non, ils sont là pour jouer les boucs émissaires. À vrai dire, ils ont porté un chapeau beaucoup trop grand pour eux !

— Alors, si vous nous le permettez, nous allons raccompagner ces trois hommes au quartier général et nous les interrogerons, dit Steve en faisant signe à l'un de ses hommes de s'emparer des prisonniers.

— D'accord, approuva Jonathan, mais n'oubliez surtout pas de les désenvoûter.

Steve, surpris, regarda simultanément Edmond et les trois captifs.

— Maintenant, ajouta le Maître Drakar, j'aimerais m'entretenir avec monsieur Edgar Kruta.

— Je suis désolé, Maître Jonathan, intervint Steve, mais monsieur Kruta et son équipe sont partis dans un village où il y a eu des attaques répétées de loups-garous ! Mais ne vous en faites pas, Maître, puisqu'il sera de retour pour le grand bal donné par sir Roland Osterman en l'honneur du Nouvel An.

La Pertuisane III

onc, ton grand-père ne t'en voulait pas, répéta Abbie, soulagée de voir les choses se replacer. Je te l'avais pourtant dit de ne pas t'inquiéter inutilement…

— Abbie, je t'en prie, dit Zarya, les bras croisés sur sa poitrine, sois sincère avec toi-même, tu étais aussi inquiète que moi !

— Ouais, je dois l'admettre. Disons qu'il avait l'air très furieux contre toi… Cela dit, je suis très contente que tout soit fini, dit-elle en déposant sa dernière robe dans sa valise.

— Il y a une dernière chose que je ne t'ai pas dite encore.

— Quoi donc ?

— Mon grand-père veut absolument nous parler d'une chose reliée à l'attaque de ce matin…

— À nous deux ?

— Oui…

Toc ! Toc !

La porte s'ouvrit, et madame Phidias entra en les gratifiant d'un sourire.

— Tenez, les filles, ils sont à votre taille.

— Donc, il fait vraiment froid à Vonthruff ? demanda Zarya en prenant son long manteau noir.

— J'ai parlé avec ma cousine, ce matin. Elle m'a mentionné que la journée est ensoleillée et qu'il fait cinq beaux degrés Celsius… au-dessous de zéro ! N'est-ce pas formidable ?

— Waouh ! lança sarcastiquement Abbie. Je vais au moins économiser sur la crème solaire. Et toi, Zarya, vois les choses du bon côté : quelqu'un t'attend là-bas… pour te réchauffer ! dit-elle en lui faisant un clin d'œil complice.

◊ ◊ ◊

Elles furent prises dans le flot d'une foule d'adolescents qui sortaient du transmoléculaire avec le fou rire. La fête de Noël devait se terminer à minuit. En conséquence, beaucoup d'activités étaient prévues aujourd'hui à Attilia. Cependant, Zarya préférait, et de loin, rejoindre Jonathan à Vonthruff. Abbie, elle, avait hâte de voir cette ville légendaire et ce fameux château de Sakarovitch, d'autant plus qu'elle serait escortée d'Olivier. Mitiva Phidias les accompagnerait jusque-là et, par la suite, elle irait visiter sa cousine Sabryne pour passer le Nouvel An avec elle.

Sous un léger crépitement, elles sortirent du transmoléculaire avec leurs bagages en main. Zarya déposa sa valise et eut le réflexe de prendre une bouffée d'air. Cet arôme du large, cette émanation saline de la mer pénétra agréablement dans ses narines. Le bruit des vagues qui déferlaient perpétuellement et qui se brisaient sur les coques de centaines de voiliers accostés au quai avait camouflé le bruissement du transmoléculaire derrière elles ; Gabriel et Olivier en sortirent. C'est avec une gaieté fébrile que tout le monde se salua : tous avaient hâte de prendre le large.

— Je suis ravi que vous vouliez bien nous accompagner jusqu'à Vonthruff, Mitiva. Maintenant, nous devrions penser à partir pour cette nouvelle aventure, dit Gabriel en regardant les jeunes filles ainsi qu'Olivier. Le capitaine D'hanens et son équipage nous attendent.

Tous emboîtèrent le pas à Gabriel. Ils cheminèrent le long du quai de bois bondé de marins et de vacanciers pour se rendre à l'autre extrémité. En tournant le coin d'une imposante bâtisse qui faisait office de restaurant pour les plaisanciers, Zarya vit un bateau qui sortait vraiment de l'ordinaire !

— Je vous présente la *Pertuisane III*, lança Gabriel. Le bateau le plus rapide du pays de Dagmar.

Zarya et Abbie restèrent bouche bée devant cette embarcation de trente mètres, filiforme comme une lance, aux couleurs foncées et dépourvue de voiles. Elle était accostée de façon plutôt particulière : la poupe était attachée au quai tandis que la proue, la partie avant du bateau, faisait face à la mer de Scylla.

Un homme de fière allure, à la barbe noire, au teint cuivré et vêtu d'un bel uniforme brun et or, descendit d'un pas claudicant la passerelle qui reliait la poupe du bateau au quai.

— Bonjour, capitaine D'hanens, comment allez-vous ?

— Très bien, mon cher ministre, dit-il en lui serrant la main. Je vois que vous êtes en bonne compagnie.

Après de courtes présentations pendant lesquelles trois hommes d'équipage vinrent prendre les bagages, ils embarquèrent tous à bord de la *Pertuisane III*.

Pendant que le capitaine donnait des directives à l'un de ses matelots, Zarya demanda à son grand-père :

— Combien de temps dure la traversée ?

— Environ six heures. Naturellement, il y a plusieurs facteurs qui peuvent faire varier la durée de la traversée, dit-il en regardant les deux adolescentes, qui lui faisaient face. Il y a le temps, les courants marins et leur condition physique…

— Leur condition physique ? demanda Abbie, surprise.

— Du capitaine D'hanens et de ses hommes ? le questionna Zarya, perplexe.

— Non, bien sûr que non, répondit Gabriel avec un petit rire. Mais plutôt de Goliath et de Cyghie…

Au même moment, on entendit un coup de sifflet assourdissant que lança l'un des marins à l'avant du bateau.

— Venez… allons voir, dit le ministre.

Zarya, Abbie, Olivier et Mitiva suivirent Gabriel vers la proue. Zarya remarqua un nombre impressionnant de touristes s'approchant d'un pas rapide de la *Pertuisane III*, et certains d'entre eux montraient l'horizon du doigt. Un deuxième coup de sifflet retentit… C'est alors que Zarya et Abbie échangèrent un regard abasourdi.

— Voici Goliath et Cyghie, dit Olivier en voyant la réaction des jeunes filles.

On entendit des *Waouh !* et des *Oooh !* parmi la foule de curieux qui arrivaient en grand nombre. Et avec raison, puisque deux serpents titanesques aux écailles nacrées et reluisantes, dont la tête cornue dépassait le haut du bateau, fonçaient vers eux. L'un était plus gros que l'autre : « Sûrement Goliath », pensa Zarya.

— Ce sont des léviathans. Ne vous en faites pas, ils ont été dressés dès leur jeune âge, les rassura Gabriel en regardant les yeux exorbités des jeunes filles. Goliath et Cyghie vont nous emmener à Vonthruff en tirant la *Pertuisane III*.

Sur ces paroles, le couple de léviathans pivota face à la mer de Scylla, prêt à partir. Le capitaine D'hanens s'approcha de Gabriel et lui dit :

— Nous allons appareiller dans deux minutes. Je vous conseille fortement de bien vous tenir, car Goliath et Cyghie ont tendance à partir très rapidement.

— Très bien, capitaine.

Olivier suggéra aux deux jeunes filles de s'installer à l'avant du bateau pour mieux assister au départ spectaculaire des léviathans. Olivier était déjà venu à quelques reprises visiter les lieux accompagné de ses parents. Cependant, c'était la première fois qu'il embarquait sur la *Pertuisane III*.

— Comment vont-ils nous tirer ? demanda Abbie. Ils ne sont pas attachés au bateau.

— Vous voyez ce collier autour de leur cou ?

— Oui.

— Alors, observez !

Zarya et Abbie regardèrent avec attention les colliers métalliques munis d'une petite pierre noire lustrée. C'est alors que, sous un léger craquement, une courroie lumineuse d'un rouge éclatant apparut, reliant à présent chacun des léviathans au bateau.

— Les pierres qui sont sur les colliers, remarqua Abbie, on les appelle des fassours. C'est une invention du professeur Razny, n'est-ce pas, Olivier ?

— Je te crois sur parole. C'est toi la grande spécialiste des pierres magiques maintenant.

Zarya, Abbie et Olivier étaient debout sur le balcon avant du bateau, se tenant fermement à la rambarde. Gabriel et Mitiva étaient entrés dans la cabine de navigation en compagnie du capitaine. C'est alors que trois coups de corne se firent entendre. Sur ce, les léviathans s'avancèrent doucement vers le large, à la grande déception des adolescents qui croyaient partir à toute vitesse comme le capitaine D'hanens le leur avait dit… C'est alors que Goliath et Cyghie immergèrent leur tête sous l'eau. Et, inopinément, les deux léviathans accélérèrent à une vitesse incroyable sous les applaudissements des touristes debout sur le quai. Les trois adolescents étaient agréablement étonnés de voir la rapidité de ces mastodontes. S'agrippant solidement à la balustrade, Zarya ferma les yeux et bascula légèrement la tête vers l'arrière pour laisser le vent salin lui caresser les cheveux ; elle était heureuse, elle se dirigeait vers Vonthruff, là où l'attendait Jonathan.

◊ ◊ ◊

D'autant que leur ascension ininterrompue avait conduit la *Pertuisane III* à mi-parcours, Goliath et Cyghie devaient se reposer. Ils étaient partis à la chasse aux gros poissons : ils devaient se nourrir pour prendre des forces pour le reste du voyage. Zarya avait revêtu son long manteau noir : la température avait fortement chuté depuis leur départ du port d'Attilia. Pendant que Mitiva prenait le thé en compagnie du capitaine D'hanens, Gabriel demanda à Zarya et à Abbie de bien vouloir l'accompagner dans l'une des cabines pour ainsi leur parler en toute discrétion.

— J'espère que vous appréciez votre traversée jusqu'à présent, mesdemoiselles, demanda Gabriel en s'assoyant près des jeunes filles.

— Oh oui ! Beaucoup, grand-père. Et j'aime bien Goliath et Cyghie, ils sont vraiment mignons…

— Mignons ! Tu es vraiment drôle, Zarya, lança Abbie en s'esclaffant. Un curieux qualificatif pour des léviathans de plusieurs tonnes !

Après avoir mesuré ses propres paroles, Zarya pouffa de rire à son tour.

Un sourire aux lèvres, Gabriel prit quelques instants pour contempler les visages des jeunes filles, empreints d'une grande joie.

— Je devais vous parler d'une chose très importante reliée aux événements de ce matin, dit-il en conservant son sourire afin de ne pas brouiller l'humeur joyeuse des filles. Comme nous en avons discuté, toi et moi, dit-il en regardant sa petite-fille, il y a une personne malveillante qui veut vraisemblablement accaparer tes pouvoirs exceptionnels. Je sais pertinemment que tu ne souhaites pas être protégée en permanence par des Maîtres Drakar. N'est-ce pas, Zarya ?

— Exact ! Je ne le souhaite vraiment pas, dit-elle d'un ton catégorique.

— Cependant, j'aurais une solution à ce léger problème. Comme nous ne pouvons te protéger de cet individu, il faudrait que tu aies la possibilité de le faire toi-même !

Les jeunes filles échangèrent un regard intrigué.

— Mais de quelle façon, grand-père ?

— Tu devras quitter l'autre monde pour venir vivre à Attilia.

— À Attilia !

— Oui. Et, si tu le désires, bien entendu, tu pourras t'inscrire à la formation des Maîtres Drakar.

Zarya resta bouche bée devant cette belle proposition : son plus grand souhait était sur le point de se réaliser. Et plus rapidement qu'elle ne l'aurait cru ! Elle regarda son amie et vit une Abbie au visage déconfit, puisque leur séparation, bien que temporaire, serait tout de même douloureuse. C'est alors qu'Abbie lui fit un sourire sincère : elle comprenait très bien la situation précaire que vivait Zarya.

— Mais ne t'en fais pas, ma chère Abbie, tu devras également emménager dans ce monde ! lança Gabriel avec un petit sourire en coin. Il ne faut pas oublier que tu as un projet très important à terminer ici. Et ce serait injuste de devoir séparer deux bonnes amies telles que vous !

Ce fut un moment très intense pour les jeunes filles d'apprendre qu'elles vivraient en permanence dans un monde magique qu'elles adoraient par-dessus tout. Se prenant par les mains, elles se regardèrent droit dans les yeux et comprirent subitement qu'elles avaient la même appréhension !

— Ne vous en faites pas pour vos parents, dit Gabriel en devinant leur inquiétude. Elles sont au courant depuis plusieurs années que ce jour viendra. Bien qu'on ait dû devancer la date pour des raisons de sécurité.

— Mais que vont-elles devenir ? demanda Abbie, angoissée.

Gabriel échappa un gloussement de rire involontaire, et lui répondit :

— Elles ne seront pas les seuls parents dont la jeune fille de dix-sept ans quitte la maison. Mais, n'ayez crainte, j'ai un projet pour elles…

Gabriel proposa donc que les deux adolescentes terminent leur année scolaire au Canada et que, dès l'année suivante, elles viennent vivre à Attilia. De plus, cela leur permettrait de faire leur deuil d'un monde qu'elles avaient habité pendant plus de quatorze ans.

Zarya et Abbie, maintenant rassurées et heureuses de leur avenir, sortirent de la cabine ; Abbie avait hâte d'annoncer la nouvelle à Olivier.

En mettant le pied à l'extérieur, Zarya vit une image qu'elle n'était pas près d'oublier : madame Phidias, le capitaine D'hanens et Olivier caressaient l'un des léviathans.

— Venez, mesdemoiselles, les invita le capitaine D'hanens. Ne soyez pas timides, approchez ! J'aimerais vous présenter mademoiselle Cyghie.

C'est d'un pas hésitant que Zarya et Abbie s'approchèrent. De toute évidence, ce n'était pas tous les jours qu'on avait l'occasion de câliner un léviathan.

— Elle adore se faire flatter le museau, dit le capitaine. N'ayez crainte, mesdemoiselles, elle ne vous fera aucun mal.

C'est tout de même d'un geste lent et saccadé, attribuable à une crainte justifiée, que Zarya et Abbie cajolèrent l'immense museau froid et humide de Cyghie. Zarya observait la double rangée de crocs formidables, aussi longs et aigus que les défenses de morse. C'est alors qu'elle sentit quelqu'un lui effleurer les cheveux. Croyant que c'était un geste affectueux provenant de son grand-père, elle se tourna et… *Wouaaah* ! Elle recula brusquement de deux pas et devint blême comme un spectre livide. Tellement concentrée sur Cyghie, elle n'avait pas remarqué que Goliath avait étiré son long cou pour venir humer ses cheveux. Sous ce cri, Goliath recula de quelques mètres et inclina sa tête de côté pour regarder Zarya de ses immenses yeux, qui devaient avoir la taille d'un ballon de foot.

La *Pertuisane III* navigua de nouveau, mais, cette fois, contre un vent capricieux ; cela ne semblait cependant pas déranger la cadence rapide des léviathans. Les adolescents étaient entrés dans la cabine des passagers et discutaient sans se soucier de la température extérieure. C'est alors que Zarya posa une question à Olivier :

— Pourquoi l'appelle-t-on la *Pertuisane III*

— Je n'en sais rien ! avoua Olivier qui, normalement, avait réponse à tout.

Un vieux marin assis près d'eux et sirotant tranquillement une boisson ambrée entendit, bien malgré lui, la question de la jeune fille.

— La *Pertuisane I* sommeille au fond de la mer de Scylla depuis onze ans ! lança-t-il en faisant sursauter les adolescents.

— Ah oui ? Et de quelle façon a-t-elle coulé, monsieur ? demanda poliment Olivier.

— Bah ! D'une drôle de façon, moussaillon. J'étais justement là. J'en suis témoin. C'est à cause de ces grosses bestioles…

— Les léviathans ?

— Ouais ! exactement… ces bestioles… De bons vieux bateaux à voiles, rien de tel ! À cette époque, j'étais capitaine de l'*Aquila*, un merveilleux voilier de trente-deux mètres.

— Et pourquoi n'êtes-vous plus capitaine de ce bateau, monsieur ? s'enquit Abbie.

— J'ai pris ma retraite en même temps que l'apparition de ces affreux bateaux avant-gardistes.

— Mais, si vous êtes à la retraite, que faites-vous ici ? demanda à son tour Zarya.

— Le vieux ringard que vous voyez là-bas, dit-il en montrant le capitaine D'hanens du doigt, c'est mon fils. Je viens lui donner un coup de main.

— Vous avez dit que la *Pertuisane I* a coulé à cause des léviathans ? reprit Zarya, maintenant inquiète.

— Affirmatif, jeune dame. Les bestioles l'ont attirée dans le fond de cette mer.

— C'était sûrement avant l'invention des liens magiques !

— Ouais ! Les bestioles étaient attachées avec des lanières de cuir ferrées… Vraiment stupide !

— Et la deuxième *Pertuisane* ?

— Elle a disparu !

— Elle a sombré dans le fond de la mer elle aussi ?

— Non… elle a disparu dans le triangle du Diable !

En disant ces paroles, le vieux marin ingurgita sa boisson d'une seule gorgée.

— Où est situé ce triangle du Diable ?

Sans quitter du regard son verre vide, le vieux marin montra le hublot du doigt.

— Ici ?

— Nous longeons le triangle du Diable depuis vingt minutes, répondit-il.

— Depuis que la température a changé ! devina Olivier.

— Exact, moussaillon !

Sur ce, la *Pertuisane* s'immobilisa…

— Que se passe-t-il ? demanda Abbie, inquiète à son tour.

— C'est à cause du triangle, répondit le marin.

Les adolescents regardèrent par le hublot. Zarya remarqua que son grand-père et le capitaine D'hanens étaient sortis sur le pont pour voir ce qui se passait.

— Que se passe-t-il, madame Phidias ? demanda avidement Zarya.

— Je n'en sais rien. C'est la première fois, dans mon cas, que nous nous arrêtons aussi près du triangle, répondit-elle d'un air plutôt anxieux.

Zarya décida de sortir afin de s'informer. Abbie et Olivier décidèrent de la suivre tandis que Mitiva et le vieux marin préféraient rester à l'intérieur.

En sortant à l'extérieur de la cabine, Zarya aperçut un ciel anormalement noirci, ténébreux. Un fort vent geignant tristement la poussait dangereusement vers la rambarde du bateau ; elle devait se tenir au bras d'Olivier pour ne pas passer par-dessus bord. Elle remarqua une chose qui la subjugua : les vagues étaient pratiquement inexistantes, chose impossible en haute mer avec ce vent impétueux !

— Que se passe-t-il, grand-père ? Pourquoi les léviathans ont-ils subitement arrêté leur course ?

— Pour l'instant, nous l'ignorons.

À l'aide de ses puissantes jumelles, le capitaine D'hanens scrutait les alentours pour voir ce qui avait pu causer l'arrêt soudain des léviathans. Zarya observait Goliath et Cyghie et trouva très curieux qu'ils observent fixement le triangle du Diable. « Ils ressemblent étrangement à deux statues de pierre », pensa-t-elle.

— Monsieur le ministre ! dit le capitaine en perdant subitement des couleurs. Venez voir… je ne comprends pas !

Gabriel prit les jumelles et regarda en direction d'un banc de brouillard qui se dissipait peu à peu.

— Mais c'est…

D'un regard, Gabriel lui ordonna de se taire.

— Grand-père, on dirait un naufragé sur un radeau.

— Ce n'est qu'une illusion, un appât pour nous attirer dans le triangle, dit-il de son air placide habituel. Ne crains rien, ils ne peuvent rien contre nous si nous restons de ce côté.

La *Pertuisane III* reprit sa course, et les jeunes allèrent à l'avant du bateau afin d'observer le travail des léviathans. Le capitaine D'hanens, toujours troublé par l'image qu'il ne pouvait soustraire de sa mémoire, demanda alors à Gabriel :

— C'était votre petite-fille Zarya sur ce radeau ?

— Non, ce n'était pas ma petite-fille. C'est une âme damnée que vous avez discerné.

En effet, le capitaine D'hanens avait aperçu, dérivant sur une épave flottant dans une eau calme, une Zarya au regard triste agitant ses bras en signe de détresse. Cependant, Gabriel avait vu la vraie nature de ce plan diabolique, cet artifice employé à tromper les êtres humains pour les attirer dans un piège sournois. Ce n'était pas une Zarya triste qu'il avait vue sur le radeau de fortune, mais plutôt une Zarya au sourire carnassier et aux yeux emplis de larmes de sang !

Plus ils s'éloignaient du triangle du Diable, plus le ciel se dégageait de ses nuages lourds et condensés. À présent, on pouvait apercevoir un ciel profondément serein, avec les doux rayons argentés de la lune qui miroitait sur les flots paisibles de la mer de Scylla. Zarya, Abbie et Olivier, toujours à l'avant du bateau, observaient les ondulations créées à la surface de l'eau par le déplacement rapide des léviathans. Tout à coup, Zarya leva les yeux vers l'horizon et vit au loin des petites lumières scintillantes : c'était Vonthruff.

C'est alors qu'un coup de corne se fit entendre. Sur ce, Goliath et Cyghie sortirent leur tête de l'eau en ralentissant leur cadence. Par la suite, ils se dirigèrent lentement vers le rivage. Les trois adolescents étaient subjugués de voir apparaître le château de Sakarovitch surplombant la mer du haut du mont Évina. Cette immense structure au style gothique avec ses dominantes tours élancées arborait des milliers de lumières étincelantes comme des étoiles. C'est en contournant un gros rocher que les trois amis aperçurent, sur un long quai recouvert par une fine couche de neige, deux silhouettes humaines éclairées par la lueur vacillante d'un réverbère. La *Pertuisane III* n'était plus qu'à quelques mètres de la rive, et Zarya reconnut l'une de ces personnes… Les battements de son cœur, tout à coup tumultueux, cognèrent férocement dans sa poitrine, créant ainsi une douleur aussi forte que son désir. Tandis que l'adolescente s'approchait de la rambarde pour mieux voir l'individu en question, ses jambes se dérobèrent, et elle dut se retenir fermement au garde-corps ; leurs yeux se croisèrent, et Jonathan lui fit un doux sourire !

L'étrange visiteur
de la nuit

lle n'osait pas cligner des paupières de peur que tout ne disparaisse. Heureusement, ce n'était pas une illusion, et Jonathan était bien là, à quelques mètres devant elle. Il dut momentanément la quitter du regard afin d'attraper le câble que lui lançait l'un des matelots pour amarrer la *Pertuisane III* au quai. Tout en le regardant de biais, Zarya cherchait à tâtons ses bagages parmi les autres. Elle s'empara de sa grosse valise ainsi que de son sac à dos, coincé entre deux autres bagages. À la suite de quoi, elle les apporta et les déposa à l'arrière du bateau, tout près de la sortie.

Elle descendit la passerelle tout doucement afin de savourer pleinement ce moment d'une extrême intensité. Elle s'arrêta finalement devant Jonathan, puis déposa ses bagages sur le sol.

Il lui tendit la main ; elle s'en empara avidement. Il lui serra tendrement la paume ; elle plongea son regard dans le sien. La beauté du visage de Jonathan et le sérieux de son regard bleu, qui semblait fouiller jusqu'au fond de l'âme de Zarya, attisaient la flamme qui brûlait dans son cœur. Elle ignorait à quoi s'attendre exactement : peut-être un tendre baiser ou, du moins, un enlacement dans une étreinte passionnée. Jonathan se pencha, approcha ses lèvres de celles de la jeune fille et bifurqua légèrement pour lui déposer un baiser sur la joue ; elle huma l'odeur de sa peau. Il le remarqua et il lui fit un beau sourire. Il recula et prit ses bagages sans dire un mot. Elle resta silencieuse également.

Ils sortirent tous du transmoléculaire près du château de Sakarovitch. Seule manquait Mitiva, qui avait pris une direction différente afin de se rendre chez sa cousine Sabryne. Zarya et Abbie regardèrent l'immense château se dresser devant elles. De style gothique, il était à la fois élégant et inquiétant. Le petit groupe traversa un magnifique pont de bois enjambant le profond fossé qui entourait le château. Gabriel s'arrêta en face d'une porte monumentale et massive. De sa canne, il frappa trois coups… Dans un grincement lugubre, la porte de bois s'ouvrit. Debout dans l'embrasure de la porte, un mage de grande taille apparut.

— Bonsoir, mon cher monsieur, le salua Gabriel avec politesse. Serait-ce possible de nous annoncer à sir Roland Osterman ?

— Et qui dois-je annoncer ?

— Le ministre Gabriel Adams.

— Monsieur le ministre Adams ! répéta l'homme devenu avenant. Bien sûr, sir Roland Osterman vous attend. Veuillez entrer. Il prend sa tasse de thé au grand salon.

Ils pénétrèrent dans le hall d'entrée. Jonathan et Didier déposèrent les bagages des jeunes filles :

— Nous allons vous laisser aux bons soins de sir Osterman, dit Jonathan. Nous devons aller nous reposer un peu, nous avons eu une rude journée. J'aimerais vous faire un compte rendu demain matin, Maître.

— Bien sûr, Jonathan. J'irai vous rejoindre au *Ripailleur*, Didier et toi, à 10 h demain matin.

Zarya était déçue de devoir se séparer de nouveau. Mais elle comprenait fort bien : il était près de minuit.

Abbie, Olivier et Gabriel s'éloignèrent volontairement pour les laisser seuls ; Didier attendait Jonathan à l'extérieur tout en admirant l'architecture du château.

C'est dans l'indifférence générale que Zarya, restée intentionnellement près de la porte, attendait Jonathan pour lui parler ; il lui faisait dos.

— Jonathan ?

Elle se sentit tout à coup nerveuse en prononçant ce prénom. Elle prit une inspiration pour se calmer, mais en vain… Ce sentiment l'oppressait au plus haut point.

— Oui, Zarya ?

Cinq interminables secondes passèrent…

— J'espère te revoir bientôt.

— Toi, tu l'espères… moi, je le souhaite, dit-il avec un charmant sourire. Demain après-midi, je pourrai te faire visiter quelques endroits de cette magnifique ville. Si tu le désires ?

— Euh ! Oui… oui, je veux bien, dit-elle, mécontente de sa légère hésitation.

Cette légère réticence n'échappa pas à l'œil vigilant de Jonathan. Mais il comprenait fort bien : il était encore plus nerveux qu'elle.

Il passa à côté de Zarya en lui frôlant légèrement l'épaule, ce qui lui procura une délicieuse sensation de chair de poule. Puis elle le regarda s'éloigner.

Zarya et Abbie n'étaient jamais entrées dans un château. Elles étaient bouche bée en constatant la hauteur du plafond et les deux immenses escaliers de bois ouvragés. L'intérieur du château avait gardé son cachet d'antan, avec ses vieilles toiles accrochées aux murs de pierres et ses magnifiques meubles du Moyen Âge. Zarya marchait près de son grand-père, suivie de près par Abbie et Olivier. Ils entrèrent dans un vaste salon sombre, seulement éclairé par la lueur d'un foyer d'une taille surprenante où flambait un feu gigantesque. Un fauteuil de velours cramoisi trônait en face de l'âtre, et sir Roland Osterman y était confortablement assis, dégustant une tasse de thé. Comme celui-ci leur faisait dos, les quatre nouveaux venus voyaient seulement la lumière tremblotante se refléter sur son crâne à demi chauve. Le domestique lui indiqua que ses invités étaient arrivés.

— Bonsoir, Gabriel, bonsoir à tous ! dit-il en se retournant tout en déposant sa tasse de thé sur la petite table basse du salon.

— Bonsoir, Roland, le salua à son tour Gabriel en lui serrant chaleureusement la main.

Sir Roland Osterman démontrait une certaine élégance dans sa façon de se vêtir : il portait un veston souple sur une chemise aux boutons soigneusement astiqués qui semblait cependant sur le point d'exploser étant donné la forte corpulence et le ventre proéminent de son propriétaire. Un magnifique nœud papillon d'un bleu céleste accompagnait le tout. Zarya trouva qu'il arborait un sourire sincère.

Après de brèves présentations et une fois que le majordome eut servi du jus aux adolescents et une tasse de thé à Gabriel, Roland fit entièrement pivoter son fauteuil préféré vers ses convives.

— J'espère que vous avez aimé votre traversée ? demanda-t-il aux adolescents.

— Oui, beaucoup.

— Vous aviez sûrement hâte de venir visiter Vonthruff ?

— Oui, très hâte, répondit Zarya.

Abbie la regarda en lui chuchotant :

— On devine pourquoi !

— Ha ! Ha !

— Il est vraiment magnifique votre château, monsieur Osterman.

— Merci, Olivier. Mais, malheureusement, ce château n'est pas à moi. Il appartient à la Ville de Vonthruff. C'est l'équivalent de votre Hôtel de Ville à Attilia. Et, comme je suis le maire de la ville de Vonthruff, alors je peux y habiter à ma convenance.

Roland prit une gorgée de son thé et posa en retour une question au jeune homme.

— Et vous, Olivier, que faites-vous dans la vie ?

— Je suis commissionnaire pour monsieur Adams.

— Bravo ! Un travail noble pour un garçon de votre âge.

— Merci.

— Et vous, mesdemoiselles, comment aimez-vous notre dimension ?

Les jeunes filles se regardèrent, surprises par cette question. « Sûrement que mon grand-père lui a glissé un mot concernant notre lieu de résidence », pensa Zarya.

— On adore !

— Je peux très bien comprendre. J'ai moi-même vécu dix longues années de l'autre côté, plus précisément à Londres, lorsque ma femme est décédée. Mais je suis revenu. Je m'ennuyais trop de cette dimension magique. Et vous, mon cher Gabriel, toujours ministre et directeur du Temple des Maîtres Drakar, à ce que je sache. Très occupé, comme d'habitude, je présume ? Et à quand la retraite ?

— Je vais sûrement prendre ma retraite de directeur lorsque j'aurai un successeur ou plutôt une successeur, dit-il en regardant Zarya.

Cette dernière ne savait pas si son grand-père lui faisait une plaisanterie ou s'il était vraiment sérieux, mais elle voulait y croire de tout cœur.

— Madame Phidias nous a raconté l'histoire de Vadim Marliak…, commença Abbie.

— Mitiva travaille encore pour toi ? l'interrompit sir Osterman en regardant Gabriel. Excusez-moi, ma jolie, se reprit-il en se rendant compte de son impolitesse, veuillez poursuivre.

— Ne t'en fais pas, Abbie, dit Gabriel. Ce cher Roland a toujours eu un petit faible pour madame Phidias.

Les joues de Roland devinrent écarlates.

— Elle est justement à Vonthruff, l'en informa Zarya.

— Ah oui ?… Je veux dire, ah bon ! Vous parliez de Vadim Marliak, ma chère.

— Oui. Donc, madame Phidias, répéta Abbie pour le faire rougir davantage, nous a mentionné que cet homme avait été le premier propriétaire de ce château.

— Mitiva a effectivement raison. Elle est très cultivée, cette femme. Vadim Marliak avait signé un pacte avec Méphistophélès, et ce dernier lui a fait construire ce château pour le récompenser de ses loyaux services.

— Jusqu'à l'arrivée de Joshua Drakar ! compléta Zarya.

— Cette chère Mitiva. Elle a toutefois omis un petit détail, sûrement pour ne pas vous inquiéter inutilement… En fait, ce mage noir a été tué par Méphistophélès lui-même et, selon la légende, cela s'est produit seulement quelques jours avant l'arrivée de Joshua Drakar. Regardez ce foyer derrière moi, Marliak y a été jeté vivant après avoir livré un combat terrible, comme en témoignent ces coups de griffes, dit Roland en montrant du doigt trois entailles au-dessus de l'âtre. Ces marques incrustées dans la pierre ont une profondeur de deux centimètres et elles sont à plus de trois mètres du sol : Méphistophélès était un vrai géant ! Mais ne vous inquiétez pas, mes amis, trois mille cinq cents ans nous séparent de ces terribles événements.

Zarya et Abbie se regardèrent, une lueur d'effroi dans les yeux. Depuis qu'elles avaient affronté le démon Malphas, prétendument retourné aux enfers, elles avaient pris l'habitude de prendre les légendes avec un certain sérieux.

— Pour mettre une note plus heureuse dans notre conversation, reprit Gabriel, vous organisez un grand bal comme par les années passées, Roland ?

— Oui, oui… le bal, effectivement ! répondit-il avec enthousiasme. J'espère vous compter parmi nos invités, mes amis.

Les adolescents se dévisagèrent en souriant. Surtout Zarya qui s'imaginait vêtue d'une belle robe, dansant dans les bras de Jonathan. Cette pensée lui fit totalement oublier les histoires de démons.

— Il y aura des invités de marque, poursuivit sir Osterman avec grande fierté. Un orchestre renommé viendra jouer une musique grandiose, et il y aura aussi un somptueux buffet concocté par les plus grands cuisiniers de Vonthruff.

— Comme d'habitude, Roland, tu ne fais rien à moitié. Mais ne t'inquiète pas, nous serons tous là, et ce sera avec grand plaisir.

Après avoir bavardé de choses et d'autres, Roland se leva pour raccompagner ses convives jusqu'à leur chambre respective afin qu'ils puissent enfin se reposer.

Zarya entra dans sa chambre. La chose qui la surprit le plus fut le lit à baldaquin où l'on aurait pu coucher une famille au grand complet. Une magnifique chambre équipée de meubles massifs en bois d'acajou, de tentures chatoyantes et de bibelots qui occupaient tous les coins de l'immense pièce. « Si une princesse a déjà vécu dans ce château, c'était sûrement sa chambre », pensa Zarya. Elle déposa son sac à dos ainsi que sa grosse valise près du bureau. Elle se laissa ensuite tomber sur le lit : elle était totalement épuisée.

Toc ! Toc !

— Oui ! répondit Zarya en se relevant sur un coude.

Abbie entra timidement.

— Avant que tu te couches, Zarya, j'aimerais te dire que je suis très heureuse pour toi. Je t'observais, bien malgré moi, avec Jonathan, dit-elle dans un petit rire. Et je dois t'avouer que vous formez un joli couple. Il n'y a aucun doute, il est fait pour toi.

— Tu le crois réellement ?

— Tu veux rire ? En ta présence, il est fier comme un paon, nerveux comme un tamia d'Amérique et attentionné comme mon Olivier !

— Tu es très heureuse avec Olivier, n'est-ce pas ?

— Oh, oui !

— Je suis contente pour toi aussi !

— Merci. Le réalises-tu, Zarya ? Nous allons habiter à Attilia… bientôt ! dit Abbie, les yeux brillants.

— Je ne croyais pas que ce jour arriverait. Oh, oui ! J'ai vraiment hâte. Par contre, je crois que je vais m'ennuyer énormément de ma mère.

— Ton grand-père nous a dit qu'il avait un projet pour elle et ma tante.

— Oui, c'est vrai. Et connaissant mon grand-père, ce doit être la meilleure solution pour tout le monde.

— Elles vont peut-être venir habiter à Attilia !

— Pour ta tante, c'est possible. Dans le cas de ma mère, j'en serais très surprise.

— Pourquoi ?

— Elle attend que mon père sorte de prison. Et je te rappelle qu'il a été banni d'Attilia, précisa-t-elle, une lueur de regret dans les yeux.

— C'est vrai, je suis désolée… Mais, pour l'instant, il nous reste six mois à attendre, dit Abbie en se levant pour se rendre à la porte. Il ne nous reste plus qu'à être patientes. Bonne nuit !

— Bonne nuit, Abbie.

Avant de se changer pour passer sa première nuit à Vonthruff, Zarya se dirigea vers la fenêtre et regarda à l'extérieur. Elle vit la *Pertuisane III*, toujours accostée au quai ; le capitaine D'hanens, étant originaire de Vonthruff, était parti chez sa famille pour passer le reste de ses vacances. Elle voyait Goliath et Cyghie nageant tout près l'un de l'autre, sur le dos, dans les eaux tranquilles de la mer de Scylla. C'était une nuit paisible, illuminée par une lune éclatante qui commençait peu à peu à être recouverte par de lourds nuages sombres. Zarya ferma les rideaux et se prépara à se coucher.

Aux alentours de quatre heures du matin, elle se réveilla subitement avec la sensation d'être observée. Toujours étendue dans son lit, elle regarda à gauche, puis à droite. L'obscurité de sa chambre l'empêchait de voir à plus d'un mètre devant elle. Elle tendit son bras vers la bougie sur la table de chevet et *Zap !* Du bout de son doigt, une flammèche l'alluma. Elle porta son regard au bout de son lit et *Woooooh !* Elle hoqueta de stupéfaction et se figea sur place tout en remontant ses couvertures sous son menton : elle contemplait, sans y croire, un jeune garçon de race noire debout en face de son lit et qui lui souriait béatement. Assise dans son lit, elle regardait le garçon sans broncher. Elle attendait qu'il entame la conversation ou, du moins, qu'il lui explique la raison de sa visite nocturne. Mais l'étrange garçon de six ans restait muet et ne bougeait pas d'un centimètre.

— Bonsoir ! commença-t-elle alors d'une voix douce pour ne pas l'effrayer.

Il ne répondit pas.

— Je peux t'aider ?

Il conserva son sourire.

— Tes parents habitent-ils dans ce château ?

Il tourna la tête vers la porte puis reporta son regard sur Zarya. Elle comprit qu'il voulait lui montrer quelque chose à l'extérieur de la chambre. Sans le quitter des yeux, elle fit léviter sa robe de chambre jusqu'à elle et elle l'enfila. Elle se pencha ensuite pour mettre ses pantoufles et, lorsqu'elle fut prête, elle se tourna dans sa direction ; il n'était plus là ! Rapidement, elle prit le bougeoir et se dépêcha d'ouvrir la porte de sa chambre ; il était là, debout dans le couloir sombre. Il l'attendait, affichant toujours son sourire. Elle n'y voyait pas grand-chose avec toute cette obscurité, mais le jeune enfant ne semblait pas incommodé par cette absence de lumière. Elle marcha à deux mètres derrière l'étrange garçon pour finalement arriver au bout du long couloir où il y avait un escalier. Elle descendit les centaines de marches en suivant toujours son guide puis suivit un autre corridor obscur d'une longueur interminable.

— Où va-t-on ? essaya-t-elle de savoir, mais en vain.

Avec toutes les marches qu'elle venait de descendre, elle s'imaginait fort bien qu'elle devait maintenant être au niveau du sous-sol. Un bruit de pas derrière elle attira son attention, et elle se retourna net !

— Qui va là ? dit un vieux mage en marchant dans sa direction avec en main un cristal, d'où une lumière émanait. Que faites-vous ici, toute seule, jeune dame ?

— Je ne suis pas seule, je suis avec ce garçon, répondit-elle en se tournant vers ce dernier, mais il n'était plus là, il avait disparu !

— Vous ne devez pas vous promener dans les couloirs la nuit toute seule, insista-t-il.

— Je n'étais pas seule, je vous le jure ! Il y avait un jeune garçon avec moi.

— Je ne vois personne, répliqua le gardien, vous avez sûrement rêvé. Êtes-vous somnambule ?

— Non, je ne le suis pas… Il était là ! dit-elle en regardant partout.

— Et comment était-il, ce garçon ? Décrivez-le-moi.

— Il a environ cinq ou six ans, il est très beau et il est de race noire…

— Un jeune garçon de race noire ? répéta le gardien, abasourdi.

— Le connaissez-vous ? s'enquit-elle en voyant la réaction de son interlocuteur.

Il fit demi-tour sans lui répondre. D'un pas précipité, le vieux mage marmonna des paroles que Zarya comprenait à moitié :

— Il ne me croit jamais ! Je lui ai pourtant dit !

— Que se passe-t-il, monsieur ?

— Suivez-moi, jeune dame. Je vais vous montrer quelque chose, lança-t-il par-dessus son épaule.

Ils prirent de nouveau l'escalier, mais cette fois, ce fut pour monter. Ils passèrent près du grand salon, là où Zarya avait rencontré sir Osterman quelques heures plus tôt. Sans dire un mot, elle suivait le vieux mage qui ne ralentissait pas la cadence. Finalement, ils entrèrent dans une pièce qui, à première vue, était sûrement le bureau de sir Osterman. Le gardien s'était retourné et il faisait face à la jeune fille ; il semblait regarder derrière elle. Constatant cela, Zarya se tourna donc et vit une grande toile représentant un portrait de famille : un père et une mère avec leurs deux enfants, une jeune fille et un garçon, tous de race noire. Elle reconnut immédiatement son compagnon nocturne.

— Oui, c'est bien lui, sans aucun doute ! Alors, il vit bien dans ce château ?

— Disons qu'il vivait ici…

— Ils ont déménagé ? Il n'habite plus ici ?

— Le jeune garçon a disparu depuis fort longtemps.

— Alors, il faut avertir ses parents qu'il est ici !

— Ses parents sont morts depuis quatre siècles !

Un grand frisson parcourut le corps de Zarya tout entier : elle avait vu un fantôme ! « Mais où voulait-il m'emmener ? » se demanda-t-elle, intriguée.

— Je l'ai vu à quelques reprises, lui apprit le gardien. Je l'ai même mentionné à monsieur Osterman, mais il ne m'a jamais cru.

— Si ça peut vous rassurer, moi, je vous crois !

Il lui fit un sourire.

— Qui était cette famille ?

— Ils habitaient ici, il y a bien longtemps. Le père était le maire de Vonthruff à cette époque…

Zarya regarda sur tous les murs de l'immense bureau et aperçut une quantité impressionnante de tableaux représentant tous les maires depuis des siècles.

— Il a été maire jusqu'à la tragique disparition de son fils. La famille fut anéantie par la suite.

— On ne l'a jamais retrouvé ? le questionna-t-elle, attristée par cette histoire.

— Jamais…, dit le mage en regardant le sourire des parents sur cette belle photo de famille prise alors qu'ils étaient encore tous réunis. C'est d'une façon très mystérieuse que le jeune garçon a disparu. Il jouait tout bonnement à la cachette avec sa sœur, selon les dires. Admettons-le, chère dame, il était bien caché, car sa sœur ne l'a jamais retrouvé !

◊ ◊ ◊

Zarya avait à peine dormi cette nuit-là. Lorsqu'elle se réveilla, le lendemain matin, elle resta allongée un bon moment, pensant au jeune fantôme et se demandant la raison de sa visite nocturne. « Pourquoi voulait-il que je le suive ? Et où voulait-il m'emmener ? » se questionna-t-elle. Elle envisagea sérieusement de parler de cette étrange histoire à Abbie.

Une pensée lui traversa alors l'esprit, ce qui lui fit scintiller les yeux, une pensée très agréable : Jonathan. Zarya songea à la belle journée qui se profilait pour elle et lui. « Où va-t-il aller ? Peu importe, je le suivrai partout ! Nous allons sûrement aller prendre un verre dans l'un des bars de Vonthruff ! Peu importe, je me contenterai d'un verre d'eau, pourvu que Jonathan soit là ! Ou bien, il va m'emmener voir un spectacle ! Peu importe, je me délecterai de son regard divin », pensa-t-elle, heureuse de tout ce qui lui arrivait.

Zarya avait encore de la difficulté à croire que tout cela n'était pas un simple rêve. Effectivement, il y avait à peine quelques mois, elle ne connaissait pas l'existence d'Attilia ni de ses propres pouvoirs, et encore moins l'existence de Jonathan !

Cinq minutes plus tard, Zarya était debout, en face du grand miroir ; elle peigna ses longs cheveux et se maquilla légèrement. En regardant le réveille-matin posé sur le bureau, elle constata qu'il était déjà 10 h 30. Elle devait se dépêcher pour aller déjeuner avec Abbie et Olivier. Elle avait loupé son grand-père de peu : elle savait qu'il était parti voir Jonathan et Didier pour le compte rendu de leur mission. Elle sortit aussi vite qu'elle le put en évitant toutefois de courir. Comme sir Osterman le leur avait indiqué la veille, le déjeuner avait lieu dans la petite salle à manger. Zarya s'y rendit et, en y entrant, elle aperçut Olivier assis près d'Abbie.

— Salut !

— Salut, Zarya. On ne voulait pas te déranger dans ton sommeil matinal, dit Abbie avec un beau sourire.

— Merci, j'en avais grand besoin. Je n'ai vraiment pas beaucoup dormi cette nuit !

— Ah, non ? dit Olivier, taquin.

— Pas facile d'être amoureuse, n'est-ce pas, Zarya ? dit Abbie en regardant Olivier du coin de l'œil.

Zarya lui sourit.

— Non, ce n'est pas vraiment la raison de mon insomnie. En fait, j'ai eu une visite-surprise cette nuit !

— De Jonathan… Waouh ! dit Abbie en sautant vite à la conclusion.

— Si ce n'était que ça ! dit-elle en rougissant. Non, j'ai eu la visite d'un jeune fantôme.

— Un fantôme… comme un revenant ! dit Olivier, surpris.

— Oui, c'est ça, un revenant !

Abbie frissonna de tous ses membres en entendant ces paroles.

— Et qui t'a dit que ce garçon était un fantôme ?

— Le gardien de nuit.

— Et que faisait le gardien de nuit dans ta chambre ? demanda Abbie.

— Non, non, pas du tout ! J'ai rencontré ce gardien au sous-sol.

— Mais que faisais-tu au sous-sol… cette nuit ? s'enquit Olivier.

— Attendez ! les arrêta Zarya, exaspérée. Avant que vous me posiez vos mille questions, je vais commencer par vous expliquer cette histoire depuis le début et en détail.

— OK ! On se tait.

— Au beau milieu de la nuit, je me suis réveillée en me sentant observée. J'ai alors allumé ma bougie, et c'est là que j'ai aperçu le garçon au bout de mon lit.

— Et c'est là que je me serais évanouie ! signala Abbie, les yeux exorbités.

— Tu peux me croire, ce fut de peu ! Toujours est-il que le garçon me regardait sans dire un mot. Ensuite, il m'a indiqué la porte.

— Il voulait sûrement que tu l'accompagnes, en déduisit Olivier.

— Oui, effectivement, tu as raison. Et je l'ai suivi jusqu'au sous-sol. C'est là que j'ai rencontré le gardien.

— Et le garçon, t'a-t-il montré quelque chose ?

— Non, il a disparu. C'est par la suite que le gardien m'a montré le portrait du jeune garçon. Un tableau datant de quatre cents ans !

— Waouh !

— Si le garçon t'a amenée au sous-sol, c'est qu'il y avait sûrement quelque chose qui l'obsédait à cet endroit ! conclut Olivier.

— Qui l'obsédait !

— Oui, Zarya. Lorsqu'il y a un revenant qui reste dans notre dimension, c'est qu'il y a une chose qui le hante.

— Pour ma part, je ne suis pas sûre de vouloir le savoir ! précisa Abbie, qui se frictionnait les épaules.

— Si tu l'avais vu, Abbie, il était si jeune...

— Il a au moins quatre cents ans, fit-elle remarquer.

— Très drôle ! S'il revient, j'ai l'intention de l'accompagner de nouveau.

— Fais bien attention, Zarya, la prévint alors son amie. La dernière fois que tu as suivi quelqu'un, il y avait des loups-garous ailés qui t'attendaient au bout du chemin.

— Alors, je vais suivre le conseil de mon grand-père. Lorsque j'aurai la visite du jeune garçon, je vais t'appeler télépathiquement.

— Je veux que tu prennes contact avec moi aussi, insista Olivier.

— Vous êtes... Aaaah ! D'accord, je vais venir avec vous, lança Abbie.

— Alors, lorsque je vais prendre contact avec vous, il faudra rester discrets. Je ne veux pas qu'il disparaisse de nouveau.

Un restaurant
peu ordinaire

Pendant ce temps, à l'auberge *Le Ripailleur*, Gabriel, Jonathan et Didier étaient en train de discuter de la fameuse découverte archéologique du professeur Bibolet au temple de Méphistophélès.

— Du sang sur la dague d'Azazel ! répéta Gabriel, déconcerté par cette annonce. Et celui de Méphistophélès en plus !

— Exactement, Maître.

Jonathan n'avait jamais vu Gabriel aussi tourmenté depuis qu'il travaillait pour lui, sauf peut-être la fois où celui-ci avait révélé la vérité sur Malphas à sa petite-fille Zarya.

— Et ce pauvre professeur Bibolet, quel drame ! Je le connaissais depuis très longtemps. Et vous croyez que le survivant serait son fils ?

— Nous le croyons, confirma Jonathan. D'après la photo de l'équipe du professeur Bibolet et d'après les corps que nous avons remontés à la surface, seul son fils n'était pas là.

— Cependant, selon votre rapport, il restait encore deux corps au fond de la cavité avant la détonation, fit remarquer Gabriel. L'un d'eux ne serait pas celui du fils de Bibolet ?

— Non. En réalité, les deux corps restants étaient ceux d'une femme et d'un homme dans la cinquantaine.

— Très bien, dit Gabriel, perplexe. Concernant le sang sur la dague, je dois m'informer au professeur Biafora du temps nécessaire pour cloner un démon. Cela nous donnera une idée du temps qu'il nous reste avant la charmante visite de Méphistophélès. Didier, reprit-il en regardant une feuille sur le bureau, dans ton rapport, tu as mentionné que lorsque tu es entré en transe et que tu as atteint la Quête des Visions, tu as seulement vu des jets de lumière, de la fumée et un mage, dont le bas du visage était camouflé derrière un foulard, qui poursuivait le professeur dans l'obscurité presque totale. Rien de plus.

— Exactement, Maître.

— Merci, Didier. Malgré cela, ton prodigieux don de voyance nous a été d'un grand secours, une fois de plus. Il vous a permis de retrouver le professeur Bibolet ainsi que son message d'une importance capitale. Vous avez fait du bon boulot, messieurs ! Maintenant, je vous ordonne de poursuivre vos vacances. Sur ce, je vais de ce pas demander à sir Osterman la permission de faire venir une équipe de Maîtres Drakar pour rechercher activement le jeune Bibolet. Et un peu de renfort ne nous fera pas de mal, dit-il avec un petit sourire, surtout s'ils ont l'intention de faire venir leur dieu du mal !

— Et pour Edgar Kruta, Maître ? demanda Jonathan.

— Je connais très bien le village où monsieur Kruta est prétendument en mission actuellement ; j'y suis moi-même allé en mission, il y a quelques années. Et je crains fort qu'il n'y ait pas de loups-garous dans cette région frontalière. Il y a là une frontière qui sépare le monde des mages de celui des sorciers, et ce village est sous l'autorité de ces derniers. J'ai de bonnes relations avec le premier ministre Edward Montignac, un sorcier très sympathique, soit dit en passant, et il m'aurait aussitôt averti du danger. Alors, j'ai bien peur, tout comme vous, messieurs, qu'Edgar Kruta soit le suspect numéro un dans cette affaire.

◊ ◊ ◊

Zarya était retournée dans sa chambre afin de se préparer pour l'arrivée de Jonathan. Heureusement, il y avait toutes les commodités nécessaires dans cette chambre ; une salle de bain, une coiffeuse munie de grands miroirs où elle pouvait se peigner, se maquiller et se farder à souhait. Abbie et Olivier étaient partis se promener au centre-ville avec une liste d'endroits intéressants à visiter. Ils avaient obtenu des informations concernant les principaux attraits touristiques de Vonthruff par la jeune réceptionniste du château. Elle les avait également informés qu'il y aurait une visite guidée du château le lendemain. Abbie avait glissé un mot à sa copine au sujet de cette visite, qui serait sûrement très passionnante. Tout en se brossant soigneusement les cheveux, Zarya eut une pensée pour sa grand-mère Martha. Le souvenir de leur dernière rencontre, étant justement devant un miroir comme celui-ci, lui rappela douloureusement le message de Malphas que sa grand-mère avait réussi à déchiffrer. La jeune fille sentit brusquement comme une pierre lui tomber au fond de l'estomac. Mais elle ne devait pas se morfondre pour autant, puisque Jonathan était auprès d'elle. Elle porta son regard à la fenêtre et aperçut une neige tourbillonnant contre les fenêtres légèrement couvertes de givre.

Toc ! Toc ! On frappa à la porte…

« C'est sûrement lui », pensa Zarya en jetant un dernier regard vers le miroir. Heureusement, elle avait terminé. Elle se leva et se dirigea vers la porte d'un pas léger en pensant que, la dernière fois que Jonathan était venu la chercher, c'était pour aller chez sa grand-mère en passant à travers une forêt emplie de balnareks. Mais, cette fois, il venait pour une tout autre raison : c'était un rendez-vous officiel. Elle se sentait heureuse et nerveuse à la fois. Elle ouvrit la porte et aperçut le jeune Maître Drakar, affichant son beau sourire.

— Bonjour, Zarya.

— Bonjour, répondit-elle timidement.

Il la détailla rapidement de haut en bas ; elle le remarqua et rougit légèrement.

— Tu es très jolie.

— Merci.

Zarya prit son manteau, et Jonathan l'aida à l'enfiler. Elle passa devant lui, et il ferma la porte. C'était la première fois qu'elle le voyait sans son uniforme de Maître Drakar. Elle le trouvait craquant vêtu de son pantalon bleu marine avec son manteau entrouvert, laissant paraître un chandail à col roulé blanc.

— J'espère que tu as bien dormi ?

— Oui, très bien, dit-elle en détournant un peu la vérité.

— Heureusement, puisque nous avons une journée très chargée !

— Ah, oui ! Et on commence par quoi ? demanda-t-elle, visiblement enchantée.

— J'aimerais que l'on commence par visiter une exposition, si tu veux bien.

— J'adore les expositions !

— Et cette exposition est très particulière, tu vas sûrement apprécier !

Elle lui sourit, attendant la suite, mais il n'ajouta rien d'autre à ce sujet ; il voulait sûrement lui réserver la surprise.

En sortant du château, Zarya vit de gros flocons de neige virevolter de gauche à droite dans un ciel grisâtre à cause d'un léger vent ; c'était magnifique ! Ils marchèrent sur un sol couvert d'une neige immaculée vers la cabine argentée qui était recouverte de givre ; elle ressemblait davantage à un pain d'épice enrobé de sucre glace qu'à un transmoléculaire.

— Allons-y ! dit Jonathan en prenant la main de Zarya pour pénétrer dans la cabine.

L'adolescente sortit d'un autre transmoléculaire, toujours la main de Jonathan dans la sienne ; un délicieux frisson, attribuable au contact de cette main, la parcourut tout entière. Le jeune homme lui lâcha la main avec douceur ; ce charme était rompu. Par la suite, Zarya se tourna pour localiser l'endroit où ils s'étaient transmoléculés. Elle repéra le château de Sakarovitch à plus ou moins quatre kilomètres de leur nouvel emplacement. Ils déambulèrent le long d'une petite ruelle bondée de gens. À ce moment, Zarya eut une pensée pour Abbie et Olivier, qui devaient probablement se promener parmi ces gens ou qui étaient tout simplement en train de visiter l'exposition où Jonathan l'emmenait. Malgré l'amitié qu'elle leur portait, elle ne souhaitait en aucun cas arriver en face d'eux à l'instant présent : elle voulait rester seule avec Jonathan.

Ils arrivèrent en face de l'imposant bâtiment pittoresque enjolivé par des fresques et des sculptures extérieures. Sur l'une des portes luxueusement façonnées de haut en bas, une affiche était placardée avec l'inscription suivante :

Exposition de la semaine :
Sorcellerie et mystères à travers les siècles

— Sorcellerie ?

— Connaissant tes antécédents familiaux, répondit Jonathan avec un sourire, je me suis dit que tu serais sûrement intéressée d'en apprendre davantage sur les sorciers.

Zarya savait qu'il faisait allusion à sa grand-mère Martha, puisque cette dernière était une véritable sorcière.

— Tu as parfaitement raison. Je risque de trouver ça très captivant. Il est vrai que ce n'est pas une exposition sur les papillons, mais il semble que je devrai me contenter de sorcellerie ! dit-elle avec humour.

Jonathan lui sourit.

Ils entrèrent à l'intérieur, mais ne purent aller bien loin, vu la quantité de gens agglutinés dans le hall d'entrée.

— Allons par là, suggéra-t-il.

Après s'être faufilés entre les personnes déjà présentes, ils s'arrêtèrent devant la table des tsantzas. Un spectacle stupéfiant s'offrit alors à leurs yeux : une multitude de têtes réduites étaient étalées sur une table.

— Beurk ! s'exclama Zarya en sentant ses entrailles se tortiller comme si elle avait avalé une couleuvre vivante. J'espère que ce ne sont pas de vraies têtes humaines !

— J'en ai bien l'impression. Mais ne crains rien, elles ne sentent plus rien désormais... À vrai dire, le vrai problème pour elles à présent, c'est de se procurer un chapeau à leur taille.

Zarya s'esclaffa.

Elle jeta un dernier regard dédaigneux aux têtes réduites et s'avança à la table voisine. Tout en regardant les talismans et les amulettes magiques qui y étaient exposés, elle posa, à voix basse, une question à Jonathan :

— Crois-tu qu'il y a des sorciers parmi ces gens ?

— Bien sûr. Observe celui-là par exemple, dit-il en montrant discrètement du doigt un homme à l'allure bizarre.

— Celui qui est habillé d'une drôle de façon ?

— Oui, c'est ça.

— On dirait qu'il vient d'une autre époque.

— Exactement, dit-il en souriant légèrement en voyant que le sorcier se tournait vers eux.

— On dirait qu'il nous a entendus, chuchota Zarya en pivotant pour échapper à son regard.

— Oui, j'en suis même certain.

Tout en ricanant en douce, ils continuèrent leur agréable visite. Maintenant que Jonathan avait fourni un indice à son amie pour reconnaître les sorciers parmi les nombreux mages présents, elle en voyait de plus en plus.

— Oh ! regarde, Jonathan. J'en connais une qui aimerait voir tous ces trucs !

— Abbie, n'est-ce pas ? Allons voir de plus près, suggéra-t-il en lui prenant la main pour une seconde fois.

Zarya parcourut à peine quelques pas main dans la main avec Jonathan qu'elle se sentit submergée par un bonheur inexprimable ; le charme opérait de plus belle ! Elle se secoua le menton pour réaliser qu'elle ne rêvait pas, que tout était bien réel ; elle était heureuse en sa présence.

Ils arrivèrent à une table rectangulaire encombrée de matériel utilisé dans la fabrication de potions magiques. Il y avait des grimoires, des encensoirs, de magnifiques pilons en or assortis de leur mortier. En voyant tous ces objets, Zarya devina qu'ils étaient très vieux, probablement de plusieurs siècles. Elle n'avait jamais vu autant de chaudrons de toute sa vie.

— Regarde celui-là, on pourrait y prendre son bain tellement il est énorme.

— Tu as raison. Et regarde celui-là, il est tout petit.

Jonathan n'avait toujours pas lâché la main de l'adolescente... Ce geste n'avait pas pour but de l'attirer vers un endroit, mais plutôt de la conserver auprès de lui. Elle regarda leurs mains ; il le remarqua. Elle porta son regard vers ses yeux en souriant ; il rougit ! Jonathan voulut desserrer sa main ; elle le retint ! Il sourit.

À présent, Zarya et Jonathan se promenaient tranquillement, main dans la main, comme un vrai couple. Elle ne s'était jamais sentie aussi bien de toute sa vie, elle était heureuse ; elle était amoureuse !

Alors qu'ils traversaient une petite pièce encombrée de gens qui se reposaient et discutaient entre eux, ils arrivèrent dans un endroit moins achalandé.

Zarya s'arrêta brusquement en voyant une chose qui attira son attention ; une boîte à lunch goinfre-bouffe.

— Regarde, Jonathan, je suis curieuse d'aller voir ces objets ensorcelés.

— Alors, allons-y !

— *Le goinfre-bouffe*, lut-elle à Jonathan. Il est écrit que, un jour, une femme jeta un sort à la boîte à lunch de son mari…

— Et pourquoi a-t-elle fait ça ?

— Elle trouvait qu'il mangeait trop ! Il était rendu énorme. Il est écrit : *L'homme remplissait sa boîte à lunch au comble de sa capacité et, lorsqu'il arrivait à son travail, la moitié du contenu avait été mangée par sa boîte à lunch.*

— Waouh ! Finalement, c'est ce qu'on appelle un régime amaigrissant forcé, dit-il en s'esclaffant.

Jonathan fut attiré par une chose qui sautillait au bout de la table tandis que Zarya était attirée par une bonne odeur de savon à l'autre extrémité. Elle s'avança donc près d'une étagère emplie de pains de savon de différentes fragrances. Il y en avait de toutes les couleurs, de toutes les grosseurs et, surtout, de tous les sortilèges ! Elle en prit un, au hasard, dans sa main, et une vieille femme s'approcha d'elle en lui disant :

— Il est très puissant, ce savon, mademoiselle.

— Je ne cherche pas un savon très puissant, madame. Je cherche plutôt un savon doux. J'ai une peau sensible !

La vieille sorcière poussa un petit gloussement amusé.

— Quand je dis qu'il est puissant, je veux dire qu'il est très aphrodisiaque. Il est utilisé afin de stimuler le désir charnel envers le sexe opposé !

Zarya observa Jonathan en train de se battre contre une brosse à cheveux ensorcelée qui voulait absolument le coiffer ; elle sourit.

Elle se tourna vers la dame et lui dit :

— Un stimulant ! Non merci, je n'en ai *vraiment* pas besoin !

Elle s'avança vers Jonathan avec le fou rire !

— Je vois que tu ne t'en laisses pas imposer, dit-elle en regardant la brosse à cheveux ensorcelée emprisonnée dans un bloc de glace.

— Elle l'a cherché, lança-t-il ironiquement.

Ils s'esclaffèrent.

— Regarde, Jonathan, dit-elle en se retournant vers une table derrière elle. Ma grand-mère en a une comme celle-là !

— Une baguette magique. À vrai dire, les sorciers en ont tous une !

— Pourquoi n'en avons-nous pas, nous, les mages ?

— Parce qu'elles nous seraient inutiles, expliqua Jonathan en se tournant vers elle. On peut activer nos chakras sans l'aide de baguettes magiques. De toute façon, on ne pourrait pas les utiliser, elles ont été conçues à l'usage exclusif des sorciers : nous serions incapables de les faire fonctionner.

— Mais mon grand-père m'a déjà dit que, vu mon ascendance, j'avais probablement du sang de sorcière qui coulait dans mes veines... Peut-être qu'elle fonctionnerait avec moi ?

— Il y a juste une façon de le savoir, dit-il en se tournant vers la jeune fille derrière le présentoir. Pourrais-je en essayer une, mademoiselle ?

— Mais bien sûr. Elles sont là pour ça.

Jonathan déposa son porte-monnaie sur la table et le pointa de sa baguette.

— Et il faut dire *levitiass*, lui dit la jeune sorcière.

— *Levitiass !*

Mais rien ne se passa…

— À toi d'essayer, Zarya, dit-il en lui tendant la baguette.

Elle s'en empara à son tour, la pointa sur le porte-monnaie, se concentra et dit :

— *Levitiass !*

Et l'objet se souleva à quelques centimètres de la table, sous les yeux ébahis de Jonathan. Sans le moindre doute, dans les veines de Zarya coulait du sang de sorcière.

— Alors, c'est confirmé, dit-il en lui faisant un clin d'œil.

Elle déposa la baguette sur la table en remerciant la jeune sorcière. Elle eut un petit sourire de fierté en pensant qu'elle avait un peu du sang de sa grand-mère Martha en elle. Elle avait hâte de le lui annoncer !

Jonathan regarda sa montre.

— Il est presque l'heure !

— L'heure de quoi ?

— D'aller souper. J'ai fait une réservation dans un restaurant.

Le visage de Zarya s'illumina d'un large sourire.

Dans les minutes qui suivirent, Zarya et Jonathan quittèrent l'endroit, très satisfaits d'avoir visité cette exposition consacrée à la sorcellerie. La jeune fille avait beaucoup appris sur ce monde qu'elle connaissait peu, sur l'univers de sa grand-mère.

La neige ne tombait plus, le soleil resplendissait dans le bleu firmament, et les nuages avaient complètement disparu. Zarya marchait lentement au bras de Jonathan, sans prononcer une seule parole. Elle n'avait aucune idée de l'endroit où ils se dirigeaient… tant qu'elle était avec Jonathan ! Ce ne devait cependant pas être loin, puisqu'ils étaient passés à côté d'un transmoléculaire sans l'utiliser. Toujours en lui tenant fermement le bras, elle le regardait du coin de l'œil : il lui sourit. En voyant son expression, elle sentit qu'il éprouvait le même sentiment profond qu'elle-même. En tournant le coin d'une rue bordée de boutiques de jouets et de magasins de vêtements pour enfants, Zarya aperçut un minuscule restaurant, *La Mélusine*. Comme l'établissement était à peine de la grosseur d'une remise à jardin, elle fut surprise de voir qu'une dizaine de personnes attendaient à l'extérieur pour y pénétrer. Devant la petite façade du restaurant, il y avait la sculpture d'une sirène assise sur un rocher, soufflant dans un coquillage.

— Est-ce un restaurant de fruits de mer ?

— Oui, et c'est le meilleur restaurant de fruits de mer à Vonthruff, répondit Jonathan. C'est ton grand-père qui me l'a suggéré. J'espère que tu aimes les fruits de mer ?

— Oui, j'adore.

— Ton grand-père me l'avait confirmé, avoua-t-il avec un petit sourire.

— J'espère qu'il y aura de la place pour nous, dit-elle en regardant les gens entrer. Ça m'a l'air petit comme endroit !

— Ne t'en fais pas, j'ai une réservation.

Ils entrèrent à leur tour. Jonathan s'approcha de la jeune femme derrière le comptoir.

— Vous avez une réservation ?

— Oui, pour deux. Au nom de Thomas.

Pendant que la réceptionniste regardait dans ses registres, Zarya examina autour d'elle ; il n'y avait aucune table, aucun serveur, et, plus étrange encore, toutes les personnes qui étaient entrées dans le minuscule restaurant avaient disparu ! Puis elle devina…

— Très bien, monsieur Thomas, vous pouvez y aller.

Jonathan prit la main de Zarya et se dirigea vers le fond de la pièce, là où il y avait une porte ; il l'ouvrit. Une lumière vert émeraude apparut ! Ils se déplacèrent vers ce rideau lumineux et, dès qu'ils entrèrent en contact avec cette lumière, ils disparurent.

Quelques microsecondes plus tard, dans un léger crépitement, Zarya et Jonathan apparurent dans *La Mélusine*. C'était hallucinant !

— Bonsoir, monsieur, bonsoir, madame, les salua poliment un homme élégamment vêtu. Votre réservation est au nom de ?...

— Thomas.

— Oui, monsieur Thomas. Alors, suivez-moi, je vous prie.

Après avoir zigzagué entre quelques tables :

— Cette place vous convient-elle, monsieur ? demanda l'homme en déposant les menus sur la table qui leur était réservée.

— Oui, c'est parfait, merci beaucoup.

L'homme tira la chaise de Zarya, et cette dernière s'assit. Elle attendit qu'il s'éloigne avant de demander à Jonathan :

— Mais... où sommes-nous ?

— À un kilomètre de Vonthruff... dans les profondeurs de la mer de Scylla !

Émerveillée, Zarya admira la splendeur de *La Mélusine*, un restaurant qui pouvait contenir deux cents personnes bien assises. Un immense dôme de verre d'une translucidité exceptionnelle formait ce restaurant peu ordinaire. On pouvait voir une multitude de poissons, plus étranges les uns que les autres, nageant dans les eaux profondes de l'océan.

— Ce dôme peut-il éclater ? s'enquit Zarya, légèrement inquiète en regardant un énorme poisson nageant allègrement au-dessus de sa tête.

— Non, aucun danger, répondit Jonathan en recouvrant la main de l'adolescente de la sienne. C'est du polibygratt, un verre pratiquement indestructible.

— Je te crois sur parole !

Zarya regardait le menu avec attention alors qu'une douce musique était audible et que des effluves apaisants se dégageaient de bougies légèrement aromatisées. Elle ne le comprenait qu'à moitié, mais tout semblait très bon. Cependant, son choix s'arrêta sur un émincé d'alastyne virnoise en persillade. Après avoir fait son choix, elle scruta l'intérieur du restaurant. Une sculpture-fontaine en bronze de trois mètres représentant une jolie sirène trônait au centre de la pièce. Tout était bien pensé : même l'éclairage tamisé facilitait la vision du monde aquatique que l'on pouvait apercevoir sous tous les angles, peu importe la place où l'on était assis.

Après avoir été servie avec soin, Zarya prit quelques bouchées de son repas, qui était vraiment exquis, puis elle entama la conversation :

— Et comment va ta sœur Livia ?

— Elle va très bien, répondit Jonathan en déposant son verre à vin. Elle a très hâte d'avoir ses pouvoirs.

— Elle a treize ans, n'est-ce pas ?

— Exactement, et bientôt quatorze.

— Alors, ce sera pour bientôt ?

— Oui. Certaines personnes les obtiennent à quinze ans, d'autres à seize.

— Et toi, à quel âge as-tu obtenu tes pouvoirs ?

— À quinze ans et demi, répondit-il. J'avais très hâte de les avoir.

— Je comprends.

— Je voulais devenir Maître Drakar comme mon idole !

— Et qui était ton idole ? s'enquit Zarya en prenant une bouchée de pain.

— Gabriel Adams !

— Mon grand-père ? dit-elle, surprise, mais, en même temps, elle se rappela qu'il lui avait déjà glissé un mot sur ce sujet. Mais ton père aussi est un Maître Drakar, si je me souviens bien.

— Oui, tu as parfaitement raison. Il occupe le poste de commandant en second des élites qui doivent protéger l'humanité d'une offensive extradimensionnelle. Je dois t'avouer qu'il n'y a pas beaucoup d'invasions de ce côté, dit-il avec un petit sourire. Mais c'est très bien ainsi : mon père ne prend pas beaucoup de risques. Ce poste est une idée de ma mère.

— Elle a sûrement fait ça pour ta sœur et toi.

— Oui, et j'en suis ravi. J'ai l'intention de faire la même chose quand j'aurai des enfants.

— Tu as une belle façon de penser. Quand on a des enfants, on ne veut pas prendre de risques inutiles.

Zarya se sentit gênée tout à coup de parler des futurs enfants de Jonathan. Cependant, elle cacha son léger malaise sous un air enjoué.

— Et toi, Zarya, tu es fille unique ?

— Oui.

— Aurais-tu aimé avoir un frère ou une sœur ?

— Oui, beaucoup. Heureusement, j'ai Abbie. Elle est comme ma sœur.

— Je comprends. Elle semble très sympathique.

— Oh ! oui, je l'aime beaucoup, dit-elle en prenant une gorgée de son vin ; elle eut un léger hoquet.

Il sourit.

— Excuse-moi, dit-elle, un peu embarrassée, je n'ai pas l'habitude de boire du vin.

— Aimes-tu le goût de ce vin rouge ?

— Oui, j'aime bien.

— Mais il ne faut pas abuser des bonnes choses…

— Ce n'est pas grave, répliqua-t-elle ironiquement, je ne conduis pas ce soir.

— J'aime bien ton sens de l'humour.

— Moi, j'aime ton…

Elle fut interrompue par de vifs applaudissements. Elle comprit immédiatement l'enthousiasme général : elle regarda au-dessus de sa tête et vit Goliath et Cyghie nageant, à quelques mètres de la cloison vitrée, l'un près de l'autre, à la recherche de nourriture. En effet, Goliath attrapa un gros poisson de cinq mètres entre ses gigantesques dents et le trancha en deux parties égales. Par la suite, il le partagea avec Cyghie ; elle n'en fit qu'une bouchée. Le spectacle était incroyable : deux léviathans titanesques de quarante mètres aux écailles nacrées se nourrissant en direct devant deux cents personnes très contentes d'assister à une telle scène.

— Waouh ! Nous sommes aux premières loges, dit Jonathan, impressionné. Je suis content de partager cela avec toi... Je suis très heureux que tu sois avec moi, Zarya !

Lorsqu'elle entendit ces douces paroles, la jeune fille se figea dans un demi-sourire ! Elle sentit son cœur s'enflammer par l'enivrement d'un sentiment ineffable. Elle le fixa de ses yeux bleus azurés ; il la fixait également. La musique n'était plus audible, le monde autour d'eux s'était immobilisé, le temps s'était arrêté. Ils se dévisagèrent intensément pendant de longues secondes en se tenant fermement par la main : l'Amour était au rendez-vous !

La Tour des Druides

De l'endroit où Zarya et Jonathan se trouvaient, ils pouvaient apercevoir la haute silhouette du château de Sakarovitch se découper dans le ciel constellé d'étoiles. Il était près de minuit, et seul l'écho de leurs pas était audible dans les rues pratiquement désertes à cette heure tardive. Ils avaient marché depuis le restaurant *La Mélusine* jusqu'aux palissades du château. La température était fraîche, mais ne les incommodait en rien dans leur longue marche de retour.

Ils arrivèrent devant la porte principale, là où se trouvaient les gardiens vêtus de longs manteaux et de chapeaux de fourrure qui montaient la garde en permanence. Après avoir vérifié leur identité, les gardiens les laissèrent entrer dans le château. Ils montèrent les innombrables marches d'escalier pour parvenir à la porte de la chambre de Zarya.

— J'ai adoré ma journée, dit-elle en s'appuyant le dos contre la porte. Et merci de m'avoir raccompagnée.

— Je t'en prie.

Jonathan resta devant elle, sans dire un mot de plus, et il la fixa de son regard tendre.

— J'espère te revoir bientôt, avoua-t-elle timidement.

— Demain après-midi, si tu veux bien ?

— Oui, d'accord. Mais on pourrait… je veux dire… il y a une visite guidée du château vers 10 h demain matin, et si tu veux…

— Demain matin, je suis désolé ! Il y a une équipe de Maîtres Drakar qui arrivent pour poursuivre mon enquête, je dois être présent et…

— Je comprends. Il n'y a aucun problème, je t'assure, dit-elle en regardant son air navré.

Il lui fit un sourire.

— J'ai une question, Zarya.

Sa voix trahissait l'appréhension.

— Vas-y !

— Sir Osterman organise un bal pour le Nouvel An et… je me demandais… si…

— Oui, j'accepte !

Il laissa échapper un léger soupir de soulagement.

— Bon, il se fait tard, dit-il en la regardant fébrilement, je dois y aller…

Il s'avança doucement vers Zarya et lui prit les deux mains.

— Je dois y aller…, répéta-t-il.

— Oui, je sais…, dit-elle, les yeux rivés sur ses iris.

Elle se sentait de plus en plus nerveuse.

Il se pencha et approcha ses lèvres des siennes.

Elle ferma doucement ses yeux, les battements de son cœur devenant de plus en plus rapides.

Les lèvres de Jonathan se posèrent avec une extrême douceur sur les lèvres humides et tièdes de Zarya. Son cœur se mourait sous le poids de la volupté de ce baiser. Ce geste était d'une intensité et d'une délicatesse incroyable. La jeune fille aurait voulu rester dans cette position éternellement !

Jonathan retira ses lèvres avec lenteur ; elle avait toujours les yeux fermés.

— Je dois y aller...

— Oui, je sais...

Elle le regarda s'éloigner. Il se retourna et lui fit un sourire ; elle le lui rendit.

Elle entra dans sa chambre, déposa son sac à main sur son bureau, enleva son manteau et se laissa tomber sur le lit. Elle fixait le plafond, un sourire parfumé d'allégresse flottant sur ses lèvres, en repensant à la belle journée passée avec celui qu'elle chérissait de tout son cœur. C'était la première fois qu'elle connaissait un amour aussi intense. Les quelques amourettes de jeunesse qu'elle avait eues ne se comparaient en rien à ce qu'elle vivait actuellement.

Toc ! Toc !

— Entre, Abbie, dit-elle, toujours le regard fixe.

Comme elle l'avait deviné, c'était Abbie.

— Raconte-moi tout ! Et n'oublie rien surtout, la supplia-t-elle en entrant et en s'assoyant près de son amie.

— C'était in-croy-ya-ble !

— Est-ce qu'il t'a embrassée ?

— Oui.

— Et comment c'était ?

— Délicieux...

— Waouh !

— Nous sommes allés dans un restaurant très spécial.

— Comment était la nourriture ?

— Abbie... nous étions dans l'océan !

— Sur une île ? demanda-t-elle, surprise.

— Non, sous l'eau, sous un immense dôme.

— Ah, oui ? Sous l'eau ! Alors là, je veux absolument voir ça.

— Je te le conseille fortement. Vas-y avec Olivier.

— Naturellement !

— Et Jonathan m'a invitée au bal, confia Zarya, les yeux brillants.

— Je suis tellement heureuse pour toi, dit Abbie en lui serrant l'épaule. Mais, j'y pense, as-tu une robe pour cette soirée ?

Zarya se leva, comme si on lui avait mis un scorpion dans le chandail.

— Pas vraiment. Seulement mes robes de tous les jours.

— J'ai le même problème, constata Abbie, déconcertée.

Pendant près d'une heure, et malgré l'heure tardive, elles discutèrent de leur première visite à Vonthruff. Abbie raconta qu'elle et Olivier avaient parcouru les boutiques branchées de Vonthruff et avaient fait de surprenantes découvertes. Zarya lui relata en détail sa visite à l'exposition de sorcellerie, sans oublier de mentionner qu'elle avait réussi à passer le test de la baguette magique, ce qui voulait dire que, grâce au lien de sang l'unissant sa grand-mère Martha, elle aussi était une sorcière.

Abbie se leva en s'étirant de tout son long et bâilla de fatigue.

— Bon, je crois que je vais aller me coucher, je suis épuisée.

— Très bonne idée, approuva Zarya, moi aussi, je tombe de fatigue.

— N'oublie pas la visite guidée du château à 10 h. Au fait, en as-tu parlé à Jonathan ? Est-ce qu'il va venir ?

— Oui, je lui en ai parlé. Non, il ne viendra pas. Il doit rencontrer des Maîtres Drakar au sujet de sa mission. Par contre, on doit se revoir dans l'après-midi. Mais, moi, je serai là pour la visite.

— Alors, on se revoit tantôt, dit Abbie en regardant sa montre. Bonne nuit, Zarya.

— Bonne nuit, Abbie.

◊ ◊ ◊

Le matin venu, à la salle à manger, Zarya révéla à Abbie et à Olivier qu'elle était déçue de ne pas avoir eu la visite de son jeune fantôme la nuit dernière. Elle espérait bien l'apercevoir, et même lui parler, avant son départ de Vonthruff.

— Abbie m'a dit que tu étais épuisée lorsque tu t'es couchée cette nuit, fit remarquer Olivier en déposant son verre de jus. Tu devais dormir trop profondément pour te rendre compte de quelque chose. Qui sait ? Il était peut-être juste à côté de toi pendant que tu dormais.

— Possible.

Sur ces paroles, Abbie eut un léger froncement de sourcils.

— Moi, si je savais qu'un fantôme de quatre cents ans m'observe pendant mon sommeil, j'en ferais des cauchemars.

— Merci, Abbie, tu me rassures.

— Ne t'en fais pas, Zarya, dit Olivier en tartinant une biscotte d'un fruit gélatineux. Je crois sincèrement qu'il n'a aucune mauvaise intention, il veut tout simplement te montrer quelque chose, j'en suis certain.

L'horloge centenaire au large balancier de cuivre posé dans le coin de la salle à manger frappa lourdement ses dix coups : il était l'heure. Les adolescents se rendirent dans le grand hall et aperçurent une vingtaine de touristes qui patientaient en regardant partout autour d'eux. Zarya en profita pour admirer la splendeur des lieux. Jusque-là, elle n'avait pas prêté attention au château, elle était trop occupée à penser à Jonathan. C'est en regardant une immense toile entre les deux escaliers qu'elle fut parcourue d'un grand frisson. Le personnage de la toile avait un visage sombre, brutal. Par simple curiosité, la jeune fille s'approcha du tableau et lut la petite inscription sur la plaque dorée : le nom de Vadim Marliak y était écrit. Elle leva de nouveau les yeux vers le mage noir ; on aurait presque dit qu'il la fixait de ses yeux mauvais et qu'il arborait un demi-sourire diabolique à glacer le sang.

— Bonjour à tous !

Zarya sursauta.

— Bienvenue au château de Sakarovitch. Je me nomme Lisa Boizzy et je serai votre guide pour aujourd'hui. Maintenant, je vous demanderais de bien vouloir me suivre.

Zarya, Abbie et Olivier emboîtèrent le pas au groupe qui prenait la direction de l'aile ouest du château. Ils avaient parcouru un long couloir lorsque la guide s'arrêta :

— Ce château a été construit il y a trois mille quatre cent quatre-vingt-dix-sept ans par un millier d'esclaves. Sa construction s'est étendue sur une période de trois ans, expliqua mademoiselle Boizzy en ouvrant une porte. La plupart des objets que vous verrez tout au long de la visite guidée sont des pièces originales. Comme vous pouvez le constater dans cette pièce, il y a une quantité impressionnante d'armures et d'armes qui ont appartenu aux mages noirs.

— Regardez ces lances ! dit Olivier aux jeunes filles, les yeux écarquillés. Je suis certain qu'elles appartenaient à des géants.

Zayra et Abbie approuvèrent d'un signe de tête.

Les adolescents virent un nombre étonnant d'épées à double tranchant, d'arbalètes et d'armures étincelantes malgré toutes ces années. « Tout doit être astiqué très souvent pour briller ainsi », pensa Zarya. Par la suite, ils traversèrent l'immense pièce pour se rendre de l'autre côté, où se trouvait une autre porte. La guide leur expliqua que les nombreuses armes et armures avaient été conçues par les farfadets du temps. Certains touristes en profitèrent pour prendre de nombreuses photos. Mademoiselle Boizzy ouvrit la seconde porte pour descendre les marches de pierre jusqu'au plus bas niveau du château.

— Maintenant, nous sommes dans la salle des cachots, dit-elle en se tournant vers les touristes.

— Cet endroit me donne la chair de poule, dit Abbie en se rapprochant d'Olivier pour lui saisir le bras.

— Oui, j'avoue que ce n'est pas un lieu accueillant, approuva Zarya, en regardant les nombreux cachots.

Ils se trouvaient dans un endroit vraiment lugubre. Sans les avoir comptés, Zarya devina qu'il devait y avoir une quarantaine de cachots, plus sinistres les uns que les autres. Une odeur d'humidité régnait dans cet endroit.

— Regardez ces petites cellules, fit remarquer Zarya à ses deux amis. Je ne peux pas croire qu'une personne pouvait demeurer dans une si petite prison de fer !

— En effet, mademoiselle, dit la guide qui avait entendu la remarque de Zarya. Cela parait invraisemblable de vivre, ne serait-ce qu'un instant, dans ce petit cachot. Et, pourtant, si on se fie aux engravures faites sur le sol par certains prisonniers, ces derniers pouvaient y rester dans une position désagréable plusieurs semaines de suite...

Les adolescents se regardèrent d'un air visiblement préoccupé par les dernières paroles de mademoiselle Boizzy.

— Suivez-moi, s'il vous plaît, dit-elle.

Ils montèrent les marches qui menaient trois étages plus haut. Ils traversèrent rapidement les immenses cuisines équipées de toutes les commodités modernes et, par la suite, ils passèrent par la Grande Salle, là où sir Osterman donnerait son bal de fin d'année. Chaque pièce possédait une cheminée monumentale avec un bon feu étant donné l'hiver qui sévissait.

— Maintenant, je vous demanderais de préparer vos appareils photo, leur recommanda mademoiselle Boizzy, en ouvrant tranquillement une porte massive. C'est sûrement la pièce la plus impressionnante du château.

Et elle finit d'ouvrir la porte...

Les touristes entrèrent, les yeux grands ouverts, comme s'ils voulaient dévorer la pièce d'un seul regard. Zarya, Abbie et Olivier comprenaient fort bien la raison évidente de la présence d'un colossal cristal qui flottait et tournait sur lui-même à trois mètres du sol dallé. Il était suspendu en plein centre d'un immense pentacle fait de lignes tracées de trente centimètres de largeur. C'était une tsavorite géante, d'une dimension incroyable : elle faisait deux mètres de diamètre et était enveloppée d'un champ électromagnétique.

— Nous sommes au cœur du château, précisa la guide en se tournant vers les touristes. Et c'est ici que nous produisons l'énergie nécessaire pour la ville de Vonthruff.

Considérant la hauteur plus qu'impressionnante du château, Zarya n'avait pas remarqué qu'il y avait une pyramide en son centre.

Bien que la salle pyramidale fût magistrale, rien ne pouvait émerveiller davantage Abbie que la prochaine pièce qu'elle s'apprêtait à voir…

— Nous y sommes ! dit mademoiselle Boizzy avec le sourire.

— Et où sommes-nous ? demanda une dame dotée d'une coiffure extravagante située juste au côté de la guide.

— À la Tour des Druides !

Zarya s'avança d'un pas et constata qu'il y avait un escalier en colimaçon d'une hauteur vertigineuse. Il devait y avoir des milliers de marches pour se rendre en haut de la tour !

— Ne vous inquiétez pas, dit la guide en regardant les réactions des personnes d'un certain âge. Nous avons aménagé un transmoléculaire pour sauver des pas.

En effet, Zarya remarqua une cabine derrière elle, au grand soulagement de tout le monde. Le groupe de mages avança d'un même pas vers la cabine et, un à un, ils y pénétrèrent, pour réapparaître soixante-dix mètres plus haut, au sommet de la tour. De là-haut, une vue circulaire sur les vallées environnantes du mont Évina et de la ville de Vonthruff s'offrait à eux.

— C'est ici qu'ont pris naissance la plupart des potions magiques que l'on connait aujourd'hui. Elles furent concoctées par un groupe restreint de druides, sous les ordres de Vadim Marliak, expliqua mademoiselle Boizzy.

La pièce circulaire, aussi grande que la classe du professeur Razny, était éclairée par la lueur ambrée du soleil. Les multiples tables de travail épousaient parfaitement la courbe du mur de pierres. Les jeunes filles, et même Olivier, n'avaient jamais vu autant d'instruments druidiques.

— Tous les accessoires que vous voyez ici, leur dit la guide, sont originaux. Par contre, les fines herbes et les liquides contenus dans les pots, eux, sont récents.

— Et le livre sur le lutrin au centre de la pièce, demanda Abbie, est-il récent ?

— Non, c'est le livre originel qui appartenait aux druides eux-mêmes, répondit mademoiselle Boizzy. On ne connait pas son âge réel. Ce qui est extraordinaire de ce mystérieux livre, c'est qu'il est pratiquement indestructible !

— Comment peut-il être indestructible ? demanda un homme derrière le groupe.

— Pendant plusieurs années, les plus grands mages ont fait des études approfondies sur ce livre druidique. Mais encore aujourd'hui, on ignore le sortilège qui le rend aussi invulnérable aux éléments et inaltérable par le temps.

Bien que la visite fût très intéressante, Zarya avait hâte qu'elle se termine ; il était 12 h 45. Jonathan devait avoir fini sa réunion avec les Maîtres Drakar, et qui sait, il l'attendait peut-être déjà dans le hall du château.

Abbie et Olivier suivirent d'un pas rapide Zarya qui dévalait les marches deux par deux pour se rendre à sa chambre. Elle s'arrêta net en voyant Jonathan assis dans un fauteuil, dans le couloir, en face de sa porte de chambre.

— Bonjour, Zarya.

— Bonjour.

— Bonjour, Abbie, dit-il en s'approchant d'elle pour lui serrer la main.

— Salut, Olivier.

— Salut, Jonathan, répondit le commissionnaire en lui serrant à son tour la main de façon amicale.

En effet, Olivier et Jonathan se connaissaient depuis fort longtemps. Ils avaient même joué au donar-ball quelques fois ensemble.

— J'ai parlé avec des Maîtres Drakar ce matin et j'ai appris que tu étais le nouveau champion de donar-ball.

— Oui, c'est vrai. Les nouvelles vont plutôt vite !

— Je suis très fier de toi, Olivier.

Les jeunes filles se regardèrent avec un air surpris, en voyant la complicité amicale entre les deux garçons.

— Bah ! Tu m'aurais sûrement battu…

— Non, je ne crois pas, dit-il humblement. Deux cent cinquante trois kilomètres à l'heure, c'est une vitesse que je n'ai jamais atteinte ! Tu m'as surpassé, Olivier. Tu es et tu resteras le champion, que tu le veuilles ou pas, dit-il en lui mettant la main sur l'épaule.

— Je suis très contente de t'avoir revu, Jonathan, mais, nous, on doit y aller, dit Abbie en tirant Olivier par le bras. J'espère qu'on se reverra bientôt.

— Je l'espère aussi.

Abbie pouvait lire sur les lèvres de Zarya le mot « merci ». Elle lui fit un petit clin d'œil discret en retour.

— Je ne sais pas pour toi, mais, moi, je mangerais un grabtos en entier.

— Moi aussi, dit Zarya avec le sourire.

— Alors, je connais un endroit où on en fait du bon !

Sur ce, Zarya prit son sac à main dans sa chambre, et ils quittèrent le château.

Ils n'avaient parcouru que quelques pas sous l'abri des arbres dépouillés de leurs feuilles et recouverts d'une fine couche de neige lorsque Jonathan s'arrêta net et se tourna vers Zarya. Il s'approcha légèrement d'elle ; elle le fixa de ses yeux d'un bleu pur et brillant. Un doux frémissement s'empara de ses sens. Jonathan lui donna un baiser qu'elle lui rendit, suivi de la douce étreinte à laquelle elle avait rêvé pendant de longs mois !

— Bonjour !

— Bonjour, répondit-elle d'une voix empreinte d'une douce ivresse.

Ils poursuivirent leur marche, Zarya pendue au bras de Jonathan, heureuse comme elle ne l'avait jamais été.

◊ ◊ ◊

Il était 2 h du matin ; dans le château régnait un silence inhabituel. Zarya avait de la difficulté à dormir. Couchée dans son lit, elle fixait la lune, quasi pleine, par la fenêtre. Elle repensait à la belle journée qu'elle avait passée avec son amoureux. Un sourire restait accroché sur son visage aux traits doux, un sourire qui se reflétait dans ses yeux bleus passionnés.

Soudain, elle se sentit observée. Elle regarda rapidement vers le pied de son lit et vit son petit visiteur nocturne ! Même si elle s'attendait à sa visite à un moment ou à un autre, un léger frisson lui parcourut la colonne vertébrale. Par contre, elle ne fit aucun geste brusque : elle ne voulait pas l'effrayer.

— Bonsoir, lui dit-elle d'une voix douce.

Le garçon lui sourit.

— *Abbie, Abbie, il est là !* appela-t-elle télépathiquement.

Quelques secondes passèrent...

— *Ah, oui ! Alors, j'avertis Olivier, et nous arrivons.*

— *Soyez discrets !*

— *D'accord.*

Le fantôme ne semblait pas entendre la conversation des jeunes filles, au grand soulagement de Zarya.

— Tu vas bien ? dit-elle en voulant gagner du temps avant de sortir sa chambre.

Il lui indiqua la porte, comme la première fois.

— Tu veux me montrer quelque chose ?

Il lui sourit de nouveau.

Tout comme la première fois, Zarya fit léviter sa robe de chambre vers elle, mais plus lentement. Par la suite, elle tendit son bras vers le chandelier de la table de chevet et *Zap !* Du bout de son doigt, une flammèche alluma la bougie.

— *Nous sommes là !* dit Abbie.

— *D'accord, nous sortons.*

Elle s'avança vers la porte et vit le garçon passer au travers.

— *Nous le voyons !* dit Abbie, impressionnée.

Zarya ouvrit la porte et suivit le fantôme en jetant des regards derrière elle pour essayer de localiser ses deux amis ; ils étaient derrière le fauteuil, là où était assis Jonathan quelques heures plus tôt. Elle remarqua alors comme il faisait noir dans le couloir, tout comme la première fois qu'elle avait suivi le jeune fantôme. Curieusement, elle se rappelait que, la veille au soir, lorsque Jonathan était venu la reconduire à sa chambre, toutes les lumières étaient alors allumées… « Mon jeune ami a-t-il quelque chose à voir avec cet étrange phénomène ? » se demanda-t-elle.

Contrairement à la première fois, Zarya distingua que le garçon ne touchait pas le sol. Il simulait un déplacement normal, mais, en réalité, il lévitait tout bonnement de quelques centimètres. Elle prit conscience également qu'il était translucide lorsqu'il passa devant un rayon de lune en provenance de la fenêtre.

Zarya jeta un regard derrière elle pour s'assurer qu'elle était toujours suivie par ses amis ; ils étaient à quelques mètres d'elle. Ils semblaient avoir de la difficulté à se diriger dans cette obscurité presque totale. Zarya descendit l'escalier, pour arriver finalement au sous-sol. Le garçon s'arrêta à la même place que la dernière fois. Abbie et Olivier se cachèrent rapidement derrière une armoire.

— Est-ce ici ? s'enquit Zarya en regardant le mur sans porte.

Le garçon lui montra le mur de son doigt translucide.

— *Qu'est-ce qu'il fait ?* demanda Abbie télépathiquement.

— *Je n'en sais rien. Il me montre le mur !*

— *C'est peut-être derrière ce mur, ce qu'il cherche à te montrer,* devina Olivier.

— *Peut-être ! Demande-le-lui, Zarya,* proposa Abbie.

— C'est ici, derrière ce mur ?

L'enfant lui sourit…

— D'accord. Et comment fait-on pour aller de l'autre côté ?

Il lui sourit encore et, curieusement, le jeune fantôme glissa vers le mur comme si un immense vortex l'aspirait, puis il disparut !

Abbie et Olivier, constatant qu'il ne revenait pas, se précipitèrent vers Zarya.

— Avez-vous vu ça ? demanda Zarya en tâtonnant le mur pour trouver une entrée.

— Oui, nous l'avons vu disparaître derrière le mur, dit Abbie, déconcertée.

Olivier sortit un petit cristal transparent qu'il frotta avec sa main, et, aussitôt, le minéral se mit à éclairer.

— Tu as une lampe de poche ? demanda Abbie, surprise.

— Jonathan en a une comme celle-là, remarqua Zarya.

— Oui, c'est sûr, dit-il. C'est un azoth ou, si vous aimez mieux, une lumière astrale.

Cela dit, il éclaira le mur à la recherche d'un bouton sur lequel il pourrait pousser et ainsi actionner le fonctionnement d'un mécanisme pour ouvrir un passage secret. Les trois adolescents cherchaient, mais en vain. C'est alors qu'Olivier se pencha et aperçut une petite ouverture dans le bas du mur.

— As-tu trouvé quelque chose ? lui demanda Abbie.

— Oui, il y a un petit trou ici. Et je discerne un léger courant d'air.

— Alors, il y a sûrement une pièce derrière ce mur, en conclut Zarya.

Olivier se pencha davantage pour essayer de voir dans le trou à l'aide de son cristal et…

— Wooh ! lança-t-il en se relevant à une vitesse foudroyante.

Un petit animal poilu sortit de la brèche pour venir renifler le cristal d'Olivier, qui était tombé sur le sol.

— Mais, c'est quoi cette bestiole ? s'enquit Abbie en reculant de deux pas. Est-ce une souris ?

— Non, non, dit Olivier en riant à présent, c'est un kelpil.

Quelques secondes passèrent…

— Ah ! c'est ça un kelpil ! dit Abbie.

— Tu connais cet animal ? demanda Zarya, surprise.

— Bien sûr ! Le cours sur les pierres magiques… avec le professeur Razny… Souviens-toi, quand il avait hypnotisé un moraïd et qu'il nous avait dit qu'il était doux comme un kelpil.

— Waouh ! Tu es allée chercher ça très loin, lui dit son amie, impressionnée.

Le kelpil se tenait maintenant sur ses pattes arrière et observait les humains de ses yeux exorbités comme une grenouille, et son museau en forme de trompe d'éléphant palpitait sans relâche. Il reposa ses pattes avant et prit la direction du trou. Soudain, sous le regard surpris d'Olivier, le kelpil s'éleva à un mètre du sol.

— Qu'est-ce que tu fais là, Abbie ? s'exclama Zarya, en la regardant faire léviter la pauvre petite bête.

— On aura besoin de ses services !

— Et pourquoi ? s'enquit Olivier, qui ne comprenait pas le rapport entre le kelpil et le jeune fantôme.

— Tu veux utiliser le Sortilège de l'Œil Furtif, c'est ça ? déduisit Zarya.

— Exactement.

— Le sortilège de quoi ? demanda Olivier, perplexe.

— As-tu apporté un échantillon de cette potion ici ? lui demanda encore Zarya.

— Un échantillon de quoi ? questionna le jeune homme, incapable de suivre la conversation des adolescentes.

— Je vais t'expliquer lorsque nous l'aurons fabriqué ! répondit Abbie en regardant Olivier.

— Tu veux le concocter, ici ? Non… non, on ne peut pas faire ça, dit Zarya, qui commençait à comprendre le plan d'Abbie.

— Vous m'avez demandé de vous suivre. Vous avez attisé ma curiosité. Alors, maintenant, je veux aller jusqu'au bout ! Et il y a une seule façon de voir ce qu'il y a de l'autre côté de ce mur sans le démolir… C'est d'utiliser ce sortilège.

— Mais on n'a pas les ingrédients nécessaires pour la fabrication d'un sortilège et encore moins les instruments, lui fit remarquer Olivier.

— Oh, oui ! dit Zarya, qui avait tout compris et qui regardait Abbie avec de gros yeux.

— Et où ? demanda-t-il.

Et Abbie répondit :

— À la Tour des Druides !

La démonstration d'un grand maître

Zarya ne savait plus trop bien comment elle avait réussi à retourner à la Tour des Druides, avec ces nombreux couloirs labyrinthiques. Finalement, elle, Abbie et Olivier étaient à présent devant le transmoléculaire qui menait à la tour.

— Tu es bien certaine de vouloir le faire ? demanda Olivier, réticent, en regardant partout autour de lui pour être sûr qu'ils n'avaient pas été suivis.

— Affirmatif !

— Tu ne peux pas la faire changer d'idée, Olivier, dit Zarya, qui, décidément, trouvait que c'était une excellente idée. Quand elle a quelque chose en tête…

— Alors, allons-y, dit-il en prenant son courage à deux mains.

Il prit les mains des deux filles et les entraîna à sa suite dans la cabine. Ils réapparurent plusieurs mètres plus haut, dans le laboratoire druidique. En entrant dans la pièce circulaire partiellement éclairée par la lune argentée, Zarya ressentit un certain malaise à pénétrer dans un endroit comme celui-là. Il y avait une forte concentration d'énergie parapsychologique obscure qui flottait dans l'air. L'adolescente pouvait presque entendre les druides concocter leurs potions magiques, trois mille cinq cents ans plus tôt. Abbie, d'un pas décidé, se dirigea vers le livre des druides.

— J'espère qu'ils ont inscrit les sortilèges par ordre alphabétique, dit Abbie en tournant les pages une par une.

Après avoir feuilleté une trentaine de pages...

— Eh bien non, dit-elle en regardant Zarya et Olivier.

— Il doit sûrement y avoir une logique dans leur désordre, dit Olivier en tenant l'azoth au-dessus de la tête d'Abbie.

— Je l'espère, dit Zarya, un peu découragée, il doit y avoir au moins quatre mille pages.

— Je crois savoir ! s'exclama Olivier en donnant l'azoth à Abbie. Laisse-moi essayer.

Abbie lui céda sa place en regardant Zarya avec une lueur d'espoir. Elle savait que ce dernier avait beaucoup lu dans sa jeunesse et, surtout, de vieux manuscrits.

Curieusement, Olivier referma le livre, puis il leva ses deux mains au-dessus :

— Je souhaite obtenir le Sortilège de l'Œil Furtif, fit-il d'une voix monocorde.

Zarya et Abbie regardèrent l'étrange phénomène se dérouler devant elles. Le livre druidique s'ouvrit, et les pages défilèrent très rapidement, comme si un vent s'était subitement levé, pour finalement s'arrêter à la page recherchée. Dans le haut de la page, tous purent lire : *Sortilège de l'Œil Furtif.*

— Tu m'impressionnes, Olivier, lança Abbie.

— Mais comment as-tu fait ? demanda Zarya.

— À la bibliothèque d'Attilia, il y a certains livres anciens qui ont ce principe, expliqua-t-il, très fier d'avoir épaté les jeunes filles.

— Allons, ne perdons pas de temps, dit Abbie en commençant à lire la recette.

— D'accord, tu lis. Olivier et moi chercherons les ingrédients, suggéra Zarya.

C'est dans un travail organisé et dans une complicité remarquable qu'ils fabriquèrent la potion en un temps record. Abbie se rappelait vaguement les ingrédients qu'elle avait utilisés la première fois, lors de la fabrication dans l'autre dimension. Mais elle était consciente que, ici, la conception différait quelque peu. Les composantes étaient complètement distincts. Seule la formule magique demeurait la même. Et c'est justement d'une voix psalmodique qu'elle la prononça :

— *Mirgannia sitass fluditarium.*

Une épaisse mousse verdâtre se forma instantanément à la surface du chaudron, puis trente secondes passèrent, et le liquide se stabilisa.

— Ouf ! L'odeur est plus nauséabonde que la première fois, fit remarquer Zarya en regardant Abbie, qui se bouchait le nez.

— Et il faut boire… ça ? s'exclama Olivier, en regardant d'un air dégoûté l'horrible liquide verdâtre.

— Eh oui, répondit Zarya. Ne t'en fais pas pour l'odeur, le goût est bien pire.

Il regarda les jeunes filles, qui semblaient très sérieuses dans leurs propos.

Après avoir réalisé le succès leur potion, Olivier la versa dans un flacon. Abbie nettoya le chaudron du mieux qu'elle put, tandis que Zarya replaçait les ingrédients à leur place initiale.

— Maintenant, allons voir ce qui se cache derrière le mur, proposa Abbie avec la fierté d'avoir réussi à fabriquer le sortilège une fois de plus.

De son azoth, Olivier éclaira la pièce pour être sûr que tout était rangé au bon endroit. Lorsque Zarya jeta un regard par la fenêtre, elle vit qu'un gardien montant la garde à l'extérieur du château avait aperçu une lueur suspecte en haut de la Tour des Druides.

— Il y a un garde qui vient par ici ! dit-elle avec un trémolo dans la voix.

— Ne perdons pas de temps, réagit Abbie en saisissant le flacon et en prenant la direction du transmoléculaire.

— Attends, Abbie ! l'arrêta alors Olivier. Il va sûrement prendre le transmoléculaire lui aussi…

— Alors, prenons l'escalier, suggéra Zarya.

Ils entreprirent donc leur longue descente. Abbie longeait le mur en n'osant pas regarder vers le bas ; Olivier marchait à ses côtés en lui tenant la main, sachant pertinemment qu'elle souffrait de vertige.

Ils réussirent à sortir de la tour et à se rendre à la chambre d'Abbie pour récupérer le kelpil sans se faire remarquer par le gardien. Par la suite, ils descendirent vers l'endroit où était le passage secret.

— Passe-moi le flacon, dit Zarya, déterminée à découvrir ce qui se dissimulait de l'autre côté de la paroi de pierre.

— Je vais en prendre aussi, décida Abbie.

— Ce n'est pas nécessaire que nous en prenions toutes les deux, répliqua Zarya.

— Oui, peut-être. Mais je suis curieuse. Et toi, Olivier ?

— Bah ! Moi, je ne suis pas tellement curieux, répondit-il en regardant la fiole d'un air dédaigneux. Je vais passer mon tour pour cette fois. De toute façon, il faut quelqu'un pour monter la garde.

Les jeunes filles se regardèrent avec un petit sourire.

— D'accord, ça va pour cette fois, dit Abbie avec un air taquin. Mais la prochaine fois, tu seras le cobaye.

Abbie déposa la petite boîte qui contenait le kelpil sur le sol. Zarya ouvrit le flacon et en versa une petite quantité dans le fond de la boîte. La petite bestiole s'approcha du liquide verdâtre en remuant sa petite trompe et prit deux gorgées. Elle s'arrêta et leva la tête en direction des filles.

— Je crois que c'est à notre tour, dit Abbie en prenant une gorgée tout en se pinçant le nez.

Zarya l'imita et fit la grimace lorsque le liquide verdâtre lui descendit dans la gorge.

— Comment te sens-tu, Abbie ?

— Ça va, et toi ?

— Comme la première fois. Étourdie un peu.

Abbie sortit le kelpil de la boîte et elle le déposa sur le sol. Elle ferma ensuite les yeux, sous le regard attentif d'Olivier. Zarya les ferma également. Malgré ses paupières closes, elle voyait à présent la petite ouverture qui lui faisait face ; le trou semblait énorme vu à travers les yeux de la petite bestiole. Le kelpil avait une meilleure acuité visuelle que les humains et une meilleure perception des contrastes ainsi qu'une vision nocturne incroyable. Il passa dans l'orifice, puis Zarya en prit le contrôle pour lui faire faire demi-tour afin d'observer le mur de l'intérieur. Elle cherchait le mécanisme pour ouvrir le passage secret.

— Tu vois ce que je vois, dit Zarya à Abbie.

— Oui.

— Et qu'est-ce que vous voyez ? demanda Olivier.

— Un système de balancier, répondit Abbie.

Tout à coup, le charme se dissipa.

— Ça ne fonctionne plus ! s'exclama Zarya.

— On en a pris seulement une petite quantité, fit remarquer Abbie. J'imagine que c'est normal que la durée de l'effet soit plus courte.

— Avez-vous eu le temps de comprendre le fonctionnement du balancier ? demanda Olivier.

— Oui, je crois, dit Zarya. Il y a un poids attaché par une chaîne, si on réussit à le soulever, ça devrait déclencher le dispositif.

Sur ces dernières paroles, Zarya se tourna vers le mur. Concentrée, elle ferma les yeux et essaya de visualiser l'endroit exact où se situait le poids. Elle leva la main et, grâce à son pouvoir télékinésique, elle le fit bouger.

— Je crois qu'il bouge, dit Abbie, qui entendait le poids glisser sur le mur de pierre. Continue, Zarya !

Et c'est dans un déclic qu'une partie du mur s'ouvrit.

— Qui est là ? demanda le gardien qui descendait l'escalier pour venir dans leur direction.

— Ferme la porte ! dit Olivier en regardant le gardien qui approchait.

— Que faites-vous ici ? demanda-t-il en les éclairant de son azoth.

— Euh ! Nous sommes perdus, monsieur, dit Zarya.

— Il ne faut pas s'attarder dans cet endroit, les jeunes, dit le gardien. Vous êtes les invités de sir Osterman, n'est-ce pas ?

— Oui, monsieur.

— Alors, je vais vous ramener dans vos chambres.

— Merci, monsieur, dit Zarya en regardant Olivier et Abbie, soulagée d'avoir refermé le mur juste à temps.

◊ ◊ ◊

Le lendemain, les mesures de sécurité avaient été renforcées dans tout le château. Zarya et ses amis entendirent, par l'une des bonnes, qu'il y avait eu une intrusion dans la Tour des Druides pendant la nuit. Les adolescents ont pris le déjeuner en silence, se sentant un peu coupables d'avoir créé tout cet émoi. Zarya ne voulait surtout pas mettre son grand-père dans l'embarras pour un simple caprice de fantôme. Ils discutèrent à voix basse de leur mission et de toutes les inquiétudes qu'elle leur procurait, mais ils voulaient absolument la terminer : ils étaient trop près du but. Par contre, Olivier avait réussi à convaincre les jeunes filles de laisser passer au moins une journée et une nuit avant de redescendre au sous-sol ; elles avaient accepté.

— Vois-tu Jonathan ce matin ? demanda Olivier.

— Non, pas ce matin. Il a une réunion avec mon grand-père. Par contre, on doit se voir cet après-midi, indiqua-t-elle avec le sourire.

— Alors, tu peux venir avec nous, suggéra Abbie.

— Je ne voudrais pas vous importuner.

— Tu ne nous déranges jamais, voyons, souligna immédiatement Olivier.

— Et où allez-vous ?

— On va aller magasiner...

— C'est une excellente idée, dit madame Phidias en entrant dans la salle à manger.

— Madame Phidias, s'exclamèrent les jeunes filles en se levant pour l'accueillir.

— Bonjour, dit Olivier en se levant, en signe de politesse.

— Bonjour, les filles, dit-elle en leur rendant leurs accolades. Bonjour, Olivier.

Elle s'assit avec les adolescents.

— Et puis, les amis. Comment aimez-vous vos vacances jusqu'à présent ?

— Super, dit Abbie.

— Oui, je suis très heureuse d'être ici ! fit remarquer Zarya avec le sourire épanoui.

— Oui, je comprends, dit Mitiva en regardant la jeune fille. J'ai appris la bonne nouvelle à votre sujet. Et, en plus, Jonathan est très sympathique.

Les joues de Zarya s'empourprèrent.

— J'ai justement vu ce gentil garçon avant de venir vous rejoindre, ainsi que votre grand-père, à qui j'ai suggéré une activité que je pourrais faire avec vous, et il a accepté avec la plus grande joie. Mais, malheureusement, et je suis sûre que vous comprendrez, Olivier, c'est une activité pour filles seulement. À moins que vous aimiez aller magasiner… des robes !

Les filles se regardèrent, un sourire aux lèvres.

— Des robes ! Non merci, dit-il avec un petit rire. Je vais vous laisser aller, n'ayez crainte.

— Merci, Olivier, dit Abbie.

— Des robes pour le bal ? demanda Zarya, les yeux brillants d'espoir.

— Oui, et votre grand-père m'a laissé suffisamment d'argent pour habiller deux princesses au grand complet.

Après avoir terminé leur déjeuner, les jeunes filles, accompagnées de madame Phidias, quittèrent joyeusement le château pour aller pratiquer leur activité préférée, c'est-à-dire le magasinage. Olivier, de son côté, profita de ce moment de solitude pour fureter dans la bibliothèque du château, à la recherche d'un bon livre qu'il devrait, en principe, avoir dévoré avant le retour de sa bien-aimée. Celle-ci apprécia chaque instant de cette belle journée, malgré le fait que son amoureux ne fût pas présent. De toute manière, c'était mieux ainsi : elle ne voulait pas qu'Olivier soit là lorsqu'elle essaierait sa robe de bal ; elle voulait préserver l'effet de surprise.

Elles entrèrent toutes trois dans un immense magasin, rempli de beaux vêtements, où elles pouvaient tout essayer et s'admirer devant les grands miroirs muraux. Tout était si joli…

— On commence par qui ? demanda madame Phidias en regardant les filles, qui avaient de grands yeux en voyant la panoplie de robes, toutes plus belles les unes que les autres.

— Abbie, à toi l'honneur, proposa gentiment Zarya.

— D'accord.

Madame Phidias ne savait en aucune manière dans quelle histoire elle s'était embarquée : magasiner avec une Abbie qui voulait pratiquement tout essayer, de la plus courte à la plus longue robe du magasin. Finalement, la jeune fille s'arrêta à la moitié de la marchandise. Heureusement pour Mitiva, lorsque Abbie essaya une robe rouge bourgogne qui lui descendait jusqu'aux chevilles, son choix fut définitif.

— Tu es très jolie, Abbie, la complimenta son amie. Olivier va craquer devant ta beauté.

— Vous avez tout à fait raison, mademoiselle Zarya, approuva madame Phidias, qui contemplait Abbie de haut en bas. Elle vous va à ravir.

— Vous prenez celle-ci, mademoiselle ? demanda poliment la vendeuse qui les accompagnait.

— Oui, madame, répondit Abbie, contente de son achat.

— Et maintenant, c'est à vous, mademoiselle Zarya, dit madame Phidias.

— Avez-vous une couleur particulière que vous aimez porter ? demanda la vendeuse en lorgna les vêtements noirs de l'adolescente.

Abbie et madame Phidias se regardèrent avec un sourire complice.

— Oui, et j'ai vu une robe à mon goût là-bas, répondit Zarya en longeant le rayon des châles.

La vendeuse la suivit, talonnée de près par Abbie et par madame Phidias.

— J'aime bien celle-là !

Abbie et Mitiva se dévisagèrent avec un air subjugué.

Après avoir emballé le tout, elles quittèrent toutes trois le magasin pour retourner au château. En marchant d'un pas allègre dans une ruelle qui menait au transmoléculaire, madame Phidias expliqua aux jeunes filles que, la journée du bal, Gabriel voulait leur offrir un cadeau : « un forfait beauté ». Cela comprenait les soins d'une manucure et d'une pédicure, et, naturellement, une heure entière dans un salon de coiffure renommé de Vonthruff. Les filles étaient au comble du bonheur.

◊ ◊ ◊

Dans les jours qui suivirent, Zarya continua sa visite de Vonthruff avec Jonathan. À toutes les heures, les minutes et même les secondes passées ensemble, leur amour s'intensifiait. Elle avait rencontré son âme sœur, ça ne faisait aucun doute.

Bien que la fin des vacances à Vonthruff approchait à grands pas pour Zarya, celle-ci faisait son possible pour essayer de ne pas trop s'inquiéter au sujet du jeune fantôme. De toute manière, les gardiens de sécurité étaient omniprésents dans tout le château. La raison en était fort simple. Nous étions la veille du grand bal donné par sir Osterman, et des gens influents de Vonthruff résidaient en ces lieux pour ce moment tant attendu. Dans le château, une agréable odeur de nourriture flottait dans l'air. Il devait y avoir un grand banquet le soir venu.

Jonathan était retourné à son auberge, *Le Ripailleur*, pour prendre une douche et se changer avant de retourner au château accompagné de Didier. Ce dernier avait passé la plupart de son temps avec Gabriel. Il avait beaucoup apprécié ce temps qu'ils avaient passé ensemble. Il avait appris énormément de choses sur l'histoire du Temple des Maîtres Drakar. Il en avait profité pour lui raconter qu'il avait rencontré une jeune femme à Vonthruff, sans toutefois lui dire la vérité sur sa race et sur son lieu de résidence. Mais la chose qui l'avait surpris, c'est que, lorsqu'il avait mentionné qu'elle était médecin, Gabriel avait proposé de lui offrir un poste à l'infirmerie du Temple. Didier avait été très touché par cette belle proposition, mais il ne savait pas si l'offre de Gabriel tiendrait toujours lorsque celui-ci saurait que, en réalité, elle était une jeune femme elfe hyperboréenne.

Zarya avait revêtu l'une de ses robes noires pour le banquet, qui devait commencer sous peu. Il lui fallut un certain temps pour s'apercevoir qu'elle se brossait les cheveux avec son séchoir au lieu de sa brosse, qui était dans sa main gauche. Elle songeait à beaucoup de choses en même temps. Elle avait une pensée pour sa mère et pour son père : elle avait hâte qu'ils reviennent ensemble. Et une pour sa grand-mère Martha : elle était impatiente de lui annoncer qu'elle avait du sang de sorcière et qu'elle allait quitter le Canada pour venir s'installer à Attilia.

Toc ! Toc ! Les coups frappés à la porte tirèrent Zarya de ses douces pensées.

Abbie apparut dans l'embrasure de la porte et lui demanda :

— Olivier et moi, nous descendons à la Grande Salle pour le banquet. On va vous réserver deux places, d'accord ?

— D'accord, aussitôt que Jonathan arrive, on va venir vous rejoindre.

C'est une Abbie toute souriante qui referma la porte.

Deux minutes passèrent…

Toc ! Toc ! Zarya se dépêcha d'aller ouvrir en sachant que, cette fois, c'était lui.

— Salut !

— Salut ! dit-elle en esquissant un petit sourire.

— Tu es très jolie, dit-il en lui prenant la main.

— Merci.

Il s'approcha tout doucement des lèvres de son amoureuse et y déposa un tendre baiser d'une galanterie parfaite. C'est main dans la main qu'ils quittèrent la chambre pour aller rejoindre Abbie et Olivier.

Ils entrèrent dans la Grande Salle où jouait une douce musique d'ambiance et aperçurent une grande table rectangulaire bordée d'une trentaine de chaises de soie rouge capitonnées à dossiers fort élevés. La table, d'une longueur impressionnante, était garnie d'une vaisselle en porcelaine luxueuse et de coupes de cristal au pied d'un rouge éclatant. La somptuosité était au rendez-vous, remarqua Zarya.

Après s'être installée près d'Abbie et d'Olivier, Zarya jeta un regard à son grand-père, qui était assis près de sir Osterman ; Gabriel lui fit un clin d'œil. C'est alors qu'une dizaine de serveurs, tous vêtus de noir, entrèrent avec une quantité de plateaux d'argent emplis de nourriture qui avait l'air très appétissante. C'est grâce à la télékinésie que les serveurs déposèrent les assiettes pleines devant les personnes attablées. Lorsqu'ils quittèrent la pièce, sir Osterman se leva.

— Bonjour à tous, commença-t-il, affichant un sourire satisfait.

Abbie lâcha un gloussement amusé en voyant le ventre proéminent de sir Osterman tremper dans son rôti de grabtos.

— J'aimerais vous souhaiter la bienvenue au château de Sakarovitch. J'aime toujours souligner la veille du jour de l'An avec mes amis les plus proches.

Zarya se demanda depuis quand elle était une amie intime de Roland Osterman. Elle regarda Abbie et elle crut un instant qu'elles partageaient la même pensée.

— J'aimerais souligner la visite-surprise du ministre des Relations interdimensionnelles et directeur du fameux Temple des Maîtres Drakar d'Attilia, Gabriel Adams. Mon cher ami d'enfance qui est venu avec sa charmante petite-fille et ses amis.

Des applaudissements polis se firent entendre…

Après un discours de quelques minutes, juste le temps nécessaire pour refroidir suffisamment les patates, sir Osterman se rassit.

Comme Zarya prenait une bouchée d'un légume qui ressemblait à un petit bonsaï, son attention fut attirée par la conversation entre son grand-père et un mage au crâne dégarni et aux bijoux dorés prédominants.

— J'ai beaucoup entendu parler de vos exploits du passé, monsieur le ministre, dit le mage en déposant sa fourchette. Et, si tout cela est vrai, cela ressort du fantastique !

— Merci, seigneur Gulka, c'est tout un compliment que vous venez de me faire là. J'ai en effet eu une carrière bien remplie. Mais, pour ce qui est du fantastique, sachez que les Maîtres Drakar suivent un entraînement très intensif, un enseignement qui se perpétue d'une génération à l'autre depuis des milliers d'années. Selon moi, il est tout à fait naturel qu'un Maître Drakar développe des facultés hors du commun avec la maîtrise qu'il acquiert tout au long de sa formation. Pour ainsi dire, cela ne relève pas du fantastique, mais plutôt d'un entraînement rigoureux qui fait qu'un Maître Drakar est un parfait combattant.

— Je suis très impressionnée, commenta la femme du seigneur Gulka. Je paierais très cher pour voir la démonstration d'un tel guerrier !

— Vous n'avez pas besoin de débourser un sou, madame Gulka, dit Gabriel avec politesse, vous n'avez qu'à venir au Temple des Maîtres Drakar. Nous vous ferons une démonstration avec la plus grande joie.

— C'est très gentil de votre part, monsieur le ministre, dit-elle en acceptant l'invitation.

— J'ai entendu dire qu'il y avait justement des Maîtres Drakar en ville, dit un mage assis à l'autre bout de la table.

— Effectivement, répondit Gabriel.

— Alors, ce serait intéressant de voir une démonstration dès aujourd'hui. Depuis le temps que j'entends parler des exploits de ces Maîtres Drakar exceptionnels.

— Je suis même prêt à parier ma chemise, renchérit le seigneur Gulka en regardant Gabriel avec un sourire amical, qu'un Maître Drakar ne peut battre mon garde du corps, dit-il en montrant du doigt un mage au gabarit très impressionnant.

— Je vous en prie, monsieur Gulka, dit un vieil homme près de lui, ne nous infligez pas votre torse poilu à cette table, je ne pourrais, en aucun cas, finir mon assiette.

Les gens tout autour de la table s'esclaffèrent.

— *Désires-tu nous faire l'honneur d'une petite démonstration, Jonathan?* demanda Gabriel par télépathie.

— *Aucun problème, Maître.*

— Si vous insistez, messieurs, mesdames, reprit Gabriel. Nous avons parmi nous un Maître Drakar qui serait prêt à vous faire une petite démonstration.

Zarya regarda Jonathan se lever…

— Et n'ayez crainte pour votre chemise, seigneur Gulka, nous sommes tous d'accord pour que vous la conserviez. Cependant, une bonne bouteille de vin fera sans doute l'affaire, conclut Gabriel avec un sourire en coin.

— Mais, ils ne feront pas un combat à mort! s'alarma une femme près de Gabriel.

— Non, ne vous en faite pas, la rassura ce dernier. Ce ne sera qu'une exhibition amicale.

La femme ainsi que Zarya poussèrent un soupir de soulagement.

— Avez-vous une suggestion à nous proposer, seigneur Gulka? s'enquit Gabriel.

— Oui, pourquoi pas, dit-il en réfléchissant. Celui qui réussira à déséquilibrer son adversaire et à le jeter par terre gagnera.

— C'est une excellente idée, approuva Gabriel en regardant Jonathan qui enlevait son veston. Alors, je vous suggère une chose qui pourrait susciter votre attention davantage. Et, qui sait, peut-être doubler la mise à deux bouteilles de vin, dit-il en regardant le seigneur Gulka. Je vous propose un Maître Drakar contre cinq de vos gardes du corps…

Zarya faillit s'étouffer avec son vin.

Sans réaction, Jonathan s'installa au centre de la Grande Salle.

— C'est complètement insensé, répliqua le seigneur Gulka en riant de bon cœur. Mais, si vous insistez, reprit-il en donnant l'ordre à son garde du corps d'avancer devant Jonathan. Je vous donnerai une bouteille pour chaque garde du corps qui tombera sur le sol, mon cher ministre !

Gabriel lui sourit en signe d'acceptation.

Sur ce, quatre autres mages se placèrent autour de Jonathan. Ce dernier resta très concentré en gardant la tête baissée ; il fixait le sol sans bouger un sourcil.

Sir Osterman, debout devant sa chaise, prit sa serviette de table et dit d'une voix forte :

— Aussitôt que la serviette touche le sol, vous commencez !

En disant ces dernières paroles, il la laissa tomber…

Les cinq mages envoyèrent, en même temps, une vague translucide sur Jonathan, qui, dans un temps parfaitement synchronisé, cria à voix forte :

— *Protectum !*

Les vagues se répercutèrent sur son bouclier et n'eurent pas l'effet escompté sur le Maître Drakar. Zarya et Abbie savaient que celui-ci ne pouvait le tenir bien longtemps… C'est alors que Jonathan déploya ses bras en brisant le bouclier de l'intérieur, et une vague d'ondes translucides partit dans toutes les directions, frappant les cinq gardes du corps simultanément ! Résultat : quatre d'entre eux tombèrent violemment sur le sol, très ébranlés. Seul le garde du corps du seigneur Gulka, qui avait été propulsé sur le mur, restait debout malgré la force de l'impact. Il lança une boule télékinésique sur Jonathan, qui

n'eut aucune difficulté à la bloquer en même temps qu'il attirait une chaise inoccupée sous les jambes de son adversaire, le
faisant chuter sur le plancher, déséquilibré.

26

Le bal du jour de l'An

C'est sous de chauds applaudissements que Jonathan alla se rasseoir, avec un air détendu, à côté de Zarya. Elle avait encore le souffle coupé par cette époustouflante démonstration.

Le seigneur Gulka regardait simultanément son garde du corps, qui se relevait de peine et de misère, et le jeune Maître Drakar, qui replaçait tout bonnement le col de sa chemise.

— Me voilà très impressionnée, dit madame Gulka, qui examinait Jonathan avec des yeux différents. Si les Maîtres Drakar sont tous de la force de ce jeune homme, dit-elle cette fois en regardant Gabriel, alors le pays de Dagmar est en sécurité.

— Nous faisons de notre mieux pour maintenir l'équilibre dans notre monde. Soyez rassurée, madame Gulka.

◇ ◇ ◇

Le lendemain, on ne parlait plus que de la magistrale démonstration du jeune Maître Drakar dans tout le château.

Jonathan était retourné à son auberge tard dans la soirée, après avoir discuté avec Zarya, Abbie et Olivier dans la salle de séjour. L'un des sujets de conversation avait été le jeune fantôme et ses visites nocturnes. Jonathan était d'accord avec le point de vue d'Olivier. Nul doute, assura-t-il aux jeunes filles, le fantôme voulait montrer quelque chose à Zarya, quelque chose qui l'obsédait depuis quatre cents ans ! Il avait profité de l'occasion pour leur conseiller d'être prudents dans leur petite enquête.

Zarya et Abbie montèrent dans leur chambre pour mettre leur tenue de soirée. Depuis le début de l'après-midi, elles n'avaient pas revu les garçons. En effet, elles s'étaient mises d'accord afin qu'ils ne se voient en aucun cas avant le soir venu, au bal. Elles avaient consacré une partie de l'après-midi à leur forfait beauté, qu'elles avaient beaucoup apprécié. Abbie était venue rejoindre Zarya dans sa chambre pour l'aider à finaliser ses dernières retouches. Finalement, les jeunes filles se postèrent devant le grand miroir, sourire aux lèvres, très heureuses du résultat qu'elles avaient obtenu après avoir consacré une partie de la journée à se mettre belles pour les garçons.

— Tu es très belle, Zarya. Ta robe te va à ravir.

— Toi, tu es magnifique. Olivier va tomber sous ton charme.

— Oui, j'avoue que je ne suis pas mal.

Les jeunes filles s'esclaffèrent.

Le hall d'entrée était bondé. Les nombreux convives de sir Osterman arrivaient en grand nombre. Après avoir remis leur carton d'invitation au préposé de la réception, les invités pouvaient entrer dans la Grande Salle. Celle-ci était somptueusement décorée avec des guirlandes argentées et des bouquets multicolores, ce qui lui donnait un aspect convivial. On pouvait déjà entendre une jolie musique jouée avec brio par l'orchestre composé d'une dizaine de musiciens et de deux choristes à la voix divine, ce qui créait une ambiance relaxante.

On avait installé dans la salle un bar avec toutes les boissons qui pouvaient exister à Vonthruff. Deux garçons joliment habillés étaient accoudés à ce bar : Jonathan et Olivier.

En prenant une gorgée de sa boisson, Olivier avala de travers... Il saisit vivement l'avant-bras de Jonathan et lui dit d'une voix étouffée :

— Regarde... Jonathan !

Ce dernier déposa son verre sur le comptoir et se leva en regardant en direction de l'entrée. Elles étaient là !

Olivier fixa sur Abbie un regard médusé. Elle était joliment coiffée, vêtue d'une robe moulante rouge bourgogne entrouverte jusqu'à mi-cuisse qui laissait deviner la jeunesse de sa silhouette.

Jonathan observait Zarya, avec sa coiffure remontée, qui venait à sa rencontre d'une démarche féline lui donnant une allure gracieuse et raffinée. Il affichait un demi-sourire, quelque peu ébranlé par cette beauté sensuelle et en même temps réservée. Il ne put s'empêcher de l'examiner de la tête aux pieds et d'admirer sa robe couleur perle, légèrement décolletée, qui sublimait son corps de jeune femme.

Elle s'arrêta devant lui.

— Bonsoir !

— Tu es ravissante, la complimenta-t-il, encore sous le choc.

— Merci, tu es très élégant, lui dit-elle en retour en touchant la manche de son habit.

Il lui déposa un doux baiser sur les lèvres suivi d'un léger soupir...

— J'avais hâte de te revoir.

— Moi aussi, dit-elle en rougissant légèrement.

Les deux couples étaient confortablement assis près du magnifique foyer. Jonathan se leva et demanda à Zarya si elle voulait bien danser ; elle accepta avec joie.

Dans la salle comble, ils se faufilèrent entre les couples déjà installés sur la piste de danse. Ils se rapprochèrent l'un de l'autre en s'enlaçant sur le rythme d'une douce musique.

◊ ◊ ◊

— Est-ce que ça va, Jonathan ? demanda Zarya, qui sentait un léger tremblement de sa part. Je te sens un peu… nerveux !

— J'ai quelque chose à te dire, avoua-t-il, plus agité que jamais.

Cette fois, l'inquiétude s'empara d'elle. Toujours au milieu de la piste de danse, Jonathan se recula légèrement, prit la main de la jeune fille et l'entraîna dans un coin discret :

— J'ai une chose à te dire, mais avant…

Il fouilla dans sa poche et en sortit une petite boîte soigneusement enveloppée.

— Un cadeau ! s'exclama Zarya, les yeux brillants.

Il lui sourit.

Elle prit la petite boîte et la développa minutieusement. Il observait ses moindres gestes : il la sentait fébrile.

— Il est magnifique ! s'extasia-t-elle en découvrant un pendentif en or.

Elle le sortit délicatement de son écrin pour l'admirer. De ses yeux humectés par de fines larmes, elle regardait le bijou à l'extrémité de la chaîne et dit :

— Je n'ai jamais vu une perle aussi jolie.

Jonathan lui prit délicatement le pendentif des mains et lui demanda de se tourner, ce qu'elle fit. Il le lui attacha autour du cou. Elle se tourna de nouveau dans sa direction.

— Ce n'est pas une perle, l'éclaira-t-il en prenant la petite boule translucide entre ses doigts. C'est une Sphère d'Agapè. Elle est unique au monde ! Je l'ai reçue en cadeau d'un vieux mage qui vivait en ermite dans une montagne tibétaine.

— Dans l'autre monde ?

— Oui. Il me l'a donnée après que je lui ai sauvé la vie. Cette Sphère d'Agapè a une propriété très spéciale, unique !

— Laquelle ?

— Avant, je vais te raconter ma première expérience avec cet objet magique, dit-il en tenant toujours la sphère entre ses doigts. Regarde à l'intérieur de la sphère.

Malgré l'obscurité de la Grande Salle, Zarya vit deux petites étoiles scintillantes dorées qui valsaient au centre du bijou.

— C'est incroyable !

— Quand il me l'a donnée, il y avait seulement une étoile à l'intérieur...

— Mais, maintenant, il y en a deux ! Et depuis quand ? s'enquit-elle.

— Te souviens-tu du jour de ton évaluation avec le professeur Razny ?

— Oui, au camp des Maîtres Drakar, l'été dernier. Comment oublier ça, c'est la première fois que je t'ai vu...

— Exactement. Après ton évaluation, je suis retourné dans mon appartement. Et alors, j'ai remarqué qu'une deuxième étoile était soudainement apparue dans la Sphère d'Agapè qui était posée sur ma table de chevet !

— Étrange.

— Oui, peut-être. Mais le vieux mage tibétain me l'avait prédit.

— Il t'avait prédit qu'il y aurait naissance d'une deuxième étoile dans ta sphère ?

— Oui, lorsque je rencontrerais mon âme sœur, l'amour de ma vie.

Jonathan la fixa droit dans les yeux...

Deux larmes glissèrent involontairement sur les longs cils courbés de Zarya.

— C'est depuis ce jour que je rêve de cet instant. Ce moment où je t'avouerais, Zarya… que je t'aime…

Le cœur de l'adolescente tressaillit à cette dernière parole. Elle s'approcha nerveusement de Jonathan, et c'est dans une étreinte passionnée qu'elle lui chuchota au creux de l'oreille :

— Je t'aime aussi… de tout mon cœur…

Après cette déclaration d'amour, ils ne se quittèrent pas des yeux. Abbie se doutait de quelque chose en les voyant se regarder et se sourire sans prononcer une seule parole. Elle avait hâte d'être seule à seule avec sa meilleure amie pour avoir un compte rendu détaillé.

Zarya était très heureuse depuis que Jonathan lui avait déclaré son amour. Depuis de longs mois, elle se posait continuellement cette fameuse question : « Jonathan m'aime-t-il vraiment ? » Elle avait enfin obtenu sa réponse.

Durant la soirée, Gabriel et Didier vinrent partager un verre avec eux. Ils rigolèrent beaucoup avec les amusantes histoires racontées par Didier. Zarya et Abbie le trouvèrent fort sympathique. Olivier éclata de rire lorsque Didier raconta une anecdote particulièrement cocasse. Lors de sa première journée au cours de télékatapelte, il avait frappé accidentellement le professeur Ismaël Herpin derrière la tête. Bien qu'ils aient beaucoup de plaisir tous ensemble, Gabriel et Didier décidèrent de laisser les deux couples d'amoureux seuls et d'aller rejoindre sir Osterman à sa table.

Quelques secondes plus tard à peine, Steve Arvon, l'un des agents de sécurité du château, s'approcha timidement de Jonathan.

— Bonsoir à tous, les salua-t-il d'un ton poli. J'espère que vous vous amusez bien et que vous ne manquez de rien.

— C'est une excellente soirée, répondit Jonathan, tout souriant. Sir Osterman sait recevoir en grand !

— Oh, oui ! Et vous n'avez rien vu. Attendez de voir ce qu'il fait à l'Halloween.

— Ah, oui ? Et que fait-il donc, monsieur ? demanda Abbie, curieuse.

— Il fait venir les plus grands spécialistes d'effets spéciaux pour transformer ce château en un lieu hanté !

— Je serais intéressée de voir ça, dit-elle en regardant Olivier.

— Alors, je vous conseille de venir voir ça cet automne. C'est ouvert au public.

Steve se tourna vers Jonathan.

— J'ai vu votre incroyable démonstration, hier, lors du banquet. J'aimerais vous féliciter pour cette belle prouesse. J'avoue que je ne croyais pas que vous réussiriez aussi facilement devant cinq gardes du corps de leur calibre. J'étais un peu sceptique au sujet des Maîtres Drakar, je dois l'admettre. Mais, là, je suis totalement en admiration. Je suis justement avec ces gardes, et ils ne parlent que de cela. Ils adoreraient vous parler afin de vous demander quelques bons conseils sur ce fameux bouclier que vous avez formé lors de votre démonstration. Ne serait-ce que le temps d'un petit verre, dit-il en regardant Zarya, comme s'il lui demandait la permission.

— Vas-y, Jonathan, dit-elle, je vais t'attendre.

— D'accord, je vais revenir vite, lui assura-t-il en lui donnant un baiser.

◊ ◊ ◊

Zarya sirotait son verre lorsque Steve revint dans sa direction, un léger sourire aux lèvres.

— Vous êtes Zarya, n'est-ce pas, mademoiselle ?

— Oui !

— J'ai un message provenant de monsieur Jonathan. Il n'a pas bien digéré la boisson que je lui ai donnée. Il a… disons, rejeté sa boisson sur sa chemise. Mais il va bien, ne vous inquiétez pas, dit-il d'une voix rassurante en voyant la jeune fille troublée. Il est parti se changer à son auberge et il va revenir dans quelques minutes. Il m'a également demandé de vous dire, mademoiselle, qu'il irait vous rejoindre dans votre chambre.

— D'accord, dit-elle, surprise.

Steve s'éloigna, et Zarya regarda Abbie et Olivier danser dans une étreinte amoureuse. Elle ne voulait surtout pas les déranger. Elle prit donc une feuille et un crayon dans son sac à main et leur écrivit un petit mot qu'elle laissa sous le verre d'Abbie.

Tranquillement, elle quitta la Grande Salle. Elle gravit les marches de marbre en pensant à la belle soirée qu'elle venait de passer, un fin sourire illuminait ses traits. D'un pas lent, elle s'orienta vers sa chambre en palpant son pendentif, se rappelant chaque syllabe de la douce déclaration d'amour de Jonathan ; elle était heureuse.

Elle entra dans sa chambre et déposa son sac à main sur son bureau. Elle fut surprise de voir à quel point sa chambre était éclairée par la forte lueur de la pleine lune. Assise sur le bord de son lit, elle la regarda briller dans le ciel limpide. Ce soir, la lune semblait plus volumineuse et plus blanche que jamais : elle paraissait mystérieuse !

◊ ◊ ◊

— Emmenez-le parr ici ! ordonna Edgar Kruta en jetant un regard hostile au jeune homme semi-inconscient.

Jonathan avait été drogué par le contenu du verre d'un mage noir, celui de Steve Arvon. Ce dernier, aidé par Edmond Dohan et par quelques mages noirs supplémentaires, déposa son prisonnier sur la table de pierre au centre d'une pièce assombrie par l'absence de fenêtre et à peine éclairée par une lanterne suspendue au plafond voûté. Ils attachèrent ses poignets et ses chevilles avec de fortes chaînes de fer.

— Qu'allez-vous faire de cet homme ? demanda Francis Bibolet d'une voix épuisée.

Le seul survivant et fils de l'archéologue Hubert K. Bibolet était enfermé dans un cachot infect depuis qu'il avait été retrouvé par Steve et Edmond.

— Tu devrrais le rremerrcier. Il vient, et de jusstesse, de sauver ton âme, répondit Edgar sans le regarder. Nous avions besoin d'un corrps jeune et forrt, et je crrains pourr lui qu'il ssoit le candidat idéal.

Sytilis, la redoutable sorcière, s'approcha de Jonathan avec son sourire grimaçant aux dents jaunies.

— Oh ! Je ressens une terrible force qui émane de ce jeune homme, seigneur, dit-elle en regardant Edgar Kruta. Une force bien supérieure à la vôtre.

— Allez, vieille folle ! Faites votrre trravail !

— Très bien, seigneur.

Elle sortit alors sa baguette magique de sa poche, la pointa vers le plafond, et effectua des rotations, les yeux fermés, en prononçant une formule incantatoire dans une langue noire :

— *Importatos Leth Dhaos Corvusium Coraxix !*

Une fumée blanche en vortex apparut au-dessus de Jonathan, et une lumière éclatante en jaillit. Une silhouette surgit sous les yeux abasourdis de Francis. Malphas, le démon, noir de pied en cap, se mit à tournoyer à l'intérieur de la pièce en regardant Jonathan avec des yeux globuleux blancs. Le jeune Maître Drakar ouvrit ses paupières de peine et de misère. Il était très faible, mais suffisamment conscient pour savoir ce qu'il lui arrivait. Il devait faire quelque chose avant qu'il ne soit trop tard. Il essaya la télépathie…

— Ça ne vous sert à rien d'essayer de faire de la télépathie en ces lieux, jeune Maître, dit la sorcière en devinant ses intentions. J'ai installé un bouclier antitélépathique.

La sorcière fit signe à deux de ses mages noirs de déposer les chandeliers noirs à neuf branches autour du prisonnier. De sa baguette, elle les alluma. Les mages, ainsi qu'Edgar Kruta, se reculèrent pour laisser la sorcière commencer son rituel de transition. Edgar regarda la vieille femme ouvrir un sac en peau de chauve-souris en marmonnant des paroles inintelligibles à une vitesse qui le surprit. Elle plongea sa main dans le sac et jeta une poussière brunâtre au-dessus du corps de Jonathan. Cette poussière eut pour effet de créer un trou temporaire dans l'aura du supplicié. À l'instant où la poudre toucha son aura, elle se mit à brasiller. Jonathan se tordait de douleur. Au même moment, la porte de son âme s'ouvrit, et Malphas y pénétra facilement.

Francis assistait, bien malgré lui, à la fin d'un grand Maître Drakar.

◊ ◊ ◊

Zarya s'était changée depuis peu. Bien que sa robe de bal fût jolie, elle était peu confortable. Maintenant, la jeune fille était vêtue de sa robe noire qu'elle avait portée la journée même. Elle avait également détaché ses longs cheveux, qui cascadaient sur ses épaules. Zarya se sentait un peu inquiète par le retard inhabituel de Jonathan. « Probablement qu'il n'a pas encore digéré le verre de son ami », pensa-t-elle, en essayant de justifier son retard. Elle était debout, devant la fenêtre. Elle regardait les deux léviathans nager l'un près de l'autre, comme des amoureux. Elle pivota pour retourner vers son lit, lorsqu'elle lâcha un petit cri…

Elle se ressaisit.

— Bonsoir ! dit-elle en observant son petit fantôme, debout devant la porte.

Il lui sourit.

Elle devina son intention.

— Attends un peu. Je vais écrire un mot à mon ami, dit-elle en prenant une feuille de papier sur le bureau.

Elle avait décidé de le suivre sans déranger Abbie et Olivier, qui devaient sûrement bien apprécier leur belle soirée. Pour ce qui était de Jonathan, quand il verrait le message, il irait certainement la rejoindre.

— Allons-y, mon ami, suggéra-t-elle en accrochant le message sur la poignée extérieure de la porte.

Tout comme les autres fois, elle le suivit dans le long couloir. En descendant les marches du sous-sol, elle pouvait entendre la musique jouer dans la Grande Salle ; ils devaient bien s'amuser, les envia-t-elle. Elle arriva près de la porte secrète et s'arrêta à côté du garçon. Elle éclaira le mur avec son bougeoir en essayant de localiser l'endroit où se situait le balancier. Le jeune fantôme décida d'y aller le premier en passant à travers le mur. Elle leva la main et se concentra. Elle fit bouger le poids qui était de l'autre côté du mur, et la porte s'ouvrit dans un grincement lugubre !

L'horrible promesse de Malphas

Zarya pénétra avec prudence dans le passage étroit où l'obscurité dominait. Une forte odeur de renfermé et d'humidité imprégnait ce lieu secret. La jeune fille regrettait presque d'être venue dans cet endroit isolé, mais, une fois de plus, sa curiosité l'emportait sur son bon jugement. Plus elle s'enfonçait profondément dans le château, plus son estomac se contractait. Elle suivait toujours le jeune fantôme malgré son angoisse grandissante, l'oreille tendue dans l'inquiétant silence.

— Arrive-t-on bientôt ?

Son jeune guide continua sa progression sans se retourner. Selon l'évaluation que se faisait Zarya, elle devait avoir marché une trentaine de mètres dans ce couloir sans fin qui semblait rétrécir au fur et à mesure qu'elle avançait au cœur du château.

Le garçon semblait maintenant ralentir la cadence. Zarya pouvait apercevoir une ouverture en arche au fond du couloir.

Elle s'arrêta dans l'étroite embrasure en sondant le lieu avec la faible lumière qu'elle possédait. Elle aperçut des marches de pierre qui menaient encore plus profondément dans les entrailles du château. Curieusement, le garçon restait sur place en regardant Zarya avec satisfaction.

— C'est ici ?

Il lui sourit.

Elle examina les alentours, mais rien ! Seulement un escalier qui menait dix mètres plus bas.

— Serait-ce en bas de ces escaliers ?

Aucune réaction de sa part.

L'adolescente fit deux pas en direction des nombreuses marches et s'immobilisa. Elle jeta un regard de biais vers sa droite, puis reporta son regard sur le fantôme ; celui-ci fixait intensément du côté droit des marches. Elle examina donc de nouveau dans cette direction, allongea le bras avec son bougeoir et constata qu'il y avait un espace entre l'escalier et le mur.

— C'est là ?

Cette fois, le visage du jeune fantôme trahissait une profonde tristesse.

Elle entreprit de descendre les marches en fixant le vide sur sa droite. Le garçon la talonnait de près. Zarya arriva en bas près d'une porte, mais toute son attention était dirigée vers le côté de l'escalier. L'espace était étroit. Elle s'avança doucement vers cet endroit tapissé de toiles d'araignée.

Elle se figea instantanément ! Sidérée, Zarya se tourna vers le garçon resté près de la porte pour aussitôt reporter son regard devant elle. Elle s'agenouilla sur le sol humide ; deux larmes silencieuses roulèrent péniblement sur ses joues, et son regard douloureux se porta sur les ossements d'un enfant aux deux petites jambes cassées. Elle ne savait pas combien de temps il était resté dans cette position. Cependant, il y avait une chose dont elle était sûre, c'était qu'il n'était pas mort sur le coup. Le squelette était en position assise, dans le coin, bien appuyé sur le mur.

Zarya se tourna vers le jeune garçon.

— Tu voulais qu'on te retrouve, dit-elle d'une voix empreinte de tristesse. C'est horrible d'être resté ici aussi longtemps… seul ! Maintenant, je t'ai retrouvé, tu ne seras plus jamais seul…

Zarya fut interrompue par une lumière jaillissant du haut plafond, répandant une vive lueur dans cet endroit obscur. Elle reporta son regard sur le garçon. Toujours agenouillée, elle vit un deuxième spectre à côté de celui de l'enfant ; c'était celui d'une jeune fille, sûrement sa sœur. Les deux jeunes fantômes fixèrent Zarya et lui sourirent. Ce fut main dans la main qu'ils s'envolèrent en direction de la lumière pour disparaître.

— Tu es libre maintenant, mon jeune ami ! murmura Zarya.

Elle se leva en essuyant ses dernières larmes et en regardant le squelette du pauvre garçon. Dès qu'elle serait sortie de cet endroit, elle avertirait le service de la sécurité du château afin qu'on puisse enfin sortir le petit corps et l'inhumer honorablement après une attente de quatre cents ans.

Le pied de Zarya toucha à peine à la première marche qu'elle se tourna en direction de la porte :

— Mais où mène donc cette porte ?

Elle prit la poignée de métal et, dans un déclic, la porte s'ouvrit.

« De la lumière ! » se dit-elle.

« S'il y a de la lumière, il y a des gens, et, s'il y a des gens, je suis de retour dans le château », pensa-t-elle, soulagée d'être enfin sortie de cet endroit lugubre.

Se dirigeant en hâte vers le lieu où elle semblait avoir entendu des bruits de pas, elle arriva en face d'un mage vêtu d'une blouse blanche.

— Excusez-moi, monsieur, dit-elle en croyant qu'elle était près des cuisines. Je suis perdue, j'aimerais regagner ma chambre…

— Et qui êtes-vous, mademoiselle ?

— Je suis Zarya Adams, la petite-fille de Gabriel Adams, répondit-elle.

Le type perdit des couleurs.

— Zarya Adams ! répéta-t-il en avalant sa salive de travers.

— Oui, c'est ça.

— Vous êtes loin de votre chambre, jeune dame. Alors, suivez-moi, je vous prie.

La jeune fille avait hâte de raconter son aventure à Abbie et à Olivier. Il n'y avait nul doute, elle était très satisfaite d'avoir rempli sa petite mission avec succès. Elle avait libéré le jeune fantôme d'un tourment qui l'avait hanté durant plus de quatre siècles. Par contre, elle devrait relater toute l'histoire à son grand-père. De la visite nocturne du jeune fantôme aux déplacements dans le château en pleine nuit, en passant par la fabrication de la potion magique dans la Tour des Druides, en cachette. Ce dernier geste avait eu pour résultat d'alerter toute la sécurité du château pendant deux jours. Probablement qu'il serait préférable de ne pas mentionner cette étape à son grand-père, pensa Zarya, à tout le moins, pas aujourd'hui.

L'homme ouvrit une porte et pénétra dans une pièce ; elle le suivit.

— Assoyez-vous ici, mademoiselle, dit-il en lui indiquant un fauteuil qui semblait confortable. Je vais aller chercher quelqu'un qui pourra vous ramener dans votre chambre.

— D'accord, merci monsieur.

La salle était grande avec un plafond voûté supporté par de sveltes colonnes de bronze et meublée dans le style Renaissance. Elle était éclairée par trois candélabres à treize branches, ce qui lui donnait une atmosphère relaxante. À l'autre bout de la pièce, il y avait un long couloir en arche dépourvu de porte d'où un homme sortit.

— Bonsoi*rr*, mademoiselle Adams, la salua Edgar Kruta en s'approchant doucement de l'adolescente. Mon *ssuborrdonné* vient de me mentionner que vous désir*riez rr*etourner dans vo*trre* chamb*rre*.

— Oui, c'est exact, monsieur. Je me suis perdue dans les dédales de ce château.

— Oui, je comp*rr*ends fo*rr*t bien, mademoiselle Adams. Ce château est immen*ss*e. Je m'y suis moi-même déjà égarré plus d'une fois, lui confia-t-il d'un air calme. Mais, je dois di*rr*e que vo*trre* visite me *ss*urp*rr*end beaucoup. Mon maî*trr*e était ju*ss*tement en *trr*ain de me pa*rr*ler de vous.

— Ah, oui ? Sir Osterman vous parlait de moi ?

— Non, ce n'est pas ce che*rr* si*rr* Oster*rr*man !

— Et est-ce que je le connais ? demanda-t-elle, perplexe.

— Si vous le connaissez ? Bien sû*rr*. Vous le connaissez même *trr*ès bien, dit Edgar avec un sourire en coin.

— Pourrais-je retourner dans ma chambre, s'il vous plaît, monsieur ? dit Zarya, peu rassurée par ce type bizarre. Il se fait tard, et je suis attendue par un ami…

— Mais bien sû*rr*, mais mon maî*trr*e aime*rr*ait vous pa*rr*ler avant que vous pa*rr*tiez, dit-il en se tournant vers le couloir derrière lui.

Zarya discerna dans la pénombre la silhouette d'un homme qui les fixait sans prononcer une seule parole.

— Je vous p*rr*omets, votre conve*rr*sation ne dev*rr*ait pas du*rr*er longtemps, dit Edgar en prenant la direction de la porte et en quittant la pièce dans un rire sans éclat.

Il se tourna une dernière fois…

— Ah, oui, j'aime*rr*ais vous *ss*ouhaiter « bonne année », mademoiselle Adams ! dit-il en refermant la porte derrière lui.

Elle se leva doucement en regardant de biais dans la direction de l'homme ; il restait dans la pénombre. Mal à l'aise, Zarya pivota vers la sortie, lorsqu'il lui adressa la parole :

— Zarya Adams !

Elle se retourna dans sa direction.

— Si tu savais comme j'ai beaucoup pensé à toi… dernièrement, dit-il de sa voix particulière, une voix rauque.

Elle essaya de distinguer son visage, mais il demeurait dans l'obscurité.

— Qui êtes-vous, monsieur ?

— Tu peux me tutoyer, Zarya. Nous sommes maintenant de vieux amis.

— Désolée, mais je ne vous connais pas, dit-elle en commençant sérieusement à avoir hâte de quitter cet endroit.

— Oh, oui, tu me connais, Za-ry-a ! dit-il en insistant sur son prénom. Je t'avais promis que je reviendrais… le jour où tu t'y attendrais le moins…

— Malphas ! s'exclama-t-elle, les yeux écarquillés par la peur.

Elle courut vers la porte ; celle-ci était bloquée. Elle se tourna dans sa direction : il avait le bras levé, tenant la porte fermée grâce à ses facultés mentales.

— Mais c'est impossible ! dit-elle, apeurée devant le mal en personne. Je t'ai renvoyé aux enfers…

— En effet, j'y suis retourné. Mais, maintenant, je suis là ! Je suis revenu pour toi…

— Que me voulez-vous ?

— J'espère que tu as bien reçu mon message ? Aurais-tu oublié ma promesse ?

Elle se souvenait parfaitement du message livré par ses Erliks : *Grand corbeau viendra arracher lui-même ton cœur.*

— *Grand-père ! Grand-père !* appela-t-elle par la télépathie.

— Si tu essayes de communiquer avec quelqu'un, devina Malphas, c'est peine perdue. Il y a un bouclier antitélépathique dans tout le sous-sol du château.

Zarya était littéralement pétrifiée, ne sachant quoi faire devant ce démon sans scrupules. Elle réfléchissait à un moyen de s'en sortir lorsqu'il sortit de la pénombre.

Elle le dévisagea de son regard exorbité.

— Non... noooon ! Pas toi ! Je t'en prie... pas toi, Jonathan !

— Eh oui, c'est bien lui, dit-il suavement en s'avançant d'un pas lent vers sa proie.

Elle recula, les yeux remplis de larmes.

— Je t'en supplie, Jonathan. Bats-toi contre...

— Tu peux me croire, Zarya, l'interrompit Malphas, il essaie ! Je dois avouer qu'il est plus coriace que ton père.

— J'ai besoin de toi, Jonathan... Je t'en prie !

Malphas grimaça de douleur...

— Vraiment coriace, ce Maître Drakar !

Zarya longea le mur en fixant Malphas, qui s'avançait doucement vers elle.

— Je te croyais plus intelligente, Zarya. Si tu veux t'en sortir, il n'existe qu'une seule solution.

Elle le dévisagea d'un regard horrifié.

— Eh oui ! Je vois que tu as deviné. Il te faudra tuer ton amoureux. Ha ! Ha ! Ha ! partit-il d'un rire démoniaque.

— Jamais !

En criant cette objection, Zarya se mit à courir vers le long couloir et *bang!* elle heurta de plein fouet le bouclier invisible créé par le démon ; elle tomba sur le sol, ébranlée.

— Si tu savais, Zarya, je suis *très* déçu par ta réaction, reprit-il d'un ton désappointé. J'aurai cru, pendant un instant, qu'on aurait pu s'amuser un peu. Alors, tu ne me donnes vraiment pas le choix, dit Malphas en la faisant léviter à la hauteur de son visage. Je dois et je vais enfin mettre un terme à la famille des Adams, une bonne fois pour toutes.

Il prit une profonde inspiration et lui lança, d'une voix tremblante, la rage peinte sur son visage :

— Si tu savais comme je vous hais, vous, les Adams !

Sur ces paroles, il projeta avec force la jeune fille contre le mur de pierres. Face contre terre, elle remuait à peine. Un liquide tiède lui coulait sur le visage : c'était son propre sang. Zarya essaya de se lever, mais sa tentative s'avéra infructueuse. Malphas fouilla dans la poche du veston de Jonathan et en sortit une pierre de combat. Dans un geste désespéré, Zarya leva la main et fit voler la pierre à l'autre bout de la pièce.

— Bravo ! dit-il sarcastiquement. Je vois qu'il te reste encore un peu de bravoure. Mais, malheureusement, je me vois dans l'obligation de mettre un terme à notre relation. Il est presque minuit, et mon chef, Méphistophélès, est sur le point de renaître dans ce monde. Un monde qui sera bientôt le sien !

On pouvait lire le désespoir dans les yeux de l'adolescente.

— Vous ne pourrez jamais vaincre les Maîtres Drakar, dit-elle en serrant les dents. Et mon grand-père vous arrêtera avant même que vous soyez sorti de ce château.

Malphas se mit à rire à grands éclats.

— Regarde-moi, Zarya. Je suis jeune et fort. Et mon plus gros avantage sur ton grand-père, c'est qu'il a une confiance aveugle envers moi, dit-il en montrant du doigt le corps de Jonathan, qu'il possédait.

La jeune fille comprit alors toute l'horreur de ce plan diabolique. Malphas avait raison. Même la jeune adolescente ne pouvait pas se battre contre lui aussi longtemps qu'il occuperait le corps de Jonathan. Deux bonnes raisons l'en empêchaient : il était beaucoup plus fort et plus expérimenté qu'elle dans l'art du combat, et elle l'aimait plus que tout !

Dans le passé, c'est son père qui avait été sous l'influence de Malphas ; maintenant, c'était l'amour de sa vie. Zarya comprit alors le sens de la promesse de Malphas :

Grand corbeau viendra arracher lui-même ton cœur. Son cœur, c'était Jonathan, interpréta-t-elle trop tard.

— Maintenant, Zarya, dit Malphas en reculant d'un pas, tu peux lui dire adieu !

Zarya fixa intensément les yeux de Jonathan en essayant de percevoir, au plus profond de son âme, une lueur, si petite soit-elle :

— Je t'aimerai pour l'éternité, dit-elle d'une voix douce en tenant entre ses doigts la Sphère d'Agapè.

Désespérée, elle ferma doucement les yeux, résignée à disparaître pour son bien-aimé.

Malphas leva ses bras, un sourire démoniaque aux lèvres, et...

Le bruit sourd d'un corps tombant sur le sol se répercuta à travers la pièce...

Zarya ouvrit les yeux. Malphas était allongé sur le sol, les deux mains crispées sur sa poitrine.

— Tu ne me feras pas sortir ! hurla-t-il.

— Bats-toi, Jonathan ! cria-t-elle, pleine d'un espoir nouveau.

Le combat s'engagea entre Jonathan et Malphas. Le démon avait sous-estimé la force intérieure de son possédé. Mais Malphas était acharné à conserver le corps de ce jeune Maître Drakar.

— Je t'en prie, Jonathan, reviens-moi ! supplia Zarya en regardant Malphas se tortiller vivement sur le sol.

Brusquement, tout s'arrêta. Le corps de Jonathan s'immobilisa, étendu sur le dos, les paupières fermées.

— Jonathan... Jonathan ! appela-t-elle en s'avançant vers lui d'un pas prudent.

L'adolescente recula promptement en voyant sortir du corps du jeune Maître Drakar une bête ténébreuse, translucide, à la queue dentelée et aux yeux emplis de haine.

À présent, Malphas planait au-dessus de la tête de Zarya. Il lui dit télépathiquement :

— *Mon chef Méphistophélès s'en vient.*

Il examina, avec un sourire de dédain, le corps inerte du jeune homme sur le sol.

— *Tout est terminé pour lui et pour toi !*

La jeune fille le regarda s'enfuir à toute vitesse à travers le mur et disparaître.

Elle s'agenouilla près de Jonathan et lui prit la main.

— Jonathan, réveille-toi, ne me laisse pas seule !

Elle vit, avec souffrance, une lueur blanchâtre vaporeuse sortir du corps de son amoureux : l'âme de celui-ci quittait son corps.

— Non… ne t'en va pas ! Reste auprès de moi, le supplia-t-elle en pleurant de tout son être, voyant le corps spectral de Jonathan s'envoler vers le plafond.

Elle pouvait lire une certaine sérénité sur le visage du jeune homme ; pourtant, elle pressentait une lourde tristesse dans son geste empreint de désespoir. Se retrouver impuissante pour secourir celui qu'elle aimait était, et de loin, la plus effroyable douleur qu'elle avait connue de toute sa vie. Elle vit avec anéantissement le fantôme de Jonathan s'éteindre à jamais.

Malphas avait senti la fin du jeune Maître Drakar, et c'est pour cette raison qu'il avait déserté son corps. Jonathan s'était sacrifié pour sa bien-aimée.

Couchée, Zarya pleurait si amèrement que ses larmes lui brûlaient les yeux, si douloureusement que sa dévastation lui fendait le cœur. Elle avait connu un amour si intense, un bonheur si parfait ! Mais, à cause de Malphas, tout était terminé.

Soudainement, Zarya sentit le sol trembler. Une vibration en provenance du fond du couloir devant elle. Des bruits de sabots, crut entendre la jeune adolescente. Bien que le plafond voûté du couloir fût d'une bonne hauteur, la chose qui s'approchait devait se pencher vers l'avant. Zarya vit, avec effroi, une gigantesque silhouette apparaître. Malphas n'avait pas menti : Méphistophélès était là !

◊ ◊ ◊

Abbie et Olivier quittèrent la Grande Salle après avoir souhaité une bonne année à Gabriel et à Didier. Elle avait pris connaissance du message que Zarya lui avait laissé sous son verre. Olivier raccompagnait son amoureuse à sa chambre lorsqu'elle aperçut un autre message sur la porte de la chambre de Zarya.

— Qu'est-ce que tu fais, Abbie ?

— Il y a un message, dit-elle en le prenant. Il m'est peut-être destiné.

— Probablement. Et que dit ce message ?

— Je ne comprends pas ! Il est destiné à Jonathan.

— Ça fait un bon moment qu'ils sont partis. Ils ne sont pas ensemble ?

— Je ne sais pas, dit-elle. Vraiment bizarre. Et le message dit qu'elle est partie avec le fantôme.

— Au passage secret ?

— Oui.

— Crois-tu qu'on devrait y aller ?

— Sans aucun doute, dit-elle en remettant le message sur la porte. « Au cas où Jonathan ne l'aurait pas encore lu », se dit-elle.

Olivier alla chercher un azoth dans sa chambre.

Ils dévalèrent rapidement les marches. Arrivés sur les lieux, ils remarquèrent que le passage était fermé.

— Te souviens-tu de l'emplacement de la porte ? demanda Olivier en éclairant le mur avec son cristal.

— Oui, elle est ici, à un mètre de cette toile. Je vais essayer de l'ouvrir.

Abbie leva la main et se concentra. Elle fit bouger le poids comme son amie l'avait fait plus tôt dans la soirée.

La porte s'ouvrit !

— Tu es bien sûre qu'il faut entrer à l'intérieur ? s'enquit Olivier.

— Oui, répondit la jeune fille sans hésiter.

— D'accord, alors allons-y. Mais laisse-moi passer le premier.

Après avoir traversé l'étroit passage, ils arrivèrent à l'endroit où il y avait une ouverture en arche au fond du couloir.

— Un escalier !

— Oui, et il y a une porte ouverte en bas ! fit remarquer Abbie.

— Alors, qu'est-ce qu'on attend ?

Ils franchirent la porte prudemment en regardant à gauche et à droite.

— Où va-t-on, à présent ? demanda Olivier.

— Allons à gauche.

Olivier avait remis son azoth dans sa poche : nul besoin de cet objet dans cet endroit bien éclairé.

— Je vais l'appeler télépathiquement, suggéra Abbie.

— Tu peux toujours essayer, dit-il, mais je crains que cela ne fonctionne pas.

— Pourquoi ?

— Il y a un bouclier antitélépathique.

— Comment le sais-tu ? demanda-t-elle.

— L'impression étrange du vide autour de nous.

— Tu as raison. Je le ressens aussi.

Un silence de mort régnait dans ce lieu désolé du château. Les deux adolescents avançaient d'un pas feutré, tentant de localiser un bruit qui pourrait leur donner un indice pour retrouver leur amie. Ils pénétrèrent dans une salle au bout du couloir.

— On dirait un laboratoire de recherche, observa Olivier, surpris de voir ce genre d'endroit dans un sous-sol de château.

— Il y a eu de l'activité tout récemment, devina Abbie en voyant du liquide visqueux sur le sol.

Elle remarqua un réservoir transparent aux parois en verre de trois mètres empli d'un liquide blanchâtre vaguement mousseux sur le dessus. Sur le côté, il y avait un appareil de levage muni de trois lanières de cuir déchirées.

— Si je ne me trompe pas, dit Olivier en regardant toutes les installations, nous sommes dans un endroit où on pratique le clonage illégal.

L'attention d'Abbie fut attirée par un objet brillant d'un éclat doré sous la lumière que projetait la lampe de travail.

— Regarde, Olivier, dit-elle en s'en emparant. Que fait cette dague en or dans un endroit pareil ? Ça va dans un musée ce genre d'objet !

— Waouh ! Abbie, dit-il, les yeux rivés sur l'objet en question. Tu tiens la dague d'Azazel entre tes mains !

— Azazel ! Qui est-ce, Azazel ? C'est le nom du fabricant ?

— Oui, si on veut, dit l'adolescent sans détacher son regard de l'objet légendaire. C'est avec cette dague que Joshua Drakar aurait tué Méphistophélès. C'est le seul objet connu qui peut tuer un démon tel que lui. Elle est magique !

— Es-tu sûr que c'est celle-là ? dit Abbie en la regardant différemment. Ça pourrait être une fausse !

— Non, j'en suis certain, affirma-t-il, catégorique. J'ai entendu monsieur Adams en parler avec l'un des professeurs au Temple, l'autre jour. Il a mentionné qu'un archéologue aurait retrouvé la dague d'Azazel dans le nord de Dagmar et…

Olivier la prit dans ses mains.

— Et quoi…?

— Et, par la suite, elle aurait mystérieusement disparu !

Abbie regarda de ses yeux arrondis la dague magique entre les mains d'Olivier et lui dit :

— Et nous, on l'a retrouvée !

— Pour l'instant, on devrait plutôt essayer de retrouver Zarya, suggéra Olivier, pragmatique, en déposant la dague sur la table.

— Tu as raison.

Abbie fit le tour du réservoir transparent et poussa un horrible hurlement !

— Il y a une personne… morte, ici, dit-elle en regardant un homme vêtu d'une blouse blanche tachée de son propre sang ; c'était le professeur Gauriat.

— Je ne sais pas ce qui se passe ici, dit Olivier, terrorisé par l'état du corps de l'homme, mais ils ont cloné quelque chose de gros, de puissant et de très dangereux. Et, si je ne me trompe pas, ils auraient perdu le contrôle de la chose, conclut-il en fixant l'homme sans vie gisant dans son sang, puis les lanières de cuir déchiquetées.

— Zarya ! cria Abbie, affolée. Il faut la retrouver au plus vite !

— On doit avertir monsieur Adams, suggéra Olivier.

— Tu as raison. Va chercher monsieur Adams ; moi, je vais à la recherche de Zarya.

— Non, c'est trop dangereux, dit-il, catégorique. Tu viens avec moi.

— Pas question ! Je pars à sa recherche.

— Abbie, je t'en prie…

— Va chercher de l'aide ! dit-elle en s'élançant dans le long couloir en arche au fond de la pièce.

Sans discuter, Olivier sortit par la porte au pas de course.

Abbie chemina dans le long couloir sombre, se guidant seulement avec la lumière qu'elle voyait à l'autre bout. Arrivée à destination, l'adolescente jeta un rapide coup d'œil de tous côtés. La pièce semblait déserte. Un combat y avait cependant eu lieu. Il y avait des meubles brisés, renversés dans les quatre coins de l'immense salle. Abbie vit, avec horreur, un autre corps sans vie sur le sol. Elle s'approcha doucement pour voir son visage ; un fauteuil le lui cachait.

— Nooon ! Ce n'est pas vrai… Jonathan, dit-elle, la figure entre ses deux mains.

Ce qu'elle voyait lui causa manifestement une terrible crainte : l'appréhension de retrouver Zarya dans le même état.

— Zarya ! cria la jeune fille de toutes ses forces.

C'est alors qu'elle aperçut des gouttes de sang qui créait sur le sol une piste qu'elle décida de suivre. Elle souhaitait, avec ardeur, que ce ne soit pas celui de son amie. Elle suivit les traces menant au mur défoncé derrière elle. Que pouvait bien être ce monstre qui passait à travers un mur de pierres sans se soucier d'utiliser une porte ?

— Pauvre Zarya, où es-tu ? pensa Abbie à voix haute, en regardant les coups de griffes encastrés dans les murs.

La jeune fille s'immobilisa pour se concentrer sur le courant d'air frais qu'elle sentait sur ses joues humectées par ses larmes de désespoir. Elle courut à toutes jambes, espérant encore retrouver son amie vivante. Sortant à l'extérieur du château par une porte arrachée de ses gonds, elle aperçut une scène cauchemardesque.

— Zarya ! cria-t-elle, horrifiée par ce qu'elle voyait.

Abbie discerna clairement, grâce à la luminosité de la pleine lune, une bête gigantesque, rouge, aux longues cornes affilées comme des poignards, qui faisait face à la jeune gothique toute vêtue de noir. Elle reconnut immédiatement Méphistophélès, bien qu'elle ne l'ait jamais vu en chair et en os auparavant.

Cependant, la fidèle représentation du démon sur l'une des toiles du Temple, devant le légendaire Joshua Drakar, ne laissait place à aucun doute.

— Abbie, sauve-toi !

— Pas question, je viens t'aider !

Abbie n'avait pas remarqué dans quel état était son amie, puisqu'elle lui faisait dos.

Zarya, le visage couvert de sang, tenait à distance le géant rouge aux cornes démesurées grâce à son bouclier invisible. Ce démon, bien que dépourvu de pouvoir magique, détenait une force ahurissante. Il poussait sur le bouclier avec une indescriptible fureur.

— Utilise ton pouvoir de Torden, Zarya, dit Abbie en venant épauler sa copine. Je vais tenter de le retenir.

— J'ai essayé, mais c'est peine perdue. Les éclairs ricochent sur sa peau.

Toujours en maintenant son bouclier et sans regarder Abbie, Zarya lui dit avec une douloureuse émotion :

— Jonathan !

— Je sais !

Les adolescentes glissèrent sur le sol enneigé. Méphistophélès gagna du terrain sur les jeunes mages. Toujours en poussant le bouclier sur le démon, Abbie regarda par-dessus son épaule et vit, avec horreur, une falaise derrière elles !

— Il veut nous jeter en bas de ce ravin, dit Abbie à son amie.

— Alors, il faut pousser plus fort, vers le gros arbre derrière lui, dit Zarya, qui avait un plan.

— J'ai compris.

Jetant un regard sur Zarya, Abbie aperçut les cheveux de son amie qui flottaient dans l'air. Au même instant, celle-ci sentit un énorme champ magnétique statique envelopper son corps tout entier : elle avait atteint le Fortitudo. Abbie perçut une forte poussée sur leur monstrueux agresseur. Les sabots de celui-ci glissèrent sur le sol. Les deux jeunes filles le poussèrent de toutes leurs forces intérieures sur le gros arbre.

— Pousse, Abbie !

— Je pousse !

— On l'a presque !

Abbie lâcha momentanément prise sur son bouclier et, de sa main droite, elle aspergea les sabots du démon d'une brume glacée, ce qui eut pour effet de le faire basculer. Dans un grand fracas, Méphistophélès tomba au pied de l'arbre. C'est alors que Zarya dit d'une voix forte :

— *Virnamia goustiass demunsioss voutanass !*

L'arbre centenaire se déploya dans un extraordinaire craquement, faisant trembler le sol sous leurs pieds. Saisi par ses bras musclés, Méphistophélès fut attiré vers le tronc rugueux. Il se démenait férocement, mais, malgré sa force surhumaine, les branches flexibles étaient trop résistantes. C'est alors qu'il dit d'une voix grave et puissante :

— Lâchez-moi, humaines, sinon…

— Sinon, quoi ? Vous allez nous tuer ? l'interrompit Zarya en hurlant son épouvantable colère.

— Vous ne pouvez pas me tuer, jeunes idiotes, dit-il en riant de tous ses crocs.

Sur ces paroles, et sans crier gare, Abbie se mit à courir et pénétra dans le château, sous le regard ébahi de son amie.

— Tu devrais suivre l'exemple de ta copine et prendre la fuite.

Zarya avait juste une idée en tête, c'était de venger la mort de Jonathan.

— *Virnamia goustiass demunsioss levitus penditor !*

L'une des branches s'enlaça autour du coup du géant et le souleva à un mètre du sol. Les jambes de la bête battaient dans le vide. Suffoquant, le démon résistait malgré tout ! Il avait raison, nul ne pouvait le tuer.

— Zarya, attention ! dit Abbie, qui avait la seule arme efficace contre lui.

Elle fit léviter la dague d'Azazel au-dessus de sa main, puis fit le geste de la lancer, mais sans avoir de contact physique avec elle. La dague fut projetée à une vitesse surprenante vers Méphistophélès ! Il la reçut en plein estomac.

Les yeux de Méphistophélès se refermèrent dans un long hurlement de douleur.

— Est-ce qu'il est mort ? demanda Abbie.

— Je crois, oui…

Les deux jeunes filles s'avancèrent prudemment vers lui, lorsqu'il ouvrit de nouveau les yeux. Il réussit à dégager un de ses bras solidement ligotés et, grimaçant d'une souffrance atroce, il prit la dague profondément enfoncée dans son estomac. Il la retira, et la plaie se referma.

Les jeunes filles reculèrent avec découragement.

À l'aide de la dague magique, il coupa le reste des branches qui l'emprisonnaient toujours.

— C'est le cœur qu'il faut viser. On manque de précision, jeune dame ! dit-il en lançant la dague au visage d'Abbie.

Étrangement, la dague s'arrêta à quelques centimètres de l'œil de l'adolescente. Elle pivota ensuite sur elle-même puis fut projetée, avec une extrême vélocité, en plein dans le cœur de Méphistophélès.

— Moi, j'ai de la précision, clama Olivier.

Les jeunes filles se tournèrent vers lui et l'aperçurent en compagnie de Gabriel.

Abbie se retourna vers le démon rouge couché sur le sol.

— Il ne faut pas qu'il s'enfuie, cria-t-elle en montrant du doigt le corps astral de Méphistophélès qui sortait de son corps physique.

Gabriel fit alors une chose qui surprit les adolescents. De son pouvoir télékinésique, il retira la dague du corps inerte du démon rouge, la déposa sur le sol et propulsa le corps mé-phistophélique, avec une force inouïe, en bas de la falaise, dans l'océan, près du couple de léviathans. Ceux-ci se régalèrent à pleines dents.

Par la suite, Gabriel leva sa canne et produisit un immense dôme au-dessus de leur tête.

— Vas-y, Zarya ! l'encouragea son grand-père.

Zarya referma ses bras en croix sur sa poitrine en prenant une grande respiration... Soudain, elle ouvrit ses bras en direction du corps translucide de Méphistophélès. Amplifiés par la rage intérieure de la jeune gothique, des éclairs bleus sortirent de ses dix doigts et, dans un bruit torrentiel, allèrent frapper le démon sur tout son corps. Il heurta le dôme diaphane de Gabriel de gauche à droite. Tout à coup, Méphistophélès éclata en mille cristaux de lumière rouge feu qui disparurent dans un tourbillon. Curieusement, le tourbillon augmenta de volume jusqu'au moment d'atteindre le sol, puis il aspira la dague d'Azazel, sous les yeux stupéfaits de Gabriel et des adolescents.

Zarya tomba à genoux sur le sol durci par le froid, la figure entre les mains ; toutes les émotions de cette fatidique journée sortirent en pleurs. Elle prit sa Sphère d'Agapè entre ses mains et remarqua, avec une profonde tristesse, qu'une étoile avait disparu ; Jonathan n'était plus.

Épilogue

Sans le vouloir, le jeune fantôme avait donné une piste importante à Zarya. Après avoir été libéré et soigné de la malnutrition, Francis Bibolet témoigna contre les mages noirs qui avaient assassiné son père, l'éminent archéologue Hubert K. Bibolet, et son équipe. Cela avait permis aux Maîtres Drakar de mettre Edgar Kruta et ses mages noirs sous les verrous. Ces malfaisants furent condamnés à l'emprisonnement à perpétuité pour l'un des crimes les plus graves de cette dimension magique : avoir tenté de relâcher leur dieu du mal, Méphistophélès.

Pour un temps indéterminé, Vonthruff fut placé sous la protection des Maîtres Drakar avec l'autorisation de sir Roland Osterman. Ce dernier fit une cérémonie en l'honneur des personnes disparues à l'occasion de laquelle il remit une médaille de bravoure aux trois adolescents qui avaient mis fin au plan diabolique du mage noir Edgar Kruta.

◊ ◊ ◊

Zarya faisait sa valise, lorsqu'on frappa à sa porte.
— Bonjour, Zarya.
— Bonjour, grand-père, dit-elle d'un ton monocorde.

Gabriel s'approcha doucement de sa petite-fille et la regarda mettre sa dernière chemise dans la valise.

— Il me manque tellement, grand-père.

— Oui, je sais, dit ce dernier en observant sa petite-fille avec compassion. Il me manque aussi. Il était le Maître Drakar le plus courageux que je connaisse.

Gabriel appuya sa canne sur le bord du lit et prit les deux mains de l'adolescente.

— Zarya, ce que je m'apprête à te dire risque fort bien de te perturber davantage. Je ne sais pas si je regretterai ces paroles un jour, mais ma conscience me le permet. Et, te connaissant bien, je suis persuadé que tu vas cheminer devant cet obstacle comme tu es la seule à pouvoir le faire.

— Je ne connais pas de plus gros obstacle que la mort de Jonathan !

— Oui, je comprends fort bien, dit Gabriel en prenant une inspiration. Cependant, Jonathan n'est pas mort !

Zarya lâcha les mains de son grand-père et les porta à son visage en reculant de deux pas.

— Il est vivant !

— Il est dans un profond coma, répondit-il.

— Mais… je l'ai vu quitter son corps, invoqua-t-elle en ne comprenant plus rien.

— Jonathan est toujours relié à son cordon argenté, le lien qui unit le corps physique au corps astral, expliqua Gabriel en voyant l'interrogation se dessiner sur la figure de Zarya. Il s'est volontairement dissocié de son enveloppe physique. Une technique très ancienne que l'on appelle « l'Auto-Lusis du Guerrier ».

— Peut-on le guérir ? Les médecins peuvent-ils le ramener ? demanda la jeune fille avec espoir.

— Les médecins peuvent seulement conserver son corps en vie. Pour ce qui est du reste, ça ne dépend que de lui !

Gabriel discerna un léger sourire sur le visage de sa petite-fille.

— Il va revenir, j'en suis certaine.

— Je tiens à t'informer que l'Auto-Lusis est le coma des comas ! À ma propre connaissance, personne n'est revenu de ce lieu lointain.

— Ce lieu ?

— Oui, les limbes.

◊ ◊ ◊

En fin d'après-midi, quelques jours après le Nouvel An, un cortège silencieux de Maîtres Drakar se dirigeait lentement vers la *Pertuisane III*, suivant une capsule vitrée en lévitation dans laquelle le corps de Jonathan reposait. Avec un regard profondément triste, Didier marchait au côté de Zarya et d'Abbie, qui avaient le visage luisant de larmes. Elles se tenaient par le bras, talonnées de près par Olivier, Mitiva et Gabriel.

Depuis la révélation inattendue de son grand-père, Zarya gardait espoir. Elle savait, et son grand-père le lui avait bien expliqué, que la possibilité du retour de Jonathan était pratiquement miraculeuse, voire impossible.

En embarquant sur la *Pertuisane III*, Zarya jeta un dernier coup d'œil au château de Sakarovitch et crut, pendant un instant, en regardant machinalement vers la Tour des Druides, qu'une inquiétante silhouette noire translucide la fixait !

En librairie le 23 septembre 2009

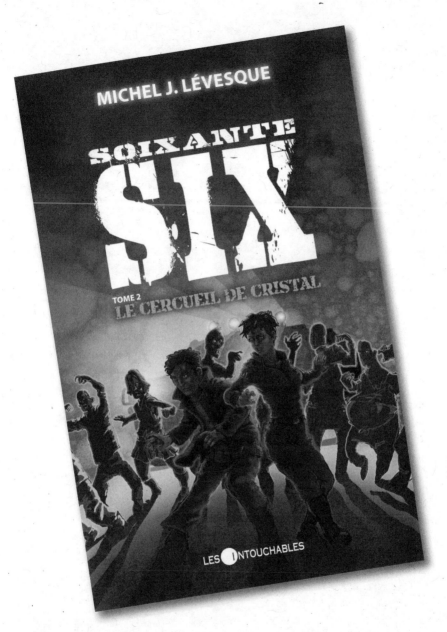

En librairie le 23 septembre 2009

En librairie le 18 novembre 2009

La production du titre *Zarya, et la dague d'Azazel* sur 7 101 lb de papier Enviro antique blanc 100m plutôt que sur du papier vierge aide l'environnement des façons suivantes :

Arbres sauvés : 60
Évite la production de déchets solides de 1 740 kg
Réduit la quantité d'eau utilisée de 164 573 L
Réduit les matières en suspension dans l'eau de 11,0 kg
Réduit les émissions atmosphériques de 3 820 kg
Réduit la consommation de gaz naturel de 249 m³

C'est l'équivalent de :

Arbre(s) : 1,2 terrain(s) de football américain
Eau : douche de 7,6 jour(s)
Émissions atmosphériques : émissions de 0,8 voiture(s) par année

Transcontinental
IMPRESSION
IMPRIMERIE GAGNÉ